Mojsisovics, Edmund von; Neu

Beitraege zur Palaeontologie Oesterreich-Ungarns und des Orients

3. Band

Mojsisovics, Edmund von; Neumayr, M.

Beitraege zur Palaeontologie Oesterreich-Ungarns und des Orients

3. Band

Inktank publishing, 2018

www.inktank-publishing.com

ISBN/EAN: 9783750104648

BEITRÄGE

ZUR

PALÄONTOLOGIE ÖSTERREICH-UNGARNS

UND DES ORIENTS

HERAUSGEGEBEN VON

E. v. MOJSISOVICS UND M. NEUMAYR.

III. BAND.

MIT 30 TAFELN UND 2 HOLZSCHNITTEN.

—

WIEN, 1884.

ALFRED HÖLDER

K. K. HOF- UND UNIVERSITÄTS-BUCHHANDLER.

ROTHENTHURMSTRASSE 15.

4

Verzeichniss

der

Abonnenten auf Bd. III der Beiträge zur Paläontologie Oesterreich-Ungarns.

Alth, Professor Dr. A. v., Krakau.
Benecke, Professor Dr. E. W., Strassburg.
Bergakademie in Leoben.
Beyrich, Geheimrath Dr. E., Berlin.
Braun, Mr., Cincinnati.
Brusina, Professor Dr. Sp., Agram.
Burmeister, Dr., Director d. Museo publico in Buenos Ayres.
Cameraldirection, Erzherzog Albrecht'sche, Teschen.
Claus, Professor Dr., Wien.
Cope, Professor Dr. E., Philadelphia.
Credner, Professor Dr., Leipzig.
Dames, Professor Dr., Berlin.
Doell, Director Dr., Wien.
Drasche-Wartinberg, Dr. R. v., Wien.
Eck, Professor Dr., Stuttgart.
Fritsch, Professor Dr. A., Prag.
Fritsch, Professor Dr. C. v., Halle a. S.
Geological Society, London.
Geologische Landesanstalt, Budapest.
Geologische Landesanstalt, Strassburg.
Geologische Reichsanstalt, Wien. 2 Ex.
Geologisches Universitätsmuseum, Wien.
Grotrian, Geheimrath, Braunschweig.
Hauer, Hofrath F. v., Wien.
Hochstetter, Hofrath F. v., Wien.
Hofmineraliencabinet. k., Wien.

Holub, Dr. E., Wien.
Karrer, F., Wien.
Katholiczky, Dr., Rossitz.
Kobelt, Dr. W., Schwanheim a. M.
Koenen, Professor Dr. v., Göttingen.
Loriol, P. de, Frontenex bei Genf.
Lundgren, Professor Dr., Lund.
Makowsky, Professor A., Brünn.
Meneghini, Professor Dr., Pisa.
Merian, Professor Dr. P., Basel.
Mösch, Director C., Zürich.
Mojsisovics, Oberbergrath Dr. E. v., Wien.
Museo civico, Triest.
Naturwissenschaftl. Verein, Hermannstadt.
Neumayr, Professor M., Wien.
Nikitin, Professor, Moskau.
Oberbergamt, k., München.
Oberrealschule in Salzburg.
Ottmer, Professor Dr., Braunschweig.
Paläontolog. Universitätsmuseum, Wien.
Pancic, Director Dr., Belgrad.
Petrino, O. Freiherr v., Czernowitz.
Pheophilaktow, Professor Dr., Kiew.
Pilar, Professor Dr., Agram.
Polytechnicum, Braunschweig.
Porumbaru, Professor R., Bukarest.
Reyer, Dr. E., Wien.
Sandberger, Professor Dr., Würzburg.

Schwarz, Baron Julius, Salzburg.
Sinzow, Professor Dr., Odessa.
Stache, Oberbergrath Dr. G., Wien.
Städtische Bibliothek, Bern.
Steindachner, Director Dr., Wien.
Steinmann, Dr., Strassburg.

Stur, Oberbergrath, Wien.
Stürtz, B., Mineral. und Palaontol. Comptoir in Bonn.
Suess, Professor Dr. E., Wien.
Waagen, Professor Dr. W., Prag.

Ausserdem wurden mehrere Exemplare durch Buchhandlungen pränumerirt, deren Besteller unbekannt sind; im Ganzen gingen 131 Exemplare nach den folgenden Städten:

Aachen 1	Dresden 1	Leipzig 3	Pisa 1
Agram 2	Genf 2	Lemberg 2	Prag 7
Basel 1	Giessen 1	Leoben 1	Rom 2
Belgrad 1	Göttingen 2	Lissabon 1	Rossitz 2
Berlin 7	Graz 6	London 6	Salzburg 2
Bern 1	Haarlem 1	Lund 1	Schwanheim 1
Bonn 1	Halle 1	Mailand 2	Stockholm 1
Braunschweig 2	Heidelberg 1	Moskau 1	Strassburg 4
Brünn 1	Hermannstadt 1	München 3	Stuttgart 2
Brüssel 1	Innsbruck 2	Neapel 1	Teschen 1
Budapest 8	Kiel 1	New York 1	Triest 1
Buenos Ayres 1	Kiew 1	Odessa 1	Turin 2
Bukarest 1	Klagenfurt 1	Paris 3	Wien 19
Cincinnati 1	Klausenburg 2	Petersburg 1	Würzburg 2
Czernowitz 1	Krakau 1	Philadelphia 1	Zürich 2.

INHALT.

(Die Autoren allein sind für Form und Inhalt der Aufsätze verantwortlich.)

DIE FLORA DER BÖHMISCHEN KREIDEFORMATION.

VON

J. VELENOVSKÝ.

II. THEIL.[1]

Proteaceae, Myricaceae, Cupuliferae, Moreae, Magnoliaceae, Bombaceae.

(Taf. I—VII [IX—XV].)

Familie Proteaceae.

Dryandra cretacea sp. n.

(Taf. I [IX], Fig. : —5.)

Blätter lang, lineal, zum Stiele allmälig verschmälert, vorne kurz zugespitzt oder ziemlich stumpf endigend, fiederspaltig. Die Lappen meistens abwechselnd, dreieckig, scharf, fein zugespitzt, entweder einfach oder ziemlich tief gespalten oder zweizähnig. Der $\frac{1}{2}$—1 cm lange Blattstiel gerade, nicht stark, mit langen borstigen Wimpern besetzt. Der Primärnerv gerade, nicht stark, die ganze Länge hindurch gleich dick, nur in der Spitze verfeinert. In die einzelnen Lappen laufen stets zwei stärkere Secundärnerven, von denen der obere in dem oberen, der untere in dem unteren, kleineren Zahne endet oder am Rande verschwindet; die beiden Secundärnerven zweigen noch einen Tertiärnerv ab, welche sich in der Nähe des Winkels der beiden Zähne verbinden. Das Nervennetz selten hervortretend; die stärkeren Rippen desselben stehen senkrecht auf den Secundärnerven. Das Blatt von fester, lederartiger Natur.

Bis jetzt wurden diese schönen Blätter nur in den weissen, graulichen oder gelblichen Perucer Thonschichten bei Kuchelbad gefunden. Im Frühjahre 1881 habe ich dieselben an diesem Fundorte in grosser Menge angetroffen; sie kommen nur an einem beschränkten Orte vor, so dass im Herbste desselben Jahres nur noch spärliche Reste des dryandratragenden Thones geblieben waren, weil das vorhandene Material in Königsaal zur Anfertigung verschiedener Chamottwaaren beinahe gänzlich verbraucht wurde.

Die Blattabdrücke sind meistens braun oder rostgelb gefärbt und deuten ganz sicher auf feste, lederartige Natur hin. Auf einigen Stücken findet man sie in Menge beisammen; ein solches Stuck sieht man in Fig. 1. Die Lappen sind immer scharf zugespitzt und nur am Ende des Blattes unvollständig von einander getrennt (Fig. 4); am Grunde sind sie noch spitziger, kleiner und grösstentheils am Stiele allmälig in borstige Wimpern übergehend. Den ganzen Blattstiel sehen wir auf den Exem-

---

[1] Vgl. Beiträge zur Paläontologie Oesterreich-Ungarns, Bd. II, pag. 1.

Beiträge zur Paläontologie Oesterreich-Ungarns. III, 1.

1

plaren Fig. 1, 3. Die Wimpern am Stiele sind häufig verschwunden (vielleicht abgebrochen). Nebst den oben erwähnten stärkeren Secundärnerven lässt sich an einzelnen Lappen dicht am oberen Rande noch ein feiner Secundärnerv bemerken, welcher sich in der Spitze des Lappens mit dem mittleren starken Secundärnerven verbindet. Die Nervation ist auf dem Blatte Fig. 5 so viel als möglich naturgetreu ausgeführt.

In der Literatur der Kreideperiode finde ich nirgends etwas Aehnliches. Im Tertiär ist dagegen die *Dryandra Brongniartii Ett.* aus den eocänen Schichten von Häring in Tirol (Ett. Die tert. Fl. v. Haring in Tirol, S. 55—56, Taf. XIX, Fig. 1—26) unserer Pflanze so ähnlich, dass sich ausser den Wimpern am Stiele, der grösseren, mehr robusten Gestalt und den stets zugespitzten, öfter gespaltenen Lappen keine anderen abweichenden Merkmale hervorheben lassen. Ja, meiner Meinung nach ist es eigentlich nicht richtig, die beiden Pflanzen als selbständige Arten von einander unterscheiden zu wollen; ich wählte eine andere Benennung nur wegen der Verschiedenheit des Alters der Schichten, in denen unsere Pflanze vorkommt.

So viel ist aber sichergestellt, dass die Kreideart mit derjenigen von Häring sehr verwandt ist und zweifellos derselben Gattung angehört. Es bleibt nur noch die Frage übrig, ob diese Pflanzenreste der Gattung *Dryandra* überhaupt angehören oder ob es nicht richtiger wäre, sie für eine *Comptonia* zu halten.

Wir haben unsere Fragmente sorgfältig mit Blättern von *Comptonia* und einigen verwandten Myricineen und mit Blättern von *Dryandra formosa R. Brown* verglichen und sind jetzt der festen Ansicht, dass sie nur einer *Dryandra* angehören können. Von der lebenden Art unterscheidet sich *Dr. cretacea* nur durch die öfters gespaltenen Lappen, durch die Wimpern am Stiele und die spärlicheren, kleinen Lappen an der Blattspitze; übrigens findet man hier dieselbe (?) Nervation, dieselbe Form und Zuspitzung der Lappen. Wir können beinahe sagen, dass unsere Art von der lebenden, sowie von der tertiären *Dr. Brongniartii* in demselben Grade verschieden ist.

Von der jetzt lebenden nordamerikanischen *Comptonia asplenifolia Bank* unterscheidet sich *Dr. cretacea* durch folgende Merkmale: Die Lappen sind schlank, fein zugespitzt (bei *Comptonia* abgerundet oder rhombisch), immer bis zur Mittelrippe unter einander getheilt (bei *Compt.* nicht selten am Grunde durch Blattsubstanz untereinander verbunden), der Primärnerv verfeinert sich nur in dem letzten Theile der Blattspitze (bei *Compt.*, wie überhaupt bei allen Myricineen geschieht es schon ziemlich weit vor dem Ende), in den Lappen treten nur zwei stärkere Secundärnerven hervor (bei *Compt.* sind immer mehrere solche gleich starke Nerven bemerkbar), endlich sind die Blätter sehr lang, lineal, allmälig zugespitzt (bei *Compt.* wie bei den meisten Myricineen sind sie ziemlich kurz, etwa in dem oberen Theile am breitesten und vorne kurz zugespitzt).

Man muss in dieser Hinsicht mit Vorsicht handeln, da in letzterer Zeit Saporta in seinen Arbeiten über die tertiäre Flora Frankreichs (Le sud-est de la France à l'époque tertiaire. Annal. d. sc. 5. série, tome III, 1865, p. 95—99, tome IV, 1865, p. 94—99) auf Grundlage gefundener Früchte mit aller Sicherheit die Ansicht Brongniart's vertheidigte, dass eine grosse Anzahl von Arten aus der Gattung *Dryandroides* und *Dryandra*, namentlich aber die *Dryandra Brogniartii Ett.* in die Familie *Myricaceae* (die zuletzt genannte zu *Comptonia*) gehören. Wir wollen diese Ansicht nicht in Zweifel ziehen, da die abgebildeten Früchte den jetzt lebenden wirklich auffallend ähnlich sind, aber wir erlauben uns nur die Bemerkung, dass jene aufgefundenen Früchte auch gut einer anderen Myricinee angehören könnten, besonders in dem Falle, wenn die fraglichen Blätter mit wirklichen Myricineen zusammen vorkommen. Mit allem Nachdrucke können wir aber der früher aufgestellten Gründe wegen unsere Blätter für eine *Dryandra* erklären.

Saporta hat auch mit Recht mehrere Arten, welche von anderen Autoren zu den Proteaceen gebracht werden, in die Familie der Araliaceen gestellt; wir müssen demnach bei jedem Blattfragmente, welches uns an eine Proteacee erinnert, auch die beiden anderen Familien der Myricaceen und Araliaceen im Augenmerk behalten, und das um so mehr, da die drei Familien nicht nur im Tertiär, sondern auch zur Kreidezeit gleich verbreitet waren. Dasselbe haben wir schon im ersten Theile unserer Flora bei den Araliaceen gesehen und überzeugen uns davon noch bei den Proteaceen. Es ist ja bemerkenswerth, dass diese Pflanzenfamilie zur Zeit der Kreideformation in demselben Grade der Entwickelung steht, wie im Eocän der Tertiärzeit. *Dryandra cretacea* gehört endlich zu jenem Typus, welcher sich fast unverändert von der Kreideperiode bis zur jetzigen Zeit in Form der lebenden *Dryandra formosa* erhält. Je mehr sich unsere Kenntnisse über die Pflanzenwelt der Kreideepoche bereichern, desto mehr gelangen wir zur Ueberzeugung, dass die Kreideflora von den Floren der älteren Tertiärstufen nur wenig verschieden ist, und dass es vielleicht zu vorzeitig wäre, zu behaupten, dass in dieser Epoche die ersten Dikotyledonen auf der Oberfläche der Erde erschienen sind. So entwickelte und aus so ähnlichen Elementen zusammengesetzte Floren, wie sie sich im Tertiär und noch bis jetzt vorfinden, konnten unmöglich auf einmal auf der Erde auftreten.

Grevillea constans sp. n.

(Taf. 1 [IX], Fig. 6—10.)

Blätter lang, lineal, zum Stiele, sowie zur Spitze verschmälert, ganzrandig, fest, derb lederartig. Der Primärnerv gerade, nicht stark, bis in die Spitze auslaufend. Die Secundärnerven fein, unter sehr spitzen Winkeln entspringend, am Rande durch einen mit dem Rande parallelen Saumnerv unter einander verbunden. Die stärkeren Nerven des Netzwerkes ebenso unter sehr spitzigen Winkeln entspringend, fein, durch schwache Queradern unter einander verbunden. Der Blattstiel nicht 1 cm lang, ziemlich stark.

Diese Blätter gehörten ohne Zweifel einer zur Zeit der Bildung der Perucer Schichten in Böhmen allgemein verbreiteten Pflanze an. Wir treffen sie beinahe in allen Schichten dieses Alters, wo überhaupt Pflanzenreste vorkommen, ja an einigen Fundorten ist diese Art die gemeinste. Am besten erhalten findet man sie in den grauen Schieferthonen bei Peruc und Mšeno, in den bröckeligen Schichten bei Jinonic (Vydovle), in den grauen Thonen bei Kuchelbad (i. J. 1881), in den Thonen bei Melnik an der Sázava und bei Lidic nächst Schlan.

Finden sich diese Pflanzenreste mit ähnlichen schmalen und langen Blättern von *Myrtophyllum* beisammen, so können wir dieselben nach der Nervation sogleich unterscheiden. Die Grevilleablätter haben nur wenige Secundärnerven, welche immer unter sehr spitzigen Winkeln entspringen und untereinander parallel gerade vorwärts verlaufen, bis sie sich am Rande in dem Saumnerven verbinden. Auch tritt hier die Nervation viel schärfer hervor, als bei den Blättern von *Myrtophyllum*. Die beiden Arten müssen in den Thonen bei Kuchelbad mit besonderer Vorsicht von einander getrennt werden, weil hier die Blätter von *Gr. constans* sehr lang und gross sind, so dass sie dem *Myrtophyllum* auffallend gleich erscheinen. Das Blatt war sehr fest, derb lederartig; auf den Exemplaren von Lipenec, Kuchelbad und Melnik sieht man noch eine schwarze oder schwarzbraune Schichte, welche die Oberfläche des Blattes als eine mehrmals geborstene Haut bedeckt. Dieser Umstand hat seine volle Giltigkeit bei den Blättern, mit denen wir unsere fossile Art vergleichen werden, denn auch bei diesen lebenden verwandten Arten findet man sämmtliche Blatter sehr stark und lederartig.

1*

Mit der grössten Sicherheit können wir annehmen, dass die vorliegenden Blätter in die nächste Verwandtschaft der Gattungen *Grevillea, Persoonia, Leucodendron* oder *Protea* gehören. Die Nervation, sowie die Form und die ganze Beschaffenheit der Blätter bei diesen Gattungen stimmt mit unseren Blättern auffallend überein. In der Gattung *Persoonia* haben aber die meisten Arten kurz beendete, nicht selten kurz bespitzte Blätter; nur bei *P. lanceolata, P. lucida* und *P. mollis R. Br.* sind sie wie bei unseren fossilen Blättern vorne allmälig verschmälert. Unter den Arten von *Protea* steht wieder die *Protea parviflora Thurb. (Leucodendron plumosum R. Br.)* der *Gr. constans* am nächsten; besonders die grossen, dem *Myrtophyllum* ähnlichen Blätter lassen sich mit dieser Art vergleichen (könnte hier vielleicht eine selbständige Art aufgestellt werden!). Aus der Gattung *Leucodendron* können hier auch mehrere Arten aufgeführt werden.

Die zwei Fragmente Fig. 8, 9 von Jinonic und Mšeno gehören einer breiteren, durch eine ziemlich von derjenigen verschiedene Nervation charakterisirten Blattform an, welche wir bei den schmalen Blättern von *Gr. constans* gewöhnlich finden. Es lassen sich dieselben viel besser mit einer *Hakea* vergleichen; von den jetzt lebenden könnte es am meisten *H. cucullata* oder *H. saligna R. Br.* sein. Wahrscheinlich gehören diese Fragmente zu einer verschiedenen Pflanze, weil man aber keine besseren und lehrreicheren Exemplare zur Disposition hat, so ist es am besten, dieselben vorderhand auch zur *Gr. constans* zu ziehen.

Ich habe unsere Blätter als *Grevillea* beschrieben, weil man nicht nur in der jetzigen Flora sehr analoge Arten findet, sondern weil auch schon von anderen Autoren ähnliche Blätter aus der Kreide- und Tertiärperiode unter diese Gattung gestellt wurden. Die richtige Bestimmung der Gattung auf Grundlage der blossen Blätter kann freilich nie festgestellt werden; aber es genügt, wenn man weiss, in welche Verwandtschaft jene Fragmente überhaupt gehören. *Grevillea oleoides* hat mit den unserigen so übereinstimmende Blätter, dass ich nicht im Stande bin, irgend einen Unterschied zwischen den beiden Arten hervorzuheben.

Aus der Kreideperiode ist das Blattfragment, welches L. Lesquereux (Cret. Fl. T. S. 87, Taf. XXX, Fig. 10) als *Embothrium (?) daphnoides* aus N.-Amerika beschreibt, in ziemlich hohem Masse ähnlich. Die Form, sowie die Nervation (so weit dieselbe angedeutet ist) stimmt mit Blättern von *Grevillea* und *Persoonia* überein. Lesquereux vergleicht das Fragment mit der neuholländischen Art *Embothrium salignum*, mit welcher sie jedenfalls sehr verwandt sein muss.

In demselben Werke sind auf der Tafel XXVIII, Fig. 12, 13, S. 86, noch ähnliche Blätter als *Proteoides grevilleaeformis Heer* und *Protea acuta Heer* abgebildet; diese Fragmente sind aber zu unscheinbar, um hier einen näheren Vergleich anstellen zu können. Siehe noch Heer et Capellini, Flora von Nebrasca, Taf. IV, Fig. 11, S. 17. *(Proteoides grevilleaeformis Heer.)*

Heer beschreibt in seiner Flora von Quedlinburg (Taf. III, S. 12) zwei Blätter als *Proteoides lancifolius Heer*, welche entweder in die nächste Verwandtschaft von *Gr. constans* gehören, oder mit dieser Art ganz identisch sind. Heer erwähnt ebenfalls, dass der Primärnerv fein, die Secundarnerven schwach und am Rande in einem Saumnerven verbunden sind; in dem oberen Theile des Blattes „entspringen aber einige weit aus einander stehende, aussen in starkem Bogen gekrümmte . . . Seitennerven“, was freilich mit unserer Diagnose nicht übereinstimmt; bei unseren Blättern entspringen immer alle Secundärnerven unter spitzigen Winkeln und laufen unter einander parallel und in gerader Richtung vorwärts. Heer vergleicht seine Art mit Unger's *Phyllites proteoides* (Kreidepflanzen aus Oesterreich. Taf. II, Fig. 11, S. 652. Sitzungsber. d. Akad. LV). Dieses überhaupt schlecht erhaltene Blatt kann aber auch zu *Myrtophyllum* gehören; die bedeutende Grösse, die Form der Blattspreite und die Stärke der Primärnerven sprechen wenigstens durchaus nicht für eine *Protea* oder *Grevillea.*

In den tertiären Floren finden wir überall zahlreiche Repräsentanten, welche mehr oder weniger der *Gr. constans* verwandt sind; sie ist also wieder eine Pflanze, welche von der Kreideperiode die ganze Zeit bis in die jetzige Welt sich erhält.

Beinahe nicht unterscheidbare Blätter besitzt *Grevillea provincialis Sap*, welche von Saporta aus Frankreich beschrieben worden ist (Le sud-est de la France à l'époque tert. p. 252, pl. VII, Fig. 10. Annal. IV, série bot. tom. XVII, 1862). Saporta vergleicht *Gr. provincialis* auch mit der lebenden *G. oleoides Sieb.*

Grevillea Haeringiana Ett. (Heer, Fl. d. Schw. [III], Taf. CLIII, Fig. 29—31) ist unseren Blättern auch sehr ähnlich; diese tertiäre Art ist nur etwas kleiner und feiner.

Noch ähnlichere Blätter von der vorigen Art finden wir in Heer's Flora fossilis Helvetiae, Taf. LXX, besonders Fig. 15.

Heer's *Grevillea lancifolia* und *Gr. Jaccardi* (Fl. d. Schw. [II], Taf. XCVIII, Fig. 23. Taf. C, Fig. 19) kann auch mit *Gr. constans* verglichen werden.

Lambertia dura sp. n.

Das Blatt lang, lineal, ganzrandig, dick, fest, lederartig. Der Primärnerv gerade, stark, die ganze Länge hindurch gleich dick. Die Secundärnerven unter rechten Winkeln entspringend, fein, doch aber ziemlich scharf hervortretend, weit vom Rande in ein kaum bemerkbares Nervennetz sich auflösend.

Bisher wurde nur das abgebildete Blattfragment in den Perucer Schichten bei Lidic nächst Schlan im Jahre 1881 gefunden.

Auf dem vorhandenen Blattreste sind weder Basis noch Spitze erhalten, so dass die Bestimmung desselben sehr erschwert wird; die eigenthümliche Zusammensetzung der Nervation charakterisirt aber das Blatt so auffallend, dass wir auf Grundlage derselben die Spur bei der Aufsuchung verwandter Arten leicht verfolgen können. (Auf der Abbildung ist die Nervation so treu als möglich angedeutet.) Bei den neuholländischen Proteaceen *Lambertia floribunda* und *L. formosa R. Br.* kommen ganz ähnliche, lang verzogene, sehr lederartige Blätter vor; wir finden hier denselben starken Mittelnerv und dieselbe eigenthümliche Nervation (!); wenn man noch bessere Exemplare auffände, bei denen auch die kurz endigende scharfe Spitze mit diesen lebenden Arten übereinstimmte, dann wäre kein Zweifel mehr, dass jenes fossile Fragment einer *Lambertia* angehört.

Unter den Pflanzen aus der Kreideperiode und dem Tertiär ist nirgends etwas ähnliches beschrieben.

Conospermites hakeaefolius Ett.

(Taf. I [IX], Fig. 11—13.)

Blätter lang, lineal, vorne kurz zugespitzt oder stumpf beendet, zum Stiele allmälig verschmälert bis herablaufend, ganzrandig, fest, derb lederartig. Der Primärnerv gerade, ziemlich stark, in der Blattspitze verdünnt; die seitlichen Basalnerven bis in die Blattspitze mit dem Rande parallel auslaufend, ebenso am Ende fein verdünnt. Dicht am Rande ist noch ein feiner mit demselben paralleler Saumnerv erkennbar. Die seitlichen Basalnerven und der Primärnerv sind durch schwache Secundärnerven unter einander verbunden. Ein feineres Netzwerk ist selten bemerkbar.

Im Jahre 1871 wurden in den grauen Perucer Thonen bei Kuchelbad mehrere schöne Blätter von dieser Art gefunden. Spärliche Fragmente fand ich auch in dem Perucer Schieferthone von Mšeno bei Budin.

Es kann hier kein Zweifel walten, dass die abgebildeten Blattreste in die Verwandtschaft der Gattung *Conospermum, Hakea, Protea* oder *Persoonia* gehören. Die Blätter waren sehr lederartig, wir finden auf den meisten Exemplaren eine schwarze, geborstene Schichte als Rest der vormaligen Blattspreite, welche sich jetzt von dem Abdrucke ablösen lässt. Der Primärnerv und die seitlichen Basalnerven treten ziemlich scharf hervor und werden vor dem Ende schnell dünner. Die Quernerven sind nur hie und da deutlicher bemerkbar, übrigens ist das Nervennetz selten kenntlich, am besten ist es noch auf dem Blatte, Fig. 11, erhalten, so dass es in der Abbildung näher ausgeführt werden konnte. Das Blatt verschmälert sich allmälig zur Basis, vorne aber ist es stumpf und kurz beendet, immer in dem oberen Drittel oder in der Mitte am breitesten. — Wie gesagt, stimmen diese Blätter sehr gut mit einigen jetzt lebenden Proteaceen überein. Blätter von *Conospermum triplinervium R. Brown.* (Neuholland) ähneln denselben in allen Merkmalen am besten. Sie haben dieselbe Form, dieselbe Nervation, ganz ähnlich verlaufende Basalnerven und sind ebenso fest lederartig. Unsere Blätter scheinen mir etwas grösser und breiter zu sein, dann verläuft auf einigen Exemplaren zwischen dem Primärnerv und den Basalnerven noch ein feiner paralleler Nerv (siehe Fig. 11), was ich bei der lebenden Pflanze nicht beobachtete. In dieser Hinsicht erinnern uns die fossilen Blattreste an die Gattung *Hakea. Hakea dactyloides Cavan* (Port Jackson) oder *H. oleifera R. Br.* hat auch sehr ähnliche Blätter; namentlich die erste stimmt mit *Conospermites hakeaefolius Ett.* überein.

Ettingshausen's in der Flora von Niederschöna (Die Kreideflora von Niederschöna in Sachsen. Sitzungsber. Wien 1867. I.V. Bd., Heft I—V, Taf. III, Fig. 12) abgebildetes Blatt gehört sicher derselben Pflanze, wie unsere Fragmente. Die Form, sowie die Nervation stimmen sehr gut überein. Ettingshausen vergleicht mit Recht das Blatt mit den oben genannten *Hakea-* und *Conospermum-*Arten und hat treffend für dasselbe die Benennung *Conospermites hakeaefolius* eingeführt.

J. Capellini et O. Heer. Les phyllites crétacées du Nebraska, p. 17, pl. IV. Fig. 9, 10. *Proteoides daphnogenoides* kann auch zu derselben Pflanze gehören, wie *Conospermites hakeaefolius;* die Blattfetzen sind aber zu ungenügend erhalten. In der tertiären Literatur finden wir wieder zahlreiche verwandte Arten; dies trägt auch theilweise zu der Erkenntniss bei, wie die Kreideflora mit den tertiären Floren verwandt ist und wie die letzteren aus der ersteren allmälig sich entwickeln.

Dr. Ph. Wessel et Dr. Ott. Weber, Neuer Beitrag zur Tertiärflora der niederrheinischen Braunkohlen-Formation. Palaeontogr. (IV) 1856, Taf. XXVI, Fig. 1, S. 145. *Protea linguaefolia Web.* Das abgebildete Blatt stimmt mit *Conospermites hakeaefolius* auffallend überein. Man findet hier dieselbe Form und Nervation (die feineren Nerven treten ebenfalls schwach hervor); das Blatt ist aber etwas mehr lanzettlich, zur Spitze deutlicher verschmälert, aber gerade so lederartig. Weber vergleicht es mit den lebenden *Protea lepidocarpa* und *P. mellifera.*

Saporta, Le sud-est de la France. Annal. d. sc. bot. tom. XIX 1863, pl. VII, Fig. 8. *Hakea redux Sap.* Auch ein sehr ähnliches Blatt; die seitlichen Basalnerven sind aber in der Spitze nicht so verdünnt und laufen bis in das Ende der Blattspitze aus.

Ibidem, tom. III, 1865, pl. V. Fig. 4. *Hakea discerpta* und *H. obscurata* haben zwar ziemlich verschiedene Blätter, aber die Tracht derselben stimmt gut überein.

Ibidem, p. 85, bot. tom. VIII, 1867, pl. IX. Fig. 5. *Hakeites major.* Die Beschreibung, sowie die Abbildung des Fragmentes stimmen mit *Conosp. Hak.* bis in die kleinsten Details gut überein; das tertiäre Blatt ist nur mehr in die Länge verzogen, allerdings aber steht es mit unserer Kreideart in der nächsten Verwandtschaft.

Banksia pusilla sp. n

(Taf. I [IX], Fig. 14—17.)

Blätter länglich, lineal, vorne kurz abgestutzt oder abgerundet, an der Spitze ausgerandet, an der Basis verschmälert, nur bei der Spitze fein scharf gezähnt, unten ganzrandig, in der vorderen Hälfte am breitesten, fest, lederartig. Der Primärnerv gerade, ziemlich dick, in gleicher Dicke bis in die Spitze auslaufend. Die Nervation nicht kennbar. Der Blattstiel kurz, dick.

Die abgebildeten Exemplare rühren sämmtlich von den röthlichen Perucer Schieferthonen von Hodkovic her; in zwei sehr zweifelhaften Exemplaren wurde diese Art auch in den weissen Thonschichten bei Kuchelbad bemerkt (1881).

Das Blatt ist beinahe vollständig ganzrandig, nur auf den Exemplaren Fig. 16, 17 sind am Ende einige scharfe Zähnchen ganz deutlich bemerkbar. Die Beendung des Primärnerven ist hier bemerkenswerth; das Blatt ist nämlich an der Stelle, wo es endigt, wie ausgeschnitten (am besten auf dem Exemplare Fig. 16) und in dem so entstandenen Winkel nach rückwärts eingedrückt (Fig. 14, 15). Alle diese Merkmale, sowie die ganze Form findet man auch bei mehreren Arten der Gattung *Banksia*. Die meisten Arten dieser Gattung haben freilich am Rande gezähnte oder gelappte Blätter, aber es gibt auch Arten, welche durchaus ganzrandig (*Banksia integrifolia Cav.*) oder wenigstens nur bei der Spitze gezähnt sind (*B. Cunninghami Sieb.*).

Von den jetzt lebenden Arten steht uns keine bessere zur Verfügung, als *B. littoralis R. Br.* und *B. collina R. Br.*, welche in gewisser Beziehung mit *Banksia pusilla* verglichen werden können. Auf dem Blatte Fig. 17 ist die Basis ein wenig unsymmetrisch, was aber bei den lebenden Arten auch hin und wieder vorkömmt. Leider ist die Nervation ungenügend erhalten; wäre auch diese mit *Banksia* übereinstimmend, so müssten die vorliegenden Blattreste dieser Gattung angehören.

Von den fossilen Arten können wir nur eine tertiäre Art zum Vergleich anführen, es ist *Banksia helvetica Heer.* (Fl. d. Schw. II, Taf. XCVIII, Fig. 16), welche der *B. pusilla* noch einigermassen ähnelt.

Banksites Saportanus sp. n.

(Taf. I [IX], Fig. 18—20.)

Blätter lanzettlich, in der Mitte am breitesten, zur Spitze, sowie zur Basis ziemlich allmälig verschmälert, am Rande dicht gekerbt, gesägt, nur am Grunde ganzrandig. Der Primärnerv gerade, stark, in der Spitze verdünnt. Die Secundärnerven sehr zahlreich, fein, scharf hervortretend, unter spitzen Winkeln entspringend, bei dem Rande in ein polygonales Netzwerk sich auflösend. Das Nervennetz hervortretend, aus einer Menge polygonaler Felderchen zusammengesetzt. Der Blattstiel etwa 1 cm lang, gerade. Das Blatt von fester, derb lederartiger Natur.

Diese Blattart kommt ziemlich selten in dem Schieferthone von Vyšerovic (der Steinbruch des H. Stupecký, Fig. 19) und in dem Thone von Lidic bei Schlan (hier viel häufiger, Fig. 18, 20) vor.

Die ganze Erscheinung des Blattes spricht für seine feste, lederartige Natur. Die Art der Bezahnung am Rande ist so charakteristisch, dass man ein jedes Fragment schon nach diesem Merkmale von anderen Blättern unterscheiden kann (z. B. von *Myrica Zenkeri*). Die Secundärnerven sind fein, dünn, aber sowie die übrige Nervation scharf hervortretend.

Bei der Vergleichung dieser Blattreste mit ähnlichen Arten aus der jetzigen Pflanzenwelt, stehen uns vor allen anderen einige Gattungen aus der Familie der Proteaceen, der Araliaceen und der Ternstroemiaceen zur Verfügung. Eine *Aralia* kann es keinenfalls sein, weil die Nervation auch in ihren feinsten Theilen so deutlich hervortritt, was bei Araliaceen nie vorkömmt. Aus demselben Grunde und wegen der Verschiedenheit der Zusammensetzung der Nervation, sowie wegen der Schwäche und der Form des Blattstieles kann es auch keine *Ternstroemia* sein.

Es bleibt uns also nur die Familie der Proteaceen übrig. Hier findet man wirklich bei mehreren Gattungen sehr analoge Blätter. Wir nennen z. B. die Gattung *Ropala (R. longepetiolata Pohl. Ett.*, Blattskelette der Apetalen), *Knightia, Telopea (T. speciosissima R. Br.), Lomatia (L. ilicifolia R. Br.)* und *Banksia,* wo überall derselbe Charakter der Nervation sehr gut ausgesprochen ist.

Unter den Kreidepflanzen sind uns keine ähnlichen Blätter bekannt.

Aus der Tertiärperiode ist Saporta's *Banksites pseudodrymeja* (le sud-est de la France à l'époque tert. annal. d. sc. tom. XVII, 1862. pl. IX, f. 2) unseren Blättern so ähnlich, dass man sie nur durch die grösseren Zähne am Rande unterscheiden kann. Uebrigens stimmt die Nervation, sowie die Form äusserst gut überein. Von anderen tertiären Arten können noch *Banksia dillenioides Ett.* (Ett. Fl. v. Häring. Taf. XVIII, Fig. 7) und *Banksia Haidingeri Ett.* (Fl. v. Sagor. Taf. X, Fig. 29) erwähnt werden.

Dryandroides quercinea sp. n.

(Taf. II [X]. Fig. 8a—15.)

Blätter lang, lineal, vorne und am Grunde allmälig verschmälert, am Rande scharf gezähnt oder ganzrandig; der Primärnerv gerade, überall ziemlich gleich dick, bis in die Spitze auslaufend. Die Secundärnerven unter ziemlich spitzen Winkeln entspringend, dicht am Rande durch Bogen untereinander verbunden, mit schwächeren Nerven abwechselnd. Das Nervennetz selten erhalten. Der Blattstiel etwa 1 cm lang, gerade. Das Blatt fest, lederartig.

In dem harten quarzigen Sandsteine der Chlomeker Schichten bei Böhm.-Leipa sehr häufig.

Der Form, sowie der Bezahnung nach sind diese Blätter sehr veränderlich. Die grösste Breite erreichen sie etwa auf dem Exemplare Fig. 12; sehr häufig sind sie aber schmal, lineal, ganzrandig oder fein scharf gezähnt (Fig. 9, 11); die Zähne sind öfter sehr gross und etwas auswärts gebogen (Fig. 12, 15); am Grunde ist das Blatt immer ganzrandig. Der Blattstiel ist auf dem Fragmente, Fig. 13, erhalten. Die Nervation fand ich ziemlich selten besser erhalten; auf dem Fragmente, Fig. 14, ist sie so weit als möglich ausgeführt.

Diese Blattreste gehören entschieden einer Proteacee an; verschiedene Arten der Gattung *Dryandroides* entsprechen ihm in jeder Beziehung am besten. Zunächst könnten sie zu einer *Quercus*-Art gestellt werden; so ähneln denselben die tertiären Blätter der *Quercus furcinervis Rossm. sp.* von Schützenitz. Aber die Bezahnung des Randes macht sie von dieser Art und überhaupt von jeder *Quercus* hinreichend verschieden. Während die Zähne bei den Eichenblättern und besonders bei der genannten Art in Form und Grösse regelmässig sind, sind dieselben hier ungleich von einander entfernt, ungleich gross, scharf bespitzt und grösstentheils auswärts gebogen; dann münden die stärkeren Secundärnerven nicht in den Spitzen der Zähne (wie es bei *Quercus* der Fall ist), sondern verbinden sich am Rande durch deutliche Bogen untereinander; zwischen den starken Secundärnerven lassen sich ausserdem noch andere schwache, parallele Nerven bemerken. Das alles widerspricht den Merkmalen der *Quercus*-Blätter, stimmt aber äusserst gut mit *Dryandroides* überein.

16

Der beste Beweis für die Zugehörigkeit dieser Blätter zu der Gattung *Dryandroides* ist aber ihre Verwandtschaft mit den Blättern, welche in den Cyprisschiefern bei Krottensee in Böhmen so häufig und so schön erhalten vorkommen.

Diese entsprechen der tertiären *Dryandroides angustifolia* Web. et Ung. (Palaontogr. Cassel) am besten und sind durch Form und Bezahnung von den unsrigen gar nicht verschieden. Sie sind auch schmal, lineal, ganzrandig, scharf, fein gezähnt, bald breiter und mit grossen scharfen Zähnen am Rande versehen. Auf unseren Blättern von Böhm.-Leipa ist die Nervation nur im Grossen erhalten, so dass sie sich mit der Nervation der Proteaceen und Myricaceen nicht gehörig vergleichen lässt; auf den Blättern von Krottensee ist sie aber so schön erhalten, dass man sich dieselbe nicht besser wünschen kann. Und diese Nervation ist entschieden jene der Proteaceen, etwa dieselbe, wie bei der Gattung *Banksia* und *Dryandra*. Durch diese Analogie ähnlicher tertiärer Blätter lässt sich nun auch bei den Kreideblättern von *Dr. quercinea* behaupten, dass sie keiner *Myrica* angehören [1].

Die Kreideart *Dr. quercinea* repräsentirt also im Tertiär *Dryandroides angustifolia*, von welcher sich jene eigentlich durch nichts unterscheidet.

Aus der Kreidezeit steht jedenfalls die westfälische Art *Dryandroides haldemiana* (Hos. et v. d. M. d. Fl. d. westfälischen Kreideform. Paläontogr. IXXVI, Taf. XXX, Fig. 91—100) der unsrigen sehr nahe. Die westfälischen Blätter sind aber viel breiter und grösser; die Secundärnerven sind sehr zahlreich und am Ende nicht deutlich unter einander verbunden. Uebrigens werden durch die Abbildungen nur schlechte Blattfetzen dargestellt.

Fam. Myricaceae.

Myrica serrata sp. n.

(Taf. II (X), Fig. 1—8.)

Blätter schmal lineal, sehr lang, zur Spitze, sowie zur Basis allmälig verschmälert, am Rande scharf, fein gezähnt, nur am Grunde ganzrandig. Der Primärnerv gerade, nicht zu stark, zur Spitze allmälig verdünnt, gerade. Die Secundärnerven unter beinahe rechten Winkeln entspringend, sehr zahlreich, die stärkeren mit schwachen abwechselnd, dicht am Rande unter einander durch unkenntliche Bogen verbunden. Das Netzwerk fein, selten im Detail hervortretend. Der Blattstiel gerade, mehr als 1 cm lang. Das Blatt von fester, lederartiger Natur.

Diese sowie die folgende fossile Blattart gehört zweifellos einer Pflanze an, welche zur Zeit der Ablagerung der Perucer Schichten in Böhmen allgemein verbreitet war. Sie musste an den Ufern, von welchen unsere Kreideflora herrührt, fast alle Orte als das gewöhnlichste Gesträuch bedecken. In den grauen Thonen von Melnik bei Sázava sind es die häufigsten Blattreste, welche man hier überhaupt findet; auf einigen Platten liegen Hunderte derselben beisammen (in den hiesigen Sammlungen ist ein ähnliches Stück aufgestellt). Sehr häufig kömmt diese Art auch in den Thonen bei Kuchelbad (1881), in den Schieferthonen bei Jinonic und Landsberg vor; bei Vyšerovic fand ich sie nur dem weisslichen, glimmerreichen Schieferthone im ersten Bruche vom Dorfe aus.

Die Blätter sind sämmtlich stark verlängert, vorne sowie am Grunde allmälig verschmälert. Nicht selten findet man ganze, sehr schön erhaltene Exemplare; auf den Fig. 1—4, 6, 8 ist der Blatt-

---

[1] Denselben Typus der Nervation kann man auch auf den Blättern von *Dryandroides Lounensis* (Vel. Fl. v. Laun) beobachten.

stiel ganz erhalten. Das Exemplar Fig. 2 liegt auf einem grossen Stücke von Melnik in Gesellschaft einer Menge ähnlicher Blätter. Die lang verschmälerte Blattspitze ist auf einem Fragmente von Jinonic (Fig. 7) ganzrandig, was gewöhnlich nicht vorkömmt. Seltener ist die Blattbasis ein wenig ungleichseitig. Die Zähne am Rande sind dicht, fein, scharf, ziemlich gleich gross; auf dem Blatte von Vyšerovic (Fig. 4) sind sie aber etwas grösser und auswärts gebogen. Der Primär-, sowie die Secundärnerven treten immer ziemlich scharf hervor; der Primärnerv verdünnt sich allmälig zur Spitze. Die feinere Nervation ist nur selten erhalten (am besten noch auf den Blättern von Melnik und Kuchelbad); treu und möglichst im Detail ist sie auf dem Blatte Fig. 8 (Kuchelbad) angedeutet; dieses Exemplar ist auch das breiteste, welches ich zur Hand habe.

Bei der Betrachtung dieser Pflanzenreste ist vor Allem die Frage zu beantworten, ob diese Blätter von den folgenden specifisch verschieden sind und ob es eine _Myrica_ oder eine _Proteace_ ist.

Die richtige Lösung dieser Frage ist sehr wichtig, da die vorliegende Pflanze in den Perucer Schichten so allgemein verbreitet ist und sich an die tertiären Arten eng anschliesst.

Es liegt vor uns eine Menge von Stücken der beiden Arten und nach längerer Betrachtung derselben können wir mit Sicherheit behaupten, dass sie in der That zwei verschiedene Arten repräsentiren. Für die specifische Selbstständigkeit der _Myrica serrata_ können wir folgende Gründe anführen: Die Blätter sind alle lineal, zur Spitze und zum Stiele allmälig verschmälert (bei _Myr. Zenkeri_ sind sie breit, in der Mitte am breitesten und von hier zur Spitze und zur Basis ziemlich rasch verschmälert), die Zähne am Rande sind fein, dicht, scharf, gleich gross (bei _M. Zenk._ aber sehr gross, grob, gewöhnlich unregelmässig, einwärts gebogen), der Primärnerv nicht zu stark (bei _M. Zenk._ sehr stark, besonders am Grunde), die Secundärnerven zahlreich, abwechselnd schwach und stärker, alle fein und kaum durch deutliche Bogen dicht am Rande unter einander anastomosirend (bei _M. Zenk._ sind sie spärlich, stärker und weit vom Rande durch deutliche Bogen anastomosirend).

Dieser Vergleich zwischen den beiden Arten ist sehr nothwendig, weil die Art nicht selten ziemlich schmale Blätter besitzt und beide gewöhnlich in demselben Fundorte vorkommen. Zu diesem Zwecke habe ich auch die schmalblättrigen Exemplare von _M. Zenkeri_ aufgezeichnet (Taf. III (XI, Fig. 3, 5, 9). Aber die beiden Arten treten auch nicht immer zusammen auf; bei Vyšerovic z. B. sind in dem Bruche des H. Stupecký die Blätter von _M. Zenkeri_ gemein, aber kein einziges Exemplar von der anderen Art findet sich daselbst; _M. serrata_ habe ich dagegen nicht weit von hier in dem anderen Bruche ziemlich häufig gefunden (die Schichten mit den Unionen). In den Thonen von Melnik kommt wieder _Myr. serrata_, wie schon gesagt, in Hunderten von Exemplaren vor, und zwar in lauter linealen, schmalen, kleinen Formen (den typischen), aber nur sehr geringe Spuren wurden hier von den grossblätterigen _M. Zenkeri_ gefunden. Diese letzteren Umstände halte ich für die besten Gründe für die Selbstständigkeit der beiden Arten. Im ungünstigsten Falle könnten es noch Varietäten derselben Art sein.

Nicht so leicht lässt sich die zweite Frage enträthseln. Wir haben bestimmte Beweise dafür, dass in der Kreidezeit Proteaceen verbreitet waren; wir brauchen nur unsere früher angeführten Arten aus dieser Familie in's Auge zu fassen oder uns anderer ausländischer ganz sicher gestellter Arten aus derselben Epoche zu erinnern oder endlich die unzählige Reihe von tertiären Arten aus der Gattung _Dryandroides, Hakea, Banksia, Protea, Grevillea, Dryandra_ unter einander zu vergleichen, um zu der Ueberzeugung zu gelangen, dass diese Familie in der Pflanzengeschichte dieser beiden Epochen eine grosse Rolle gespielt hat. Und wenn wir weiter wissen, dass auch Myricineen im Tertiär gemeinschaftlich mit der früheren Familie in nicht geringem Masse hervortreten, so finden wir keine Ursache, warum man ihnen nicht auch in der Kreide begegnen sollte. Früher wurden ähnliche, lange, am Rande gezähnte Blätter, wie sie uns auch *Myrica serrata* und *M. Zenkeri* darstellen, kurz *Dryandröides* genannt und in die Verwandtschaft von *Dryandra* und *Banksia* gestellt. Die Aehnlichkeit dieser Blätter mit einigen Proteaceen lässt sich wirklich nicht leugnen. Ich führe hier nur z. B. *Grevillea repanda* Zahlb., *Gr. longifolia R. Br., Banksia littoralis R. Br.* oder *Dryandra quercifolia Meissn.* an, wo überall nicht nur die Form, die Bezahnung, sondern auch die ganze Tracht der Nervation der Mehrzahl der Arten der Gattung *Dryandröides* gut entsprechen.

Es ist aber das Verdienst Saporta's, dass er zuerst mit allem Nachdrucke darauf hingewiesen hat, dass die grösste Zahl der tertiären *Dryandröides*-Arten den Myricineen angehören; auch benannte er zugleich einige als *Myrica*, andere minder sicher gestellte als *Myricophyllum.*

Vergleicht man die Blätter einiger jetzt lebenden Arten der Gattung *Banksia* und *Dryandra* unter einander, so findet man, dass der Primärnerv in dem ganzen Verlaufe ziemlich stark und gerade ist, dass er sich in der Blattspitze, welche zumeist kurz beendet, abgerundet, oder sogar abgestutzt oder ausgerandet ist, kaum verdünnt. Diese Merkmale können wir auch verfolgen in den Gattungen *Lomatia, Rhopala, Telopea, Protea, Lambertia;* wir sehen also, dass ähnliche Blätter in der Familie der Proteaceen häufig verbreitet sind. In dieser Hinsicht stimmen die Blätter von *Dryandröides* und *Myricophyllum* mit den genannten lebenden Gattungen nicht im Mindesten überein. Sie sind stets stark verlängert, zur Spitze allmälig verschmälert, der Primärnerv verdünnt sich allmälig in der Spitze, so dass er am Ende sehr fein erscheint. Es gibt aber auch Proteaceen, welche gerade so verlängerte, zur Spitze allmälig verschmälerte Blätter aufweisen können; ich nenne z. B. *Lomatia linearis R. Br., L. longifolia R. Br.* In der Nervation kann ich endlich keinen wichtigeren Unterschied zwischen diesen Blättern und denen der lebenden Proteaceen finden. In einer grossen Anzahl von Arten stimmt sie mehr mit derjenigen der Proteaceen als der Myricineen überein. Unsere Blätter von *Myrica serrata* und *M. Zenkeri* stimmen aber ausgesprochen mehr mit der Nervation der Myricineen überein; die Secundärnerven treten nämlich viel stärker als die übrige Nervation hervor und anastomosiren am Rande auf dieselbe Weise, wie man es überall auf den *Myrica*-Blättern vorfindet. *Myrica gale* L., *M. cerifera* L., *M. aethiopica* L. haben dieselbe Nervation und annähernd dieselbe Form, wie die Blätter von *Myrica serrata.*

Wir können demnach ziemlich bemerkenswerthe Analogieen sowohl bei *Myrica*, als auch bei den Proteaceen finden, und so bleibt die Wahl über die Verwandtschaft unserer Fossilien noch immer unentschieden. Wir können hier eigentlich kurz Saporta's Beispiel folgen und unsere Blätter dorthin stellen, wohin er die seinigen gestellt hatte, weil sie jedenfalls einer den französischen tertiären Arten sehr verwandten Pflanze angehören. Saporta gründet seine Schlüsse über die Stellung der sogenannten *Dryandröides*-Blätter auf die Entdeckung der fossilen Früchte, welche er ebenso einer *Myrica* zuzählt. Er hat aus demselben Grunde *Dryandra Brongniartii Ett.* für eine *Myrica* erklärt. Die ehemaligen *Dryandröides*-Arten führt er jetzt als *Myrica* an: *M. laevigata, M. hakeaefolia, M. lignitum, M. banksiaefolia,* mit denen unsere beiden Myricineen in jeder Hinsicht gut übereinstimmen. Bei *M. hakeaefolia* zeichnet Saporta einige Fragmente vom Blüthenstande und bei *M. lignitum* von Blüthenkätzchen.

Wir haben nun ganz ähnliche Blüthenreste bemerkt, welche überall in den Perucer Schichten verbreitet sind, wo auch *M. serrata* oder *M. Zenkeri* vorkommen, so dass sie ohne Zweifel irgend einer von den beiden Arten angehören werden. In den Abbildungen Taf. V (XIII), Fig. 9—12 sind einige Fragmente gezeichnet, welche einem botrytischen Fruchtstande

2*

einer _Myrica_ angehören können; die Früchte scheinen mir entweder nicht reif oder unentwickelt zu sein; sie sind klein, kugel- oder eiförmig und grösstentheils abgefallen; man weiss, dass die reifen Früchte bei _Myrica_ so leicht abfallen. Aehnliche Bruchstücke sind in den Perucer Schichten sehr gemein und wirklich finden sie sich viel häufiger dort, wo auch _M. serrata_ oder _Zenkeri_ öfter vorkommt (so bei Melnik und Kuchelbad).

Bei Kuchelbad findet man in den graulichen Thonen häufig kleine Zäpfchen, welche immer paarweise beisammen sitzen (Taf. V [XIII]. Fig. 6, 7, 8 — in natürlicher Grösse); später fand ich sie auch bei S c h l a n und J i n o n i c; es lassen sich auf denselben irgend welche Schuppen (oder kleine Samen?) bemerken, wie es auch auf den Abbildungen angedeutet ist. Es ist möglich, dass sie einer _Proteacee_ (z. B. _Protea parviflora Thunb._) angehören, aber viel ähnlicher sind sie den Fruchtkätzchen von _Myrica gale L._, bei welcher sie aber nur einzeln auf den Zweigen sitzen. Demnach müssten es Früchte von zwei verschiedenen Arten sein, die Meinung aber, mit welcher Art sie vereinigt werden sollten, wäre freilich bis jetzt zu vorzeitig; wir müssen sie nur für eine kleine Hinweisung auf irgend eine _Myrica_-Art halten und darum der oben erklärten Verwandtschaft der beiden behandelten _Myrica_-Blätter noch grössere Wahrscheinlichkeit beilegen.

Wie schon früher erwähnt wurde, kommen sehr ähnliche Blätter auch an anderen Fundorten vor. Aus der Kreideformation nennen wir folgende Art: _Myrica cretacea_ (H e e r, Fl. v. Quedlinburg. Taf. III, Fig. 2 _a, b, c_); diese Blätter sind zwar den unseren sehr ähnlich, sie sind aber viel breiter und grob gezähnt.

Viel zahlreichere Repräsentanten findet man aber im Tertiär:

Lomatia borealis Heer (Fl. baltica); die Nervation stimmt überein, die Bezahnung und theil weise die Form sind natürlich verschieden.

Banksia longifolia (H e e r, Fl. d. Schw. II. Taf. XCIX, Fig. 1—3), (E t t i n g s h a u s e n, Fl. v. Häring). Diese Blätter entsprechen unseren Blättern in demselben Grade, wie jene, welche S a p o r t a (le sud-est d. l. France 1863, tom. XIX, bot. pl. VIII) unter dem Namen _Myricophyllum bituminosum, M. zachariense, M. anceps, M. gracile, M. banksiaeforme_ anführt, und welche in den unteren tertiären Schichten des südlichen Frankreichs so verbreitet sind. Die Nervation, sowie die Form stimmen mit _M. serrata_ in jeder Beziehung gut überein.

Es ist merkwürdig, wie man so zahlreiche, mit den böhmischen Kreidepflanzen analoge Arten in den älteren tertiären Ablagerungen anderer Länder findet; die letztgenannten Arten repräsentiren uns die Vertreter im Tertiär Frankreichs, und in demselben Tertiär bei Häring kommen wieder sehr häufig Blätter vor, welche von den unsrigen eigentlich durchaus nicht verschieden sind. Es ist _Banksia haeringiana Ett._ (Fl. v. Häring, Taf. XVI), welche mit Recht für die tertiäre _rica Myserrata_ gehalten werden kann.

So viel steht über allem Zweifel fest, dass die Blätter von _Myrica serrata_, die letztgenannten französischen Arten und _Banksia haeringiana_ sehr verwandten Arten derselben Gattung angehören, seien es _Myrica_- oder _Proteaceen_-Blätter. Und wir sehen demnach, dass wieder dieselben Elemente der Kreideflora im Tertiär auftreten, eigentlich fortschreiten, und dass dies manchmal bis in die Einzelheiten geht. Wir bemerkten es auffallend bei _Dryandra cretacea_, bei _Grevillea constans_, wir finden es jetzt und werden noch sehen, wie die _Myrica Zenkeri_ in demselben Verhältnisse zur tertiären _Banksia Ungeri Ett._ steht wie _M. serrata_ zur _Banksia haeringiana Ett._

Myrica Zenkeri Ett. sp.

(Taf. III [XI]. Fig. 1—9.)

Blätter länglich lanzettlich, zur Spitze sowie zum Stiele kurz verschmälert, in der Mitte am breitesten, am Rande grob, dicht gekerbt, gesägt, zumeist mit einwärts gebogenen Zähnen. Der Primärnerv gerade, am Grunde sehr stark, zur Spitze hin allmälig verdünnt. Die Secundärnerven unter ziemlich stumpfen Winkeln entspringend, bogenförmig gekrümmt, weit vom Rande untereinander durch Bogen anastomosirend, spärlich, abwechselnd und stark über die übrige Nervation hervortretend. Das Nervennetz aus regelmässigen polygonalen Felderchen zusammengesetzt.

Eine in den Perucer Schichten sehr verbreitete Pflanzenart. Sehr gemein in dem Steinbruche des H. Stupecký bei Vyšerovic, häufig bei Kaunic, Landsberg, Lipence (bei Laun). Jinonic, Kuchelbad, Mšeno, Schlan, Melnik bei Sazava.

Die gewöhnliche Form stellen uns etwa die Fig. 6, 7 (Vyšerovic) dar; nicht selten sind aber diese Blätter schmal verlängert (Fig. 5, 9), so dass sie der vorigen Art ziemlich nahe kommen; aber schon bei *Myrica serrata* wurden die bedeutendsten Merkmale hervorgehoben, durch welche die beiden Arten auch in einem solchen Falle leicht unterschieden werden können. Selten ist die Blattspitze rasch und lang verschmälert, wie auf dem Exemplare Fig. 8 von Vyšerovic. Bei Jinonic kommt diese Art in den bröckeligen Schichten in grosser Menge angehäuft vor; man findet nicht ein einziges Bruchstück, auf dem nicht ein Fragment derselben abgedrückt wäre. Hier sind auch diese Blätter sehr breit und gross (Fig. 1, 4), meistens mit sehr schön erhaltener Nervation. Der Primärnerv ist besonders am Grunde sehr stark, gerade, in der Spitze verdünnt. Die Secundärnerven treten stark hervor; zwischen denselben sind noch 1—2 parallele, viel schwächere Secundärnerven bemerkbar, welche sich aber bald im Netzwerke auflösen. Das Nervennetz wird aus sehr feinen Adern, welche grössere und kleinere Felderchen zusammensetzen, gebildet. In Fig. 3, 4, 6 ist die Nervation näher ausgeführt. Der Blattstiel ist etwa 1 cm lang, stark, gerade; ganz erhalten sieht man ihn auf dem Blatte Fig. 2.

Diese Blätter lassen sich mit den Blättern der Myricineen noch besser vergleichen, als die der vorigen Art, obwohl ich keine lebende Form kenne, welche gerade so grosse Blätter besässe. Aber die Blätter von *Myrica faya Ait.* und *M. mexicana Humb.* (im Herbarium des böhm. Museum) haben schon mit den unsrigen eine so grosse Aehnlichkeit, dass hier kein Zweifel obwaltet, dass Ettingshausen's *Dryandroides Zenkeri* nur eine *Myrica* ist. Besonders auf den Blättern von Jinonic findet man dieselbe lanzettliche Form wie bei der *M. mexicana;* die Zähne am Rande sind auf dieselbe Weise sehr unregelmässig gestaltet, so dass auf einigen Exemplaren der Blattrand wie ausgefressen aussieht. Merkwürdigerweise stimmt auch die Nervation überein. Der Primärnerv ist gerade so am Grunde verdickt, die Secundärnerven unter ähnlichen stumpfen Winkeln entspringend und vor dem Rande gabelförmig gespalten; zwischen je zwei Secundärnerven laufen noch 1—2 parallele schwächere Nerven, welche sich bald im Nervennetze verlieren; das letztere ist endlich ganz so zusammengesetzt, wie es auf unseren Abbildungen angedeutet ist.

Unsere Blätter von *Myrica Zenkeri* sind jedenfalls dasselbe, was Ettingshausen in der Flora von Niederschöna (Taf. III, Fig. 9) als *Celastrophyllum lanceolatum* beschrieben und abgebildet hat. Die Abbildung, sowie die vom Autor im Texte gemachten Bemerkungen stimmen mit unseren Blättern ausserordentlich gut überein. Die Zähne am Rande scheinen zwar zu scharf zu sein; das kömmt aber auch bei unseren Blättern häufig vor (Fig. 6), denn in dieser Hinsicht variiren dieselben bedeutend.

Auf derselben Tafel der genannten Arbeit (Fig. 1, 3, 11) ist auch unsere Art als *Dryandroides Zenkeri Ett.* abgebildet. Ettingshausen unterscheidet aber bei dieser Art noch eine breitblättrige Form als *Dryandroides latifolia Ett.* (Fig. 10), welche wir aber nur mit der echten *Dr. Zenkeri* zusammenziehen müssen, da die unzähligen Uebergangsformen zwischen den schmalen und breiten Blättern dieser Art an demselben Fundorte immer reichlich zu finden sind. Schon aus den auf unserer Tafel III (XI) abgebildeten Exemplaren ist es ganz ersichtlich; es gehören alle diese Blätter nur derselben Pflanze an. welche schon Z e n k e r im Jahre 1833 als *Salix fragiliformis* beschrieben hatte (Beiträge zur Naturgeschichte der Urwelt, Taf. III, II.).

Aus der Literatur der Kreidepflanzen können wir folgende ähnliche oder synonyme Arten anführen:

Celastrophyllum cusifolium Lesq. (Fl. cret. Taf. XXI, S. 108—109) kann nichts anderes als *Myrica Zenkeri* sein. die Abbildung stimmt wenigstens gut überein. Es scheint. dass die *Myrica Zenkeri* zur Kreidezeit überall verbreitet war.

So ist auch H e e r's *Proteoides ilicoides* (Zur Kreideflora von Quedlinburg. S. 13. Taf. II, Fig. 7, 8) wieder nur unsere *Myrica Zenkeri.* Ja auch in den Polarländern war sie ohne Zweifel angesiedelt. Heer hat sie von dort in einem Bruchstücke in Fl. arctica (III) (Kreideflora der arctischen Zone, Taf. XXXI, Fig. 2) beschrieben. (Heer beschreibt sie schon als *Myrica Zenkeri.*)

Aus dem Tertiär können mehrere Analogien angeführt werden; vor allem sind es weit verbreitete Arten: *Myrica (Dryandroides) acuminata Ung. sp.* oder *M. banksiaefolia Ett.* oder *M. borealis* (Heer, Fl. arct. II, Taf. XLVII, Fig. 10) oder *Banksia dillenoides Ett.* (Fl. v. Häring) etc.

Am besten stimmen aber unsere Blätter mit denen, welche Ettingshausen in Fl. v. Häring (Taf. XVII) als *Banksia Ungeri Ett.* beschrieben hat. Leider, dass die Nervation nirgends auf dem Blatte ausgeführt ist. sonst stimmte alles auffallend überein. (Die Nervation auf dem vergrösserten Blattstücke. Fig. 3, entspricht der unsrigen freilich sehr wenig.) Derselbe Vergleich findet Giltigkeit bei den Blättern in U n g e r's Flora von Sotzka (*Myrica speciosa* und *M. banksiaefolia*).

Es bietet sich uns also wieder neue Gelegenheit, die Ansicht über die Verwandtschaft der Kreide- und Tertiärpflanzen auf Grundlage neuer Belege zu wiederholen.

Fam. Moreae.

Ficus stylosa sp. n.

(Taf. IV (XII), Fig. 5.)

Das Blatt aus der eiförmigen Basis nach vorne verlängert, am Rande gezahnt, an der Basis ganzrandig. Der Primärnerv gerade, stark, in der Spitze verdünnt. Die Secundärnerven unter spitzem Winkel entspringend. Der Blattstiel länger als die Blattspreite, gerade, stark.

Das einzige abgebildete Exemplar wurde in dem Schieferthone der Perucer Schichten bei M š e n o unweit Budin gefunden.

Obzwar dieses Blattfragment im Umrisse ziemlich gut erhalten ist. so ist es derzeit unmöglich, dasselbe zuverlässig zu bestimmen, weil die Nervation ganz verwischt ist. Nur hie und da ist eine schwache Spur derselben erhalten; besonders am Grunde sind zwei schwache basale Seitennerven bemerkbar. Aus dem Abdrucke ist auch nicht ersichtlich, ob das Blatt lederartig war. Der ungewöhnlich lange, starke Blattstiel ist aber sehr gut erhalten.

Man kann zwischen zwei Gattungen, nämlich der Gattung *Ficus* und der Gattung *Populus* bei der Bestimmung dieses Blattrestes wählen. So weit die Nervation erhalten ist, widerspricht dieselbe keineswegs derjenigen einiger tertiären Arten, wie z. B. *Ficus Reussii Ett.* (Fl. v. Bilin) oder *Ficus populina Heer* (Fl. d. Schw.) oder *F. hydrarchos* (Unger, Fl. v. Sotzka Taf. XXXIII, Fig. 2), welche auch eine sehr ähnliche Form und ebenso lange Blattstiele besitzen. Bei den jetzt lebenden Arten dieser Gattung kommen auch nicht selten gezähnte und mit langen Stielen versehene Blätter vor, z. B. *F. capensis Thunb., F. superstitiosa Link., F. aquatica.*

Aber man kann auch das vorliegende Blatt mit den Blättern der Gattung *Populus* vergleichen : ich nenne z. B. *P. mutabilis Heer* (Fl. d. Schw.), welche ebenso ähnliche Blätter besitzt. — Siehe noch *Populus Berggreni* und *P. hyperborea* in Heer's Fl. arct. (III) (Kreideflora der arct. Zone, Taf. XXIX).

Nur der Umstand, dass der Primärnerv sehr stark und nur wenig aus dem Gesteine hervortretend ist, scheint für die Gattung *Ficus* mehr passend zu sein, weil der Primärnerv, wie überhaupt die ganze Nervation bei den Pappelblättern immer scharf hervortritt und verhältnissmässig aus dünneren Nerven gebildet ist.

Ehe man besser erhaltene Blätter von dieser Art findet, muss man die Bestimmung der *Ficus stylosa* nur als eine provisorische halten.

Ficus elongata sp. n.

(Taf. IV (XII), Fig. 4.)

Das Blatt länglich, in der Mitte am breitesten, am Grunde abgerundet, vorne allmälig verschmälert, ganzrandig, fest lederartig. Der Primärnerv gerade, stark, zur Spitze verdünnt. Die Secundärnerven abwechselnd, ziemlich spärlich, unter spitzen Winkeln entspringend, schwach gekrümmt, am Rande durch regelmässige Bogen unter einander anastomosirend.

Das einzige Exemplar hat H. C. Šandera in dem Perucer Sandsteine bei Oujezd unweit Jičín im Jahre 1881 gefunden.

Das Blatt zeigt feste, lederartige Natur; es ist braun abgedrückt, mit besonders scharf markirten Rändern. Die Secundärnerven treten deutlich hervor; zwischen diesen lassen sich noch andere parallele Secundärnerven bemerken, welche aber weit feiner, grösstentheils ganz unkenntlich sind. Alle Merkmale, welche wir auf dem Blatte sehen können, stimmen gut mit mehreren Arten der Gattung *Ficus* überein. Wir finden die stärkeren Secundärnerven gerade so mit feineren abwechseln und am Rande durch Anastomosen unter einander sich verbinden, wie es allgemein bei den Blättern dieser Gattung vorkömmt. Die feinere Nervation, die Stärke des Primärnerven, sowie die Lederartigkeit der Blattspreite entsprechen dieser Gattung auch gut.

Unter den Tertiärpflanzen befinden sich viele analoge Arten, von welchen, sowie von allen aus der Kreideperiode herrührenden Arten unsere Blätter sogleich durch die abgerundete Basis verschieden sind.

Ficus Peruni sp. n.

(Taf. IV [XII], Fig. 1—3.)

Blätter lang, etwa in der Mitte am breitesten, vorne und an der Basis verschmälert, am Grunde nicht abgerundet, vorne stumpf, kurz beendet, ganzrandig, fest lederartig. Der Primärnerv gerade, sehr stark, an der Spitze massig verdünnt. Die Secundärnerven unter ziemlich stumpfen Winkeln entspringend, zahlreich, in gerader Richtung bis zum Rande verlaufend und hier durch regelmässige Bogen unter einander anastomosirend. Zwischen denselben laufen noch andere parallele Nerven, welche sich mit den vorigen durch feinere Quernerven verbinden. Der Blattstiel stark, gerade, nicht lang.

Die drei abgebildeten Blätter wurden in den Planer-Schichten bei Weissenberg unweit Prag gefunden.

Das Blatt war von fester, lederartiger Natur, wie es aus der ganzen Erscheinung desselben in dem Gesteine gut hervorleuchtet. Auf dem grossen Blatte Fig. 1 ist ausser dem Primärnerven keine andere Nervation erhalten, nur wenige Secundärnerven sind hie und da noch bemerkbar. Auf dem Fragmente, Fig. 2, ist sie aber sehr schön erhalten; die Tracht derselben stimmt mit der Nervation der meisten *Ficus*-Blätter sehr gut überein. Die Secundärnerven laufen unter einander parallel und anastomosiren am Rande durch schöne regelmässige Bogen; die parallelen Nerven sind durch Quernerven verbunden, welche allmälig in ein polygonales Netzwerk übergehen.

Es liegt also kein Grund vor, warum wir diese Pflanzenreste von der Gattung *Ficus* trennen sollten. Von den jetzt lebenden Arten haben ähnliche Blätter *Ficus nitida Thunb.* (Ostindien), *F. cuspidata, F. pulchella Schott.* (In dem Herbarium des böhmischen Museum habe ich eine unbestimmte brasilianische Art von *Ficus* gefunden, welche in der Nervation der Blätter unserer Art so ähnlich ist, dass ich nicht im Stande war, einen Unterschied zwischen beiden zu finden; auch die Form war annähernd dieselbe; der Blattstiel war aber zu lang und die Blattspitze allmälig verschmälert.)

Der Form nach sind die Blätter von *F. Peruni* denen von *Myrtophyllum Geinitzi* auf den ersten Blick ziemlich ähnlich, aber durch die Endigung der Blattspitze und durch die Nervation sind sie leicht zu unterscheiden. Die Secundärnerven sind bei dem *Myrtophyllum* noch dichter, unter spitzeren Winkeln entspringend und dicht am Rande durch einen gemeinschaftlichen Saumnerv verbunden; dann lassen sich unter denselben keine so regelmässigen, schwächeren Mittelnerven bemerken; sie sind überdies immer viel feiner, als dies bei unseren Blättern vorkommt.

Heer, Fl. v. Moletein, Taf. V, Fig. 3—6. S. 15. *Ficus Krausiana Heer.* Die hier abgebildeten Blätter lassen sich mit den unsrigen am besten vergleichen, specifisch sind sie aber gewiss verschieden. Unsere Blätter sind länglich, vorne stumpf beendet und mit sehr zahlreichen parallelen Secundärnerven versehen. Durch diese Eigenschaften unterscheiden sie sich auch von anderen verwandten Arten; so hat auch *Ficus protogaea* (Heer, Fl. arct. (III), Taf. XXX, Fig. 1—8, Kreidefl. d. arct. Zone) ähnliche Blätter, welche wieder durch die allmälige Zuspitzung, durch die kleineren Dimensionen und vielleicht auch durch die Nervation verschieden sind.

Von den tertiären Arten ist es *Ficus multinervis Heer,* welcher *F. Peruni* in jeder Beziehung nahesteht. Die Nervation sowie die Form stimmen sehr gut überein (siehe z. B. Heer's Fl. d. Schw. oder Ettingshausen's Fl. v. Bilin).

Fam. Cupuliferae.

Quercus westfalica Hos. et v. d. M.
(Taf. II [X], Fig. 20, 23.)

Blätter eiförmig bis lanzettlich, am Grunde oder in der Mitte am breitesten, vorne zugespitzt, am Rande grob unregelmässig gezähnt, bis buchtig gezähnt oder ganzrandig, an der Basis immer ganzrandig, fest, nicht lederartig. Der Primärnerv gerade, ziemlich stark, in der Spitze fein verdünnt. Die Secundärnerven besonders am Grunde gegenständig, gerade, am Ende in die Zähne auslaufend oder sich noch früher gabelförmig verzweigend. Das Netzwerk selten gut erhalten, in senkrechter Richtung auf die Secundärnerven. Der Blattstiel nicht lang und stark.

In dem grünen Chlomeker Sandsteine bei K i e s l i n g s w a l d e (Grafschaft Glatz) nicht selten.

Die Blätter waren ohne Zweifel von einer sehr variablen Form; auch die Grösse ist sehr verschieden; wir haben die besten Exemplare in Fig. 20 und 23 dargestellt. Schon aus den Abbildungen ist es gut ersichtlich, dass diese Blätter nur einer *Quercus* angehören können. Sie stimmen sehr gut mit den westfälischen Blättern überein, welche H o s i u s und v. d. M a r c k in der Palaeontographica (XXVI) Taf. XXIX—XXX, S. 162, in zahlreichen Exemplaren abgebildet und beschrieben hatte; ich zweifle nicht, dass die beiden Blätter zu derselben Art gehören, besonders auch aus dem Grunde, weil sie in Westfalen, sowie auch in Schlesien in denselben Schichten auftreten. Die veränderliche Form stimmt auch überein.

H. R. G ö p p e r t, Zur Flora des Quadersandsteins in Schlesien. S. 8—9, Taf. XXII, S. 5—7. *Phyllites Geinitzianus* gehört jedenfalls der westfälischen *Quercus*-Art an, wie Hosius mit Recht bemerkt. In wie weit sich aber diese Fragmente in Uebereinstimmung mit den unsrigen bringen lassen, kann ich derzeit nicht mit voller Sicherheit entscheiden. Sie sehen zu gross und zu stark verlängert aus.

In der Tertiärzeit können mehrere Arten mit *Quercus westfalica* verglichen werden. Hosius hat schon mehrere davon angeführt (l. c.).

Quercus pseudodrymeja sp. n.
(Taf. II [X], Fig. 21, 22.)

Blätter lineal, am Rande gross scharf gezähnt. Der Primärnerv gerade, ziemlich stark. Die Secundärnerven scharf hervortretend, in die Spitzen der Zähne auslaufend. Die stärkeren Querrippen des Nervennetzes laufen in senkrechter Richtung zu den Secundärnerven.

Nur wenige Blattfragmente stehen uns zur Disposition; alle kommen aus den Chlomecker Schichten von T a n n e n b e r g bei Rumburg her; zwei von denselben sind abgebildet. Die Form der Fragmente, sowie die Nervation sprechen sehr gut für die Gattung *Quercus*. Von den schmalen Blättern der *Quercus furcinervis Rossm. sp.* aus den tertiären Sandsteinen bei Altsattel und Grasset in Böhmen unterscheiden sich die vorliegenden Kreideblätter durchaus nicht. In demselben Grade verwandt sind die tertiären Arten *Qu. drymeja Ung.* (Sotzka Taf. XXX, Fig. 1—2) und *Qu. lonchitis Ung.* (ibid. Fig. 3—8) (Siehe noch Ettingshausen's Fl. v. Bilin).

In der schon erwähnten Flora der westfälischen Kreideformation sind auch ähnliche, ziemlich schmale Eichenblätter abgebildet, welche theilweise der *Qu. westfalica*, theils anderen Arten zugetheilt sind; da aber die Abbildungen nirgends eingehender ausgeführt sind, könnte ich unsere Blätter zu keiner von diesen Arten hinbringen.

Fam. Magnoliaceae.

Liriodendron Čelakovskii sp. n.

(Taf. VI [XIV]. Fig. 2.)

Das Blatt im Umrisse rundlich, seicht dreilappig, der Mittellappen nicht viel länger als die seitlichen, vorne seicht ausgerandet, die seitlichen ebenfalls ausgerandet oder beinahe abgerundet. Der Primärnerv gerade, nicht zu stark, zur Spitze merklich verdünnt; in der oberen Hälfte desselben entspringen noch 2—3 Paare von stärkeren Secundärnerven. Beiderseits des Mittelnerven entspringen am Grunde noch 2 Basalnerven, von denen der obere etwa in der Mitte seiner Länge noch ein langes Secundärästchen abzweigt. Die feinere Nervation ist unkenntlich. Der Blattstiel etwa 2 cm lang, gerade, am Grunde stark.

Das einzige abgebildete Blatt habe ich in den grauen Perucer Thonen bei Kuchelbad im Jahre 1881 gefunden.

Obzwar uns nur ein Exemplar zur Disposition steht, so ist dasselbe so schön erhalten, dass es zur Bestimmung seiner Verwandtschaft recht gut genügt. Das vorhandene Blatt gehört ausgesprochen einer Art der Gattung *Liriodendron* an. Eine solche Zusammensetzung der Nervation und eine so eigenthümliche Form des Blattes begegnet uns nur in dieser Gattung. Der obere seitliche Basalnerv theilt einen grösseren Zweig ab, welcher sich mit dem unteren viel feineren Basalnerv verbindet — gerade wie es bei der lebenden *Liriodendron tulipiferum L.* vorkommt; die Hauptnerven treten ebenfalls scharf aus dem Blatte hervor, obwohl sie ziemlich fein sind, und das feine Nervennetz ist ganz ähnlich zusammengesetzt, wie bei der lebenden Art.

In diesen Merkmalen weicht unser Blatt auch von den fossilen Arten des Tertiär und der Kreidezeit nicht ab, von denen es aber specifisch verschieden ist.

Liriodendron Čelakovskii nähert sich am meisten dem *Lir. Meekii* (Heer et Capellini, Fl. v. Nebraska. S. 21. Taf. IV, Fig. 3, 4) aus der Kreideperiode. *Lir. Meekii* ist aber mehr in die Länge verzogen, der Mittellappen ist viel grösser als die Seitenlappen, die Basis verschmälert sich bedeutend zum Stiele (siehe noch *L. Lesquereux*, Fl. cret. S. 93 [II]. Taf. VI, Fig. 5).

Von der tertiären Art *Lir. helveticum Heer* (*L. Procaccinii Ung.*), (Eriz in der Schweiz, Sinigaglia in Italien) ist unsere Art schon durch die Form bedeutend verschieden (Heer, Fl. d. Schw. [III], S. 29, Taf. CVIII, Fig. 6).

Von dem lebenden amerikanischen *L. tulipiferum L.* unterscheidet sich *L. Čelakovskii* durch die Form, obwohl der Habitus und die Nervation im höchsten Grade übereinstimmt.

Zu Ehren des H. Prof. Dr. L. Čelakovský habe ich diese Art *L. Čelakovskii* benannt.

Magnolia amplifolia Heer.

(Taf. VI [XIV]. Fig. 3, 4, Taf. VII [XV]. Fig. 7, 10, 11.)

Blätter breit, lanzettförmig, vorne und an der Basis kurz gleichmässig verschmälert, ganzrandig, fest, nicht lederartig. Der Primärnerv gerade, am Grunde sehr stark, in der Spitze bedeutend verdünnt. Die Secundärnerven meist gegenständig, in dem oberen Blatttheile abwechselnd, stark, unter spitzen Winkeln entspringend, gerade, nicht zahlreich, am Ende bogenförmig gekrümmt und in 2—3 Tertiäräste verzweigt. Die Nervation öfter erhalten, in senkrechter Richtung auf die Secundärnerven. Der Blattstiel etwa 1 cm lang, stark.

In den dunkelgrauen harten Perucer Schieferthonen bei Vyšerovic sehr häufig; seltener habe ich diese Art in den Perucer Thonen bei Kuchelbad, Melnik bei Sazava und Schlan gefunden.

Diese Blätter erreichen in den meisten Fällen eine bedeutende Grösse. Ich habe bei Vyšerovic noch grössere Exemplare als Fig. 7 und 3 gefunden. In Bezug auf die Nervation und die Form sind sie unter einander wenig verschieden. Sie sind immer in der Mitte am breitesten, zur Spitze, sowie zur Basis verschmälert. Die Hauptnerven sind stark und scharf aus dem Gesteine hervortretend. Von den Secundärnerven zweigen sich noch 1—3 stärkere Tertiärnerven ab, wodurch diese Art sogleich von der folgenden zu unterscheiden ist.

Das Nervennetz ist aus stärkeren, ziemlich spärlichen Quernerven und anderen feineren Adern, welche polygonale Felderchen bilden, zusammengesetzt (in Fig. 11 und 4 ist es näher ausgeführt).

Die ganze Erscheinung dieser Blätter erinnert uns an viele Arten der Gattung *Magnolia*. *M. acuminata* und *M. Yulan* lässt sich mit ihnen am besten vergleichen. Die Blattspreite war nicht lederartig, wie es auch Heer bei seinem Materiale von Moletein erwähnt und wie es ebenso bei den jetzt lebenden Arten dieser Gattung gewöhnlich vorkommt. Der Blattstiel ist kurz, also auch mit demjenigen der lebenden Arten übereinstimmend. Heer, Fl. v. Moletein. S. 21, Taf. VIII, Fig. 1, 2, Taf. IX, Fig. 1. Heer's Blätter stimmen mit unseren sehr gut überein; jedenfalls gehören sie derselben Art.

Heer, Fl. arct. (I) Grönland. Taf. XVIII, Fig. 1 (II), Taf. LI, Fig. 2—7. *Magnolia Inglefieldi*. Diese tertiäre Art ist der *M. amplifolia* sehr ähnlich.

Magnolia alternans Heer.

(Taf. VI [XIV], Fig. 5, Taf. VII [XV], Fig. 6.)

Blätter elliptisch bis länglich lanzettlich, zur Spitze, sowie zur Basis kurz verschmälert, ganzrandig, fest, beinahe lederartig. Der Primärnerv gerade, am Grunde sehr stark, in der Spitze fein verdünnt. Die Secundärnerven meist abwechselnd, nicht stark, unter spitzen Winkeln entspringend, mit anderen parallelen, feineren Nerven gemischt, nach vorne bogenförmig gekrümmt, am Ende keine grösseren Tertiäräste abzweigend. Das Nervennetz in senkrechter Richtung auf die Secundärnerven. Der Blattstiel kurz, gekrümmt.

In den grauen Perucer Thonen bei Kuchelbad im Jahre 1881 ziemlich häufig.

In einigen Exemplaren ist es nicht so leicht, diese Art von den vorhergehenden zu unterscheiden; aber auf der Mehrzahl dieser Blätter lässt sich der verschiedene Typus gleich bemerken; das Blatt ist immer bedeutend kleiner als bei *M. amplifolia*, das Exemplar, Fig. 6 gehört zu den grössten; die Form ist elliptisch, die Secundärnerven fein, zahlreich, unter einander parallel und mit schwächeren abwechselnd. Die Nervation derjenigen von *M. amplifolia* ähnlich; gut ist sie auf dem Blatte, Fig. 5, erhalten.

Heer, Fl. v. Nebraska. S. 20—21, Taf. III, Fig. 2—4; Taf. IV, Fig. 1, 2. *Magnolia alternans*. Die hier abgebildeten und beschriebenen Blätter unterscheiden sich von den unserigen gar nicht.

Heer, Fl. arct. Kreidefl. d. arct. Zone. Taf. XXXIII, Fig. 5—6, Taf. XXXIV, Fig. 4. *Magnolia alternans Heer* stimmt auch überein.

L. Lesquereux. Fl. cret. Taf. XVIII, Fig. 4. *M. alternans Heer* stimmt überein.

3*

Magnolia Capellinii Heer.

(Taf. VII [XV], Fig. 8, 9.)

Blätter eiförmig, im unteren Drittel am breitesten, am Grunde kurz, vorne länger verschmälert, ganzrandig. Der Primärnerv gerade, stark, in der Spitze verdünnt. Die Secundärnerven unter ziemlich stumpfen Winkeln entspringend, bogenförmig gekrümmt, alle gleich stark und lang. Das Nervennetz kaum bemerkbar, in schiefer Richtung auf die Secundärnerven.

Bis jetzt wurden von dieser Art nur einige Fragmente in den Perucer Thonen bei Kuchelbad im Jahre 1881 gefunden; die zwei lehrreichsten Exemplare sind abgebildet (Fig. 8 ist auf Grundlage der Fig. 9 ergänzt).

Durch die Form unterscheiden sich diese Blattreste auffallend von den beiden vorigen Arten; und da sich zwischen denselben keine Uebergangsformen bemerken lassen, so scheint mir die Selbstständigkeit dieser Art um so wahrscheinlicher. Die weitere Beobachtung derselben auf Grundlage eines besseren Materiales wird natürlich noch immer nothwendig sein.

Heer et Capellini, Fl. v. Nebraska S. 21. Taf. III, Fig. 5, 6. M. Capellinii. Die hier abgebildeten Exemplare stimmen mit den unserigen ziemlich gut überein. Die Nervation ist dieselbe; die Secundärnerven ebenso fein, wie schon Heer von ihnen bemerkt.

Heer, Fl. arct. Kreideflora d. arct. Zone. Taf. XXXIII, Fig. 1—4. M. Capellinii Heer. Diese Blätter stimmen mit unseren in jeder Beziehung äusserst gut überein.

Fam. Bombaceae.

Bombax argillaceum sp. n.

(Taf. II [X], Fig. 17—19 Taf. IV [XII], Fig. 6—9.)

Blätter lanzettlich, zur Basis verschmälert, vorne abgerundet, oder ausgerandet, in der Spitze ein wenig rückwärts gebogen, ganzrandig, sehr fest, dick lederartig. Der Mittelnerv sehr stark, in der Spitze mässig verdünnt, gerade. Die Secundärnerven selten kenntlich, unter spitzen Winkeln entspringend, am Rande durch schwache Bogen unter einander anastomosirend. Der Blattstiel etwa 1 cm lang, stark, gerade.

Diese Blattart ist für die Perucer Sandsteine in Böhmen sehr charakteristisch; überall wo ich diese Schichten zu untersuchen Gelegenheit hatte, fand ich mehr oder weniger deutliche Spuren derselben. Die schönsten Exemplare in unseren Sammlungen kommen aus den Sandsteinen von Peruc, Nehvizd, Charvatec bei Budin, Vyšerovic und Kaunic her.

Die Blätter sind in dem Sandsteine braun abgedrückt und meist so erhalten, dass nur der Umriss und der Primärnerv noch kennbar sind. Der ganzen Erscheinung nach mussten sie stark lederartig sein. In der Form variiren sie nicht so viel; die grössten Extreme können uns die Fig. 6, Taf. IV (XII), und Fig. 18, Taf. II (X), darstellen. Das Blatt ist immer stumpf beendet, Fig. 8, Taf. IV (XII); Fig. 18, Taf. II (X), ausgerandet Fig. 6, 7, Taf. IV (XII) oder abgerundet, Fig. 17, Taf. II (X); am Grunde ist es entweder einfach verschmälert oder sogar mit herablaufenden Rändern versehen, Fig. 17, Taf. II (X). Der Blattstiel ist sehr stark, gerade und nur selten gut erhalten, Fig. 17, Taf. II (X), Fig. 6, 8, Taf. IV (XII). Die Nervation ist selten besser erhalten, was freilich aus der Beschaffenheit des Gesteines theilweise leicht erklärlich ist. Am besten findet man sie noch auf den Exemplaren Fig. 9, Taf. IV (XII), Fig. 19, Taf. II (X); die Blattfläche ist längs der Secundärnerven in dem Sandsteine rinnenförmig vertieft; die Secundärnerven sind abwechselnd oder gegenständig, ziemlich weit vom Rande gabelig verzweigt; diese Zweige verdünnen sich sehr rasch und anastomosiren unter einander; in den Winkeln der Anastomosen sind noch wenige polygonale Felderchen von der Nervation erkennbar.

Es ist uns keine analoge Art unter den fossilen Dicotyledonen bekannt, mit welcher die vorliegenden Blätter verglichen werden könnten[1]).

Die von Ettingshausen in Fl. v. Bilin (Taf. XLIII, Fig. 8—9) beschriebene *Bombax oblongifolium Ett.* kann einigermassen mit unseren Blättern verglichen werden; der Typus dieser Blätter ist wenigstens derselbe.

In dem jetzigen Pflanzenreiche finde ich die ähnlichsten Blätter in der Familie der *Bombaccae.* Die meisten Arten der Gattung *Bombax* sind durch dieselbe charakteristische Nervation ausgezeichnet; hier kommen auch so lederartige, vorne abgerundete und ausgerandete ganz-randige Blätter vor; die zurückgebogene Blattspitze ist hier ebenfalls keine seltene Erscheinung. Wir zweifeln nicht, dass die Bestimmung der vorhandenen Blätter sich durch künftige Beobachtungen noch mehr bestätigt. *Bombax floribundum Schott.* (Brasilien) steht der *B. argillaceum* am nächsten.

Sterculia limbata sp. n.
(Taf. V [XIII], Fig. 2—5; Taf. VI [XIV], Fig. 1.)

Blätter im Umrisse rundlich, eiförmig bis rhombisch drei- oder fünflappig, ganzrandig, fest, kaum lederartig. Die Lappen meistens ungleich gross, in eine feine Spitze allmälig verschmälert, das ganze Blatt unsymmetrisch, am Grunde mit einem Blattsaume beendet, so dass der Blattstiel auf der Rückseite desselben entspringt. Die Basal-nerven besonders am Grunde stark, ziemlich gerade, am Ende verdünnt. Die Secundärnerven unter ziemlich stumpfen Winkeln entspringend, bogenförmig gekrümmt, deutlich hervortretend. Das Netzwerk meist gut kenntlich, aus einer Menge polygonaler Felderchen zusammengesetzt, in senkrechter Richtung auf die Secundärnerven.

In den Perucer Schieferthonen bei Lidic nächst Schlan häufig. Das Blatt war kaum leder-artig, sondern nur fest häutig. Auffallend ist die unsymmetrische Entwicklung seiner Lappen; so sieht man auf den Blättern Fig. 1, Taf. VI (XIV), oder Fig. 3, 4, Taf. V (XIII), die beiden seitlichen Lappen ungleich lang und breit, auf dem Fragmente Fig. 5 die seitlichen Basalnerven unter verschiedenen Winkeln entspringend, so dass das ganze Blatt zuverlässig ergänzt werden konnte. Das Blatt Fig. 3, Taf. V (XIII), war nach der Anzahl, der Stärke und nach den Winkeln, unter denen die Nerven entspringen, symmetrisch fünflappig; ich habe es auch ergänzt. Leider habe ich nicht auf einem einzigen Exemplare den Blattstiel gefunden.

Auf den ersten Blick sind diese Blätter, besonders die mehrlappigen den Blättern von *Aralia Kowalewskiana Sap.* ähnlich, aber durch die Basis sowie die Tracht der Nervation sind sie von dieser Art gleich zu unterscheiden.

In dem jetzigen Pflanzenreiche haben sehr ähnliche Blätter einige Arten der Gattung *Sterculia,* und wenn man auch in der Tertiärepoche analoge Formen dieser Gattung vorfindet, so ist die Wahr-scheinlichkeit dieser Verwandtschaft unserer Blattreste noch grösser. Die Blätter von *Sterculia plata-nifolia L.* sind denen von *St. limbata* am ähnlichsten; die Nervation ist dieselbe, die Form sowie die Beendung der Lappen ist auch sehr ähnlich; besonders aber die veränderliche Form des Blattes,

---

[1]). In den tertiären (oligocanen) Sandsteinen von Altsattel und Grasset in Böhmen kommen häufig ähnliche Blätter vor, welche aber noch nirgends beschrieben worden sind.

29

die unbeständige Zahl der Lappen stimmen auffällig überein; nur die Umsäumung der Basis kennzeichnet die *St. limbata* als eine verschiedene Art. Eine ähnliche Nervation und Form des Blattes kommt auch bei der neuholländischen *Sterculia diversifolia* G. *Don.* und der tertiären *St. Labrusca Ung.* vor; von der letzteren unterscheidet sich die *St. limbata* nur durch die breiteren Lappen und die Umsäumung am Grunde, welche übrigens bei *St. Labrusca* auch angedeutet ist. (Siehe z. B. Ett. Fl. v. Bilin, Taf. XLIII, Fig. 4, 5, oder Unger, Fl. v. Sotzka, Taf. LI, Fig. 1—3, als *Acer Sotzkianum* oder daselbst Taf. XLIX.) Wenn endlich auch das mehrlappige Blatt in Unger's Fl. v. Sotzka, Taf. XXXVI, Fig. 1 (als *Platanus Sirii*) der *Sterculia Labrusca* angehört (wie es davon die *Synonymik* behauptet — siehe Ett. l. c. S. 13), dann lässt sich mit aller Sicherheit sagen, dass die Kreideart *St. limbata* im Tertiär ihren nächsten Verwandten oder ihr Analogon in der *St. Labrusca* hat.

Eine noch näher verwandte Art aus der Tertiärperiode ist vielleicht *Sterculia Glehniana Heer* (Heer, Fl. arct. [V] S. 48. Miocäne Flora S. Insel Sachalin, Taf. XII, Fig. 3). Das Blatt ist am Grunde tief herzförmig ausgerandet, wodurch es sich als specifisch von dem unsrigen wieder unterscheidet; es ist aber auch etwa fünflappig und ungleichseitig. Heer vergleicht es mit *St. Labrusca* und *St. Vindobonensis Ett.*

L. Lesquereux hat in seiner Kreideflora Amerika's ziemlich ähnliche Blätter als *Sassafras* in zahlreichen Arten beschrieben; diese unterscheiden sich aber sogleich von unseren Blättern durch die herablaufende Basis, sowie die ganz anders gestaltete Nervation. Als Beispiel führen wir *S. Mudgei* an.

Sterculia Krejčii sp. n.

(Taf. V [XIII]. Fig. 1.)

Das Blatt im Umrisse rundlich eiförmig, dreilappig, ganzrandig, nicht lederartig. Die Lappen zur Spitze verschmälert, etwa in der Mitte am breitesten. Die Basis einfach abgrundet. Die Basalnerven gerade, stark, in die Spitzen der Lappen auslaufend. Die Secundärnerven hervortretend, bogenförmig gekrümmt. Das Nervennetz kaum deutlich, aus polygonalen Felderchen zusammengesetzt. Der Blattstiel von der Länge des Blattes, stark, gerade.

Das einzige abgebildete Exemplar hat H. Prof. J. Krejčí in den Plänerschichten bei Raudnic gefunden.

Das Blatt ist braun gefarbt und zeigt eine ziemlich feste, doch nicht lederartige Natur. Die Nervation tritt stellenweise deutlich hervor. Der Blattstiel ist schön und ganz erhalten. Auf der linken Seite ist die Blattspreite zusammengefaltet und theilweise abgebrochen, welchen Theil ich auf der Abbildung ergänzt habe.

Was die Verwandtschaft dieser Art mit den jetzt lebenden und den ausgestorbenen Arten betrifft, so können wir dasselbe wie bei *St. limbata* wiederholen. Mit Bestimmtheit gehört das vorliegende Blatt einer *Sterculia* an. Die Nervation ist dieselbe wie bei *St. platanifolia;* die dreilappige Form endlich, welche auch bei dieser Art nicht selten vorkommt, die nicht umfassende Basis stimmt mit der *St. Krejčii* auf's vollständigste überein. Der Blattstiel stimmt mit den lebenden Arten auch gut überein. Von der vorhergehenden Art *St. limbata* ist sie gleich durch die Basis verschieden.

Von den tertiären Arten ist Heer's *Sterculia tenuinervis* (Fl. S. Schw. [III], S. 35, Taf. CIX, Fig. 7) der unserigen am ähnlichsten. *St. Krejčii* unterscheidet sich von derselben nur durch etwas schmälere und längere Lappen.

Ich habe mir erlaubt, diese in jeder Hinsicht interessante Art nach dem Finder, H. Prof. J. Krejčí, zu benennen.

ZUR KENNTNISS DER BÖHMISCHEN TRILOBITEN

VON

DR. OTTOMAR NOVÁK.

(Mit Tafel VIII—XII [1—V].)

VORWORT.

Die vorliegende Arbeit, ein Beitrag zur Kenntniss der böhmischen Trilobiten, ist das Resultat meiner bereits im Jahre 1872 in Angriff genommenen Studien im Gebiete dieser Fauna.

Wohl lag es ursprünglich nicht in meiner Absicht, die Ergebnisse dieser Studien jetzt schon zu veröffentlichen, einerseits da ich neues Material noch in Aussicht hatte, anderseits weil ich es die ganze Zeit hindurch für meine Pflicht hielt, in die unermüdlich fortschreitenden Arbeiten unseres grossen Meisters Barrande nicht direct und vielleicht auch störend einzugreifen.

Aber ein gewichtiger Grund war es, der die Veröffentlichung dieser Beiträge zu beschleunigen vermochte, und dies war die unverhoffte Nachricht, dass die berühmte Sammlung meines verstorbenen Freundes Herrn J. M. von Schary demnächst in's Ausland verkauft werden solle.

Leider hat sich diese Nachricht bald darauf verwirklicht, denn die ganze Sammlung ist bereits nach Nord-Amerika abgegangen, um in kurzer Zeit im Museum of comparative Zoology zu Cambridge Mass. untergebracht zu werden.

Die ehemalige Sammlung Schary's enthielt nun nicht nur die Mehrzahl der hier als neu beschriebenen Formen in zahlreichen Exemplaren vertreten, sondern auch die meisten der durch die Arbeiten des Herrn Barrande allgemein bekannten Trilobiten, deren mitunter ungewöhnlich günstiger Erhaltungszustand aber zur Vervollständigung des Gesammtbildes einiger Formen nicht wenig beizutragen vermochte.

Da ich mich bei der jetzt in Nord-Amerika mit viel Geschick gepflogenen vergleichenden Richtung der paläontologischen Forschung mit dem Gedanken nicht vertraut machen konnte, die Resultate meiner zehnjährigen Bemühungen früher oder später jenseits des Oceans veröffentlicht zu sehen, so habe ich mich entschlossen, die bis jetzt gesammelten Ergebnisse so bald als möglich zu ordnen und der Presse zu übergeben.

Ich fühle mich dazu um so mehr berechtigt, als das letzte von Herrn Barrande veröffentlichte Supplement zur Fauna der böhmischen Trilobiten die von mir als neu beschriebenen Formen nicht enthält, woraus ich schliesse, dass letztere in der Sammlung des Verfassers nicht vorhanden sind.

In Barrande's „Syst. Silur. de Boh." Vol. VI. Introduction pag. XX, werden nämlich sechs neue Trilobiten angeführt, ohne dass eine nähere Beschreibung oder Abbildung derselben gegeben wäre.

Obwohl alle diese Formen in meiner Sammlung durch eine genügende Anzahl Exemplare vertreten sind, habe ich es doch unterlassen, dieselben — blos eine ausgenommen — in der vorliegenden Arbeit zu beschreiben oder abzubilden.

Diese letztere Form nämlich, *Bronteus parabolinus Barr.*, war, als Barrande's Vol. VI erschien, bereits auf meiner Tafel gezeichnet, und da ich an der schon fertigen Tafel nichts mehr ändern konnte, so habe ich dieselbe auch im Texte beschrieben und dies um so mehr, als sie, obwohl sehr selten, doch schon in vielen Sammlungen vorhanden ist.

Wenn ich es nun auch gewagt habe, in diesen Blättern einige unbedeutende, bis jetzt noch offen stehende Lücken in der Kenntniss der oben bezeichneten Fauna auszufüllen und hiedurch — und dies wohl nur in sehr seltenen Fällen — mit unserem hochverehrten Altmeister Barrande in Widerspruch gerathen bin, glaube ich doch, den Arbeiten dieses Meisters nicht im Mindesten vorgegriffen zu haben. Ich glaube dies um so mehr, als die böhmischen Trilobiten durch die grossartigen Arbeiten Barrande's einen längst überwundenen Standpunkt in der allgemeinen Kenntniss unserer Silurfauna darbieten.

Schliesslich erlaube ich mir, allen denjenigen, die mich bei der Ausführung dieser Arbeit auf die freundlichste Weise unterstützten, meinen wärmsten Dank auszusprechen. Namentlich verpflichtet fühle ich mich meinem leider vorzeitig verstorbenen Freunde Herrn J. M. v. Schary, ferner Herrn Martin Dusl in Beraun, sowie auch den Herren Prof. Krejči und Director K. Feistmantl in Prag.

Prag, den 1. August 1882.

I. EINLEITUNG.

In dieser Arbeit werden 39 böhmische Trilobiten behandelt, von denen zehn als neu beschrieben werden, die übrigen aber durch die Arbeiten Barrande's bereits bekannt waren.

Von den sämmtlichen, von diesem Verfasser beschriebenen böhmischen Trilobiten werden jedoch in den vorliegenden Blättern nur diejenigen neuerdings beschrieben oder auch abgebildet, an denen neue Beobachtungen angestellt werden konnten.

Solche Beobachtungen beziehen sich theils auf einzelne constant vorkommende Merkmale, deren Würdigung nur in Folge des zahlreichen, mir zur Verfügung stehenden Materiales ermöglicht wurden, theils aber auf die horizontale Verbreitung oder auch auf die verticale Vertheilung einzelner Typen in der Schichtenfolge.

Mitunter ist es mir auch gelungen, von solchen Trilobiten, von denen bis jetzt keine vollständigen Exemplare, sondern blos isolirte Partien bekannt waren, etweder vollständigere oder auch complete Thiere zu erhalten, wodurch die Kenntniss derselben wesentlich erweitert werden konnte.

In einigen seltenen Fällen sah ich mich auch genöthigt, einzelne, bis jetzt blos in isolirten Schalenstücken bekannte und daher nothwendigerweise als verschiedene Species oder auch Gattungen beschriebene Trilobiten auf blos einen Namen zu reduciren.

In den nachstehenden Tabellen sind die sämmtlichen hier in Betracht gezogenen Trilobiten übersichtlich zusammengestellt.

Die Tabelle Nr. I enthält die hier als neu beschriebenen Formen. In der Tabelle Nr. II sind dann die bereits bekannten, hier blos erwähnten Trilobiten aufgezählt, zu deren genauerer Kenntniss aber einzelne Beiträge oder Bemerkungen nöthig waren.

Tabelle Nr. I.

Uebersicht der neu beschriebenen Arten.

1.	*Homalonotus Drabovicnsis Nov.*	Taf. VIII (I),	Fig.	9
2.	*Aeglina mitrata*	,	, XII (V),	, 13
3.	*Acidaspis fuscina*	,	, X (III),	, 19
4.	, *Krejčii*	,	, X (III),	, 15—17
5.	, *optata*	,	, X (III),	, 6
6.	*Bronteus linguatus*	,	, XII (V),	, 11
7.	, *Schöbli*	,	, XII (V),	, 1—2
8.	*Agnostus fortis*	,	, VIII (I),	, 10—11
9.	, *Dusli*	,	, VIII (I),	, 12
10.	, *Tullbergi*	,	, IX (II),	, 7—10.

Tabelle Nr. II.

Uebersicht der bereits bekannten Arten

1.	*Harpes Benignensis Barr.*			
2.	*Remopleurides radians* ,			
3.	*Phillipsia parabola* ,	} Ohne Abbildung.		
4.	*Dalmanites atavus* ,			
5.	*Calymene Arago Renault.*			
6.	*Homalonotus medius Barr.*	Taf. X (III),	Fig.	4—5
7.	*Trinucleus Reussi* ,			
8.	*Ampyx Portlocki* ,	} Ohne Abbildung.		
9.	, *tenellus* ,			
10.	*Dionide formosa*	Taf. VIII (I),	Fig.	17
11.	*Asaphus alienus*	,	, IX (II),	, 5—6
12.	*Barrandia crassa*	,	, IX (II),	, 4
13.	*Ptychocheilus discretus Barr. sp.*	,	, VIII (I),	, 1—8
14.	*Aeglina armata Barr.*	,	, XII (V),	, 12
15.	*Illaenus? puer* ,	,	, IX (II),	, 1—3
16.	*Acidaspis pigra* ,	,	, X (III),	, 18
17.	, *Prevosti* ,	,	, X (III),	, 12—14
18.	, *rara* ,	,	, X (III),	, 7—11
19.	, *vesiculosa Beyr.* (ohne Abbildung)			
20.	*Cheirurus pater Barr.*	Taf. X (III),	Fig.	1—3
21.	*Placoparia grandis Cord.* (ohne Abbildung)			
22.	*Cromus transiens Barr.*	Taf. VIII (I),	Fig.	13—16

Beiträge zur Paläontologie Oesterreich-Ungarns. III, 1.

4

Um nun dem Leser den directen Anschluss meiner Beobachtungen an jene des Herrn Barrande zu ermöglichen, sind die sämmtlichen 39, in den beiden Tabellen angeführten Trilobiten in den nachstehenden Blättern nach ihren Gattungen in derselben Reihenfolge zusammengestellt, wie solche von diesem Verfasser in seiner „Uebersichts-Tabelle der Classification der Trilobiten" (Vol. I, Supplt. Introduction pag. XXX) vorgeschlagen und im Texte seines Werkes auch in Anwendung gebracht wurde.

Was die von mir neu gegründete Gattung *Ptychocheilus* betrifft, so kann dieselbe, da sie mit *Asaphus* sehr nahe verwandt ist, der in der erwähnten Uebersicht mit Nr. XI bezeichneten Trilobitengruppe, wohin ausser der genannten auch noch die Gattungen: *Barrandia*, *Ogygia*, *Psilocephalus* und *Stygina* gehören, beigefügt werden.

II. BESCHREIBUNG EINIGER NEUER TRILOBITEN, NEBST ERGÄNZUNGEN ZU DEN BEREITS BEKANNTEN GATTUNGEN UND ARTEN.

I. Harpes Benignensis Barr.

1872. *H. Benignensis Barr.* Syst. Silur. Boh. Supplt. Vol. I, pag. 4, Pl. 2.

Da das Einrollungsvermögen dieser Art bis jetzt nicht constatirt wurde, so erwähne ich, dass ein vollständig eingerolltes Exemplar in der Sammlung des böhm. Museums in Prag vorhanden ist.

Dasselbe Exemplar zeigt ausserdem den Abdruck des Hypostomes im Inneren der Glabella.

Vorkommen: Das erwähnte Stück stammt aus den schwarzen Schiefern der Etage *D—d1* von St. Benigna (Svatá Dobrotivá) bei Hofovic.

2. Remopleurides radians Barr.

1852. *R. radians Barr.* Syst. Silur. Boh. Vol. I, pag. 359, Pl. 43.

1872. „   „   „   Ibid. Supplt. pag. 7, Pl. 9.

Da diese Art bis jetzt noch nie eingerollt beobachtet wurde, so sei hier blos bemerkt, dass zwei eingerollte Exemplare in der Sammlung des böhmischen Museum vorhanden sind.

Was die

Horizontale Verbreitung

betrifft, so muss angeführt werden, dass das Vorkommen dieser Art auch bei Nusle (S. O. Prag), also an einem der am meisten nach Nord-Osten vorgeschobenen Punkte der Etage *D—d5*, constatirt wurde. Daselbst wurde sie von Herrn Dr. Fritsch, und zwar zugleich mit vielen anderen diese Etage charakterisirenden Trilobiten vorgefunden. Von den die Art daselbst begleitenden Formen wären:

Ampyx Portlocki, Ampyx tenellus, Phillipsia parabola, Aeglina rediviva, Illaenus Zeidleri etc. als die wichtigsten hervorzuheben.

Die beiden oben angeführten, eingerollten Exemplare stammen aus dem bekannten Fundorte zwischen Lejskov um Libomyšl, ebenfalls aus *D—d 5*.

Hiemit kommt diese Art nicht nur am nordöstlichen, sondern auch am südwestlichen Ende der böhmischen Silurmulde vor.

3. Phillipsia parabola Barr.

1852. *Phillipsia parabola* Barr. Syst. Silur Boh. Vol. I, pag. 477, Pl. 18.
1872.   „   „   „   „   „   „ Vol. I, Supplt. pag. 18, Pl. 1.

Horizontale Verbreitung.

Da diese Art bis jetzt blos im Süd-Westen des böhmischen Silurbeckens, und zwar bei Königshof, Lejskov, Chodoun und am Berge Kosov vorgefunden wurde, so sei hier noch erwähnt, dass dieselbe auch im Nord-Osten des Beckens constatirt wurde. Daselbst wurde sie bei Nusle (S. O. Prag) in den dunkelgrauen Schiefern der Etage *D—d 5*, welche jenen am entgegengesetzten Ende des Beckens vollkommen entsprechen, entdeckt.

Das betreffende Exemplar ist ein *Pygidium* und befindet sich in der Sammlung des böhmischen Museums in Prag.

4. Dalmanites atavus Barr.

1872. *D. atavus* Barr. Syst. Silur. Boh. Supplt. pag. 28, Taf 5, Fig. 8—14 und Pl. 15, Fig. 8—14.

Horizontale Verbreitung.

Zu dieser ausschliesslich in *D—d1* vorkommenden Art habe ich, was ihre horizontale Verbreitung betrifft, blos so viel zu bemerken, dass sie ausser den von Herrn Barrande l. c. angeführten Fundorten auch noch bei St. Benigna in dem seit langer Zeit verlassenen Eisensteinstollen vorgefunden wurde. Doch ist sie daselbst sehr selten. Ein dort gesammeltes Exemplar befindet sich in der Sammlung des k. k. böhmischen Polytechnicums, ein anderes in jener des k. böhmischen Museums zu Prag.

5. Calymene Arago Rou.

1872. *C. Arago* Rou. Barr. Syst. Silur. Boh. Vol. I, Supplt. pag. 34, Pl. 2 und 8.

Horizontale Verbreitung.

Die bisher bekannten Fundstätten dieses Trilobiten waren die Orte Stěrboholy und Ouvaly am südöstlichen und Vosek am nordwestlichen Flügel des böhmischen Silurbeckens. Erst vor kurzer Zeit ist die Art auch am nordöstlichen Ende desselben Flügels, und zwar im Šárka-Thale, nördlich von Prag, entdeckt worden. Die sämmtlichen Fundorte gehören bekanntlich der Etage *D—d1* an.

Das Exemplar aus dem Šárka-Thale wurde von Herrn Professor Fritsch entdeckt und ist in der Sammlung des böhmischen Museums zu Prag.

6. Homalonotus Draboviensis Nov.

(Taf. VIII [I], Fig. 9 a—c)

Das von mir abgebildete Pygidium zeigt mit dem von Herrn Barrande (Supplt. Vol. I. Pl. 9, Fig. 9, pag. 39) als *Homalonotus medius* beschriebenen Exemplare wohl viel Aehnlichkeit.

4*

doch stammt das letztere aus den die Etage *D—d4* charakterisirenden Schiefern von Zahořan, wogegen das von mir abgebildete in den Quarziten der Etage *D—d2* von Drabov entdeckt wurde.

Dieses Pygidium hat eine ziemlich flach und gleichmässig gewölbte Oberfläche. Der äussere Umfang gleicht einer Ellipse, deren kleine Axe der Länge, die grosse der Breite des Pygidiums entsprechen würde. Die durch deutliche Dorsalfurchen von den Seitenloben getrennte Axe ist vorne etwas breiter, als jeder der ersteren in der Mitte. Die grösste Breite fällt in die Mitte des Schildes.

An der nicht gut erhaltenen Oberfläche der Axe bemerkt man nur fünf Ringe. Da aber das Hinterende der Axe nicht gut erhalten ist, so wäre es möglich, dass hinter diesen Ringen noch einige kürzere vorhanden waren. Die Seitenloben zeigen ausser der halben Rippe am Vorderrande noch fünf ziemlich breite, durch deutliche Intercostalfurchen getrennte Rippen. Suturalfurchen bemerkt man keine. Die Axe hat einen schmalen, etwa 1 mm breiten Gelenkring und eine dreimal so breite Gelenkfurche. Die mit dem letzten Thoraxsegmente artikulirende halbe Rippe (*Demi—côte articulaire Barr.*) am Vorderrande der Seitenloben erweitert sich nach aussen zu einer grossen, dreiseitigen, verticalen Gelenkfläche.

Die die halbe Rippe begleitende Furche ist sehr tief eingeschnitten, geht über die Gelenkfläche hinweg und reicht bis zu den beiden Vorderecken hinab. Der Hinterrand des Pygidiums biegt sich fast rechtwinkelig nach abwärts und verleiht demselben ein wulstiges Ansehen.

Die Schale ist nicht erhalten und die Oberfläche des Steinkernes glatt.

Grösse: Das Pygidium ist 30 mm lang, seine grösste Breite beträgt 38 mm.

Vorkommen: Quarzit der Etage *D—d2* von Drabov.

Vergleichung: An dem von Herrn Barrande l. c. abgebildeten Pygidium von *Homalonotus medius Barr.* sind die Zwischenfurchen der Axenringe etwas schmäler und die Rippen an den Seitenloben mit deutlichen Suturalfurchen versehen. Ausserdem erscheint die Axe viel stärker gewölbt, als die beiden Seitenloben. Die Oberfläche des Steinkernes ist granulirt.

Ob man es in den beiden Fällen mit einer und derselben Art zu thun hat oder nicht, kann nicht entschieden werden, so lange keine vollständigeren Exemplare vorliegen werden.

7. Homalonotus medius, Barr.

(Taf. X. [III], Fig. 4—5.)

1872. *H. medius Barr.* Syst. Silur. Boh. Supplt. Vol. I, pag. 39, Pl. 9.

Bis jetzt ist blos das l. c. abgebildete Pygidium dieses Trilobiten bekannt gewesen. Doch fand ich schon im Jahre 1872 in einem sonst ziemlich unbekannten aber an Petrefacten überaus reichen Fundort der Etage *D—d5*, in der Nähe des Hofes Rostyly, südlich von Prag, einige Pygidien, welche mit dem von Barrande abgebildeten Stücke von Zahořan (*D—d4*) vollständig übereinstimmen. Zugleich mit diesen Pygidien sind auch einige Köpfe von *Homalonotus* vorgefunden worden, welche zweifellos derselben Art angehören müssen.

Zwei Jahre später fand ich bei Řepora einen anderen, etwas grösseren Kopf, dessen Merkmale mit den bei Rostyly gesammelten Exemplaren vollständig übereinstimmen.

Es ist daher nicht zu zweifeln, dass nicht nur die Köpfe von Rostyly, sondern auch der von Řepora eine und dieselbe Art repräsentiren.

Aus den angeführten Gründen halte ich es nicht für nöthig, die Rostyler Pygidien neuerdings zu beschreiben, und beschränke mich daher blos auf die Abbildung und Beschreibung der neu entdeckten Köpfe.

Die massig gewölbte Glabella ist verlängert vierseitig, vorne etwas verschmälert und gerundet. Die die Glabella einschliessenden Dorsalfurchen sind ziemlich vertieft. In denselben bemerkt man zu beiden Seiten der Stirnpartie der Glabella je eine kleine, rundliche Vertiefung. An der Oberfläche sind weder Loben noch Furchen zu beobachten.

Die Nackenfurche ist sehr deutlich, an ihren beiden Enden etwas tiefer und schmäler als in der Mitte und bildet mit den beiden hinteren Wangenfurchen eine gerade Linie.

Die fixen Wangen sind mässig gewölbt und dreiseitig. Die Palpebralloben fehlen.

Der halbmondförmige Stirnrand des Kopfes ist auffallend nach vorn und aufwärts hervorragend und von den Vorderecken der fixen Wangen, sowie auch von der Frontalpartie der Glabella durch eine breite und tiefe Furche getrennt.

Die beweglichen Wangen, das Hypostom sowie auch der Thorax sind unbekannt.

Die Schale ist nicht erhalten.

Grösse: Das in Fig. 4 dargestellte Exemplar ist etwa 36 mm breit und 20 mm lang.

Vorkommen und Verbreitung.

Das von Barrande beschriebene Exemplar stammt aus den Schiefern der Etage *D—d4* von Zahořan bei Beraun. Die von mir untersuchten wurden sämmtlich in *D—d5* entdeckt. Hievon wurden einige in der Nähe des Hofes Rostyly zwischen Kře und Michle bei Prag, ein anderes oberhalb der „Colonie d'Archiac" im Dorfe Repora in den bekannten, den *Trinucleus Goldfussi* führenden Schiefern entdeckt.

Hiemit ist das Vorkommen dieser Art nicht nur am nordwestlichen, sondern auch am südöstlichen Rande des böhmischen Silurbeckens sichergestellt.

8. Trinucleus Reussi Barr.

1872. *T. Reussi Barr.* Syst. Silur. Boh. Vol. 1, Supplt. pag. 47, Pl. 5, Fig.

Horizontale Verbreitung.

Die zahlreichen Exemplare dieser Art wurden sämmtlich in den Quarzconcretionen der Etage *D—d1*, in der Umgebung von Rokycany und Vosek, also im Süd-Westen des böhmischen Silurbeckens gesammelt.

Interessant ist das Vorkommen dieser Art auch im Nord-Osten des Beckens, und zwar bei Ouval, wo sie von Herrn Dr. Fritsch entdeckt wurde.

Die daselbst gesammelten Exemplare sind in der Sammlung des böhmischen Museums zu Prag.

9. Ampyx Portlocki Barr.

1852. *Amp. Portlocki Barr.* Syst. Silur. Boh. Vol. 1., pag. 636, Pl. 30.
1872.   „   „   „   „   „   „ Supplt. pag. 49, Pl. 2, 16.

Horizontale Verbreitung.

Diese Art war bis jetzt blos aus der Umgebung von Beraun, und zwar von Konigshof und Lejskov aus den „Schistes gris-jaunâtres" der Etage *D—d5* bekannt.

In der Sammlung des böhmischen Museums zu Prag befinden sich einige Exemplare aus der Umgebung von N u s l e bei Prag. Hiemit ist das Vorkommen dieser Art auch im Nord-Osten des böhmischen Silurbeckens constatirt. Die Art kommt daselbst in den der Etage *D—d5* entsprechenden Schiefern gleichzeitig mit anderen diese Etage charakterisirenden Trilobiten vor.

10. Ampyx tenellus Barr.

1872. *Amp. tenellus Barr.* Syst. Silur. Boh. Supplt. Vol. I, pag. 50, Pl. 2.

Horizontale Verbreitung

Auch diese Art war bis jetzt blos von L e j s k o v und K ö n i g s h o f bekannt.

Doch wurde sie mit der vorigen ebenfalls bei N u s l e entdeckt. Hiemit ist ihr Vorkommen nicht nur in der südwestlichen, sondern auch in der nordöstlichen Partie des böhmischen Beckens constatirt. Die sämmtlichen Fundorte entsprechen der B a r r a n d e 'schen Etage *D—d5*.

Die bei N u s l e entdeckten Exemplare befinden sich in der Sammlung des böhmischen Museums in Prag.

11. Dionide formosa Barr.

(Taf. VIII [I] Fig. 17 a—b.)

1852. *D. formosa Barr.* Syst. Silur. Boh. Vol. 1, pag. 641, Pl. 42.

1872. „　　„　　„　　„　　„　　„ Vol. I, Supplt. pag. 50, Pl. 1.

Unter den 14 von B a r r a n d e (Vol. I, Supplt. pag. 174) angeführten böhmischen Trilobiten-Gattungen, deren Einrollungsvermögen noch nicht constatirt wurde, befindet sich auch die blos durch eine Art repräsentirte Gattung *Dionide*.

In neuerer Zeit konnte diese Eigenschaft an zwei Exemplaren sichergestellt werden.

Eines derselben stammt von St. B e n i g n a (*D—d1*) und befindet sich in der Sammlung des böhmischen Museums zu Prag, das andere von L e j s k o v (*D—d5*) in meiner eigenen.

12. Asaphus alienus Barr.

(Taf. IX [II]. Fig. 5—6.)

1872. *A. quidam Barr.* Syst. Silur. Boh. Vol. I, Supplt. pag. 53, Pl. 8, Fig. 22 (Kopf).

1872. *A. alienus Barr.* Ibid. pag. 51, Pl. 6, Fig. 21 (Hypostom) — Pl. 6, Fig. 15—20 (Pygidium) — Pl. 10, Fig. 2 (Thorax und Pygidium)

Von den als zu *Asaphus alienus Barr.* beschriebenen Körpertheilen dieses Trilobiten sind bis jetzt blos Thorax und Pygidium im Zusammenhange nachgewiesen worden, es kann daher über deren Zusammengehörigkeit nicht gezweifelt werden.

Anders verhält es sich aber mit dem Kopfe.

Zwei von mir erst vor kurzer Zeit eruirte, fast vollständige Exemplare, von denen eines auf Taf. IX (II), Fig. 5, gezeichnet ist, stellen nun ein vollständiges Bild dieser Art dar.

Beide Exemplare zeigen deutlich, dass ihr Kopf mit der als *A. quidam Barr.* (Suppl. Pl. 8, Fig. 22) beschriebenen Glabella vollständig übereinstimmt. Es ist daher *A. quidam* aus dem Verzeichnisse der böhmischen Trilobiten zu streichen und mit *A. alienus* zusammenzuziehen.

Ueberdies zeigt der in Fig. 6 abgebildete Kopf, dass auch seine Dimensionen denen der isolirt vorkommenden, grossen Pygidien unseres Trilobiten, vollständig entsprechen.

Der Beschreibung des jetzt in dieser Weise modificirten *Asaphus* hätte ich sonst nichts beizufügen, als dass eines der oben angeführten Exemplare vollständig eingerollt ist. Es ist daher auch bei dieser Art das Einrollungsvermögen constatirt.

Ferner wäre noch zu bemerken, dass die Duplicaturen der Pleuren der Thoraxsegmente dieser Art jene räthselhaften Perforationen („Panderische Organe") zeigen, wie solche von Barrande auch bei *Ogygia desiderata* (Supplt. Pl. 4, Fig. 1) beobachtet wurden.

Vorkommen und Verbreitung: Diese die Fauna der Etage *D—d₁* charakterisirende Art wurde bei Vosek, Ouval, Stěrbohol und in neuester Zeit auch bei Cerhovic entdeckt.

13. Barrandia crassa Barr.

(Taf. IX [!!]. Fig. 4.)

1872. *B. crassa, Barr.* Syst. Silur. de Boh. Vol. 1, Supplt. pag. 57, Pl. 11.

Das von mir abgebildete Bruchstück ist insofern von Wichtigkeit als daraus einerseits auf die bedeutenden Dimensionen dieser Art geschlossen werden kann, anderseits weil die Structur der Schale wenigstens an den Pleuren deutlich erhalten ist.

Die in der Figur dargestellten, an der Oberfläche der Pleuren sich verzweigenden Streifchen bedürfen keiner näheren Beschreibung.

Was die ursprüngliche Grösse des dargestellten Bruchstückes betrifft, so kann daraus — da die Länge des Kopfes der schon bekannten vollständigen Exemplare etwa eben so viel beträgt wie die des Thorax — auf ein etwa 25 cm langes und 16 cm breites Individuum geschlossen werden.

Vorkommen: Schiefer der Etage *D—d₁*, von Sv. Dobrotiva (St. Benigna) bei Hořovic.

14. Ptychocheilus discretus Barr. sp.

(Taf. VIII [I]. Fig. 1—8.)

1872. *Asaphus alienus Barr.* Syst. Silur. Boh. Vol. I, Supplt. pag. 51, Pl. 6, Fig. 13—15 (Kopf.) und Pl. 10, Fig. 1 (Kopf).

1872. *Trilobites contumax Barr.* Ibid. pag. 146, Pl. 15, Fig. 3 (Hypostom).

„ *Ogygia discreta* „ „ „ 55, „ 7, „ 23 (Pygidium).

Bereits im Jahre 1873, nachdem mir im böhmischen Museum die Bearbeitung der grossen Zeidler'schen Sammlung anvertraut wurde, bemerkte ich, dass in Barrande's Supplement (Vol. I) einige isolirte, aus den Quarzconcretionen von Vosek (*D—d₁*) stammende Schalenelemente ein und desselben Trilobiten unter verschiedenen Namen angeführt werden.

Doch war dieser Vorgang insofern nothwendig, als diese isolirten Stücke früher noch nie im Zusammenhange vorgefunden worden waren und daher ein vollständiges Bild des Thieres, dem sie angehörten, nicht entworfen werden konnte.

Die Gründe, die mich zur Zusammenziehung der unter den Synonymen näher bezeichneten Theile bewogen, sind folgende:

Vor Allem unterliegt es keinem Zweifel, dass das als *Trilobites contumax Barr.* angeführte Hypostom mit dem von demselben Autor als zu *Asaphus alienus Barr.* gehörig betrachteten Kopfe zu vereinigen ist, indem mir drei Exemplare vorliegen, an welchen beide Theile im innigsten Zusammenhange stehen.

Eines dieser Exemplare, an welchem das Hypostom an der Innenseite der Glabella, und zwar in natürlicher Lage („en place") haftet, ist auf Taf. VIII (I), Fig. 1—3, dieser Arbeit abgebildet.

Es bleibt daher über die Zusammengehörigkeit dieser zwei Theile kein Zweifel übrig.

Ferner wurde schon im Vorhergehenden in den bei *Asaphus alienus* angeführten Bemerkungen nachgewiesen, dass der unter diesem Namen beschriebene Kopf (vergl. Barr. Vol. I, Supplt. Pl. 6, Fig. 13—15 und Pl. 10, Fig. 1) mit dem unter demselben Namen angeführten Thorax und Pygidium nicht vereinigt werden kann, sondern dass er durch die als *Asaphus quidam Barr.* beschriebene Glabella zu ersetzen ist.

Es bildet daher der als *Asaphus quidam Barr.* bezeichnete Kopf mit dem als *A. alienus Barr.* beschriebenen Thorax und Pygidium eine selbstständige Trilobitenform, für welche ich den Namen *A. alienus Barr.* aufrechthalten zu müssen glaube.

Es handelt sich also nur noch um den Nachweis der Zusammengehörigkeit der von mir in Fig. 6 und 8 abgebildeten Pygidien mit den vorher erwähnten „en place" vorkommenden Hypostomen, resp. deren Köpfen.

Hierüber erlaube ich mir Folgendes zu bemerken: Schon bei flüchtiger Betrachtung der jetzt vorliegenden Zeichnungen der von mir unter dem Namen *Ptychocheilus discretus* zusammengefassten Schalenstücke gelangt man zu der Ueberzeugung, dass die Dimensionen derselben sehr gut übereinstimmen.

Obwohl Herrn Barrande nur ein sehr kleines als *Ogygia discreta* (Supplt. Pl. 7, Fig. 23) beschriebenes Pygidium bekannt war, zeigen doch die später entdeckten, in Fig. 6 und 8 dargestellten, mit dieser Form identischen grossen Pygidien, dass ihre Dimensionen mit jenen des von Barrande (Pl. 6, Fig. 15) abgebildeten Kopfes auffallend übereinstimmen.

Auch sind die grossen, nun im Zusammenhange mit der Glabella entdeckten, als *Trilobites contumax Barr.* beschriebenen Hypostome mit den Grössenverhältnissen des von Barrande l. c. Fl. 6, Fig. 15, gezeichneten Kopfes, sowie auch mit dem von mir in Fig. 8 dargestellten Pygidium in vollster Harmonie.

Dabei darf jedoch nicht ausser Acht gelassen werden, dass man unter den in den Quarzconcretionen von Vosek vorkommenden, der Gruppe der Asaphiden gehörigen grossen Trilobiten blos drei Arten zu unterscheiden vermag. Zwei derselben nämlich *Ogygia desiderata* und *Asaphus alienus* sind nun in vollständigen Exemplaren bekannt. Es müssen daher die jetzt noch erübrigenden grossen Stücke als: Kopf mit seinem Hypostome und das Pygidium eine dritte Art repräsentiren. Eben diese Stücke sind es, welche ich mit dem Namen *Ptychocheilus discretus Barr. sp.* zusammenfasse.

Es ist aber noch ein anderer Beweis, der jeden unbefangenen Beobachter zur Zusammenziehung der oben angeführten Stücke führen muss und diesen liefert uns der von Salter als *Ogygia peltata*[1]) beschriebene Trilobit von Whitesand-Bay, St. David's, Pembrokeshire.

Von dieser Art zeichnet Salter nicht nur vollständige Exemplare, sondern auch ein Hypostom. Dieses letztere ist von besonderer Wichtigkeit, indem es, obwohl zusammengedrückt, die Charaktere der hieher gehörigen böhmischen, von mir in Fig. 1—4 dargestellten, von Barrande als *Trilobites contumax* bezeichneten Hypostome reproducirt[2]).

Aus der nebenstehenden Abbildung des Hypostomes der englischen *Ogygia peltata Salter* ist ersichtlich, dass dasselbe mit den von mir in Fig. 1—4 gegebenen Zeichnungen der böhmischen Stücke im Wesentlichen auffallend übereinstimmt.

---

[1]) A Monograph of British Trilobites Pl. 23, Fig. 1—4.

[2]) Während meines letzten Aufenthaltes in London hatte ich die Gelegenheit, Salter's Originale aus eigener Anschauung kennen zu lernen und fühle mich dem Herrn Director Etheridge nicht wenig verpflichtet, für die freundliche Erlaubniss, mit welcher er mir die Abbildung der mir wichtig erscheinenden Stücke gestattete.

An den böhmischen, sowie auch an dem englischen Exemplare sieht man die beiden grossen, zuerst gegen die Medianlinie convergirenden und dann fast rechtwinkelig nach aussen divergirenden Furchen, ferner den schwach ausgeschnittenen Hinterrand und die beiden mit einer kurzen Querfurche verbundenen Grübchen vor dem Ausschnitte des letzteren.

Aber auch die Form des Pygidiums der englischen Art zeigt mit den von mir gezeichneten Stücken eine überraschende Analogie, von welcher man sich schon bei flüchtiger Betrachtung der von Salter, Barrande und mir abgebildeten Stücke leicht überzeugen kann.

Es ist also hiedurch ein fernerer Beweis geliefert worden, dass die grossen in D—d_1 von Vosek, obwohl bis jetzt nur isolirt vorkommenden Pygidien (*O. discreta Barr.*) mit den als *Trilob. contumax Barr.* bezeichneten Hypostomen zusammengezogen werden müssen.

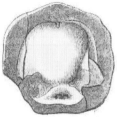

Fig. 1.

Hypostom
von *Ogygia peltata Salt*
Original in der Sammlung des Museums of practical Geology zu London.
Catalog Nr. $^2/_{58}$, pag. 19.

Uebrigens muss auch noch bemerkt werden, dass Salter's *Ogygia peltata* in einem der böhmischen Etage D—d_1 ziemlich entsprechenden Horizonte entdeckt wurde.

Nachdem nun im Vorhergehenden die Zusammengehörigkeit der besprochenen Schalenstücke und die Nothwendigkeit der Zusammenziehung derselben in eine Trilobitenform ersichtlich gemacht wurde, soll auch die generische Selbstständigkeit derselben nachgewiesen werden.

Es unterliegt wohl keinem Zweifel, dass die von mir als *Ptychocheilus* aufgestellte Gattung mit den in die Gruppe der *Asaphiden* gehörigen Gattungen, wohin nebst *Asaphus Brongn.* auch *Ogygia Brongn.*, *Barrandia M'Coy*, *Psilocephalus Salt.* und *Stygina Salt.* gerechnet werden müssen, sehr nahe verwandt ist.

Von allen diesen hier genannten Gattungen, kann aber *Ptychocheilus* blos mit *Asaphus* oder *Ogygia* verwechselt werden, indem — das Hypostom ausgenommen — die Form der sämmtlichen Schalenstücke der beiden letzteren mit jenen des ersteren fast vollkommen übereinstimmt.

Die übrigen drei nämlich: *Barrandia*, *Psilocephalus* und *Stygina* brauchen hier nicht in Betracht gezogen zu werden, indem sie schon nach der Form der den Trilobitenkörper zusammensetzenden drei Hauptabschnitte nicht nur von einander, sondern auch von den drei ersteren leicht unterschieden werden können.

Vergleicht man nun das Hypostom von *Ptychocheilus* und *Asaphus* einerseits mit jenem von *Ogygia* anderseits, so sieht man, dass der Buccalrand der beiden ersteren ausgeschnitten, der der letzteren jedoch nicht nur nicht ausgeschnitten, sondern nebstdem in der Mitte mit einem kleinen Fortsatz versehen ist. Dies ist in der That der einzige reelle Anhaltspunkt, mit dessen Hilfe die Gattungen *Asaphus* und *Ogygia* auseinander gehalten werden.

Es kann also *Ptychocheilus* blos mit *Asaphus* verwechselt werden, indem diese Gattungen ein sonst als wichtig anerkanntes Merkmal, nämlich den Ausschnitt des Buccalrandes gemeisam haben.

Um aber auch diese Gattungen auseinanderhalten zu können, wird es nöthig sein, auf die Form ihrer Hypostome etwas näher einzugehen.

Ich will jedoch im Nachstehenden weder die Merkmale des Hypostoms der Gattung *Asaphus*, noch die von *Ptychocheilus* neuerdings schildern, indem diese Merkmale von Barrande bereits hervorgehoben wurden, und verweise daher nicht nur auf die von diesem Verfasser gegebenen Beschreibungen und Abbildungen der in Böhmen vorkommenden *Asaphus*-Arten, sondern auch auf das l. c. Vol. I, Supplt. pag. 146, als *Trilobites contumax Barr.* bezeichnete Hypostom, welches zu unserem *Ptychocheilus* gehört.

Daher begnüge ich mich blos mit der Hinweisung auf die Unterschiede der Hypostome der beiden angeführten Gattungen, welche in der nachstehenden Tabelle übersichtlich zusammengestellt sind.

	Ptychocheilus Nov.	*Asaphus Brongn.*
Seitenränder	nach aussen concav	convex
Hinterrand	schwach ausgeschnitten, der Ausschnitt schmal, wenig nach vorn gehend	stark ausgeschnitten, der Ausschnitt breit, weit nach vorn ragend
Die durch den Ausschnitt entstandenen Fortsätze an den Hinterecken	gerundet, kurz, erweitert und mit tiefen, schräg nach aussen und rückwärts, verlaufenden Furchen versehen, die hinten von faltenartig hervorragenden Wülsten begrenzt werden	zugespitzt, verlängert, schmal, nicht gefurcht und mit keinen Wülsten versehen
Mittelstück	dreiseitig, mit nach rückwarts gerichtetem Winkel und von einer in der Mitte unterbrochenen Furche umgeben	rundlich-oval, meist von einer sehr deutlichen, unnnterbrochenen Furche umgeben

Nachdem nun auch das Hypostom von *Ogygia peltata Salt.* mit jenem des von mir als *Ptychocheilus discretus Barr. sp.* bezeichneten Trilobiten im Wesentlichen übereinstimmt, so hätten wir die Gattung *Ptychocheilus Nov.* durch zwei verschiedene, aber sehr nahestehende Formen vertreten.

Diese Formen sind:

1. *Ptychocheilus discretus Barr. sp.* (Böhmen).
2. „ *peltatus Salt. sp.* (England).

Aus diesen zwei Formen lassen sich nun die die Gattung *Ptychocheilus* charakterisirenden Merkmale leicht zusammenstellen.

1. K o p f
2. T h o r a x ⎫ wie bei *Asaphus* oder *Ogygia.*
3. P y g i d i u m ⎭

(Einrollungsfähigkeit constatirt. Metamorphose unbekannt.)

4. Hypostom mit concaven Seitenrändern, schwach ausgeschnittenem Hinterrande in der Mitte und breiten, gerundeten Hinterecken. Mittelstück triangulär mit nach vorne liegender Basis, seitwärts von zwei tiefen, nach rückwarts convergirenden, selbstständigen Furchen umgeben. Jede dieser Furchen gleicht einer dreiseitigen, ungleichflächigen Pyramide mit nach abwärts gerichtetem Scheitel. Die hinteren Flächen der die beiden Furchen bildenden Pyramiden werden von zwei nach vorne und innen convergirenden, kantenartig hervorragenden, vorne sich jedoch nicht berührenden Wülsten begrenzt. Vor dem Ausschnitte des Hinterrandes zwei kleine, durch eine quere, kurze Furche verbundene Vertiefungen.

Die vorderen Flügelchen stark entwickelt. Ihre Fortsetzung nach rückwärts bildet unter den Seitenrändern eine parallele Fläche, so dass letztere mit einer Duplicatur versehen sind und wulstförmig erscheinen. Die Duplicatur des Hinterrandes konnte nicht beobachtet werden.

15. Aeglina armata Barr.

(Taf. XII [V], Fig. 12.)

1872. *Aegl. armata* Barr. Syst. Silur. Boh. Vol, I, Supplt. pag. 59, Pl. 3, Fig. 1—4 und Pl. 15, Fig. 16—19.

Der von Herrn Barrande l. c. gegebenen Beschreibung ist Folgendes beizufügen:

1. Man beobachtet bei dieser Art ebenso wie bei *Aeglina mitrata Nov.*, *Aegl. prisca Barr.* und *Aegl. sulcata Barr.* einen in der Medianlinie der Glabella liegenden, sehr kleinen, verlängerten Höcker. Bei *Aegl. armata* ist er ebenso wie bei der erst- und letztgenannten am Ende des ersten Drittels der ganzen Länge angebracht, wogegen er bei *Aegl. prisca* etwa in die Mitte der Glabella fällt.

2. Da diese Art bis jetzt noch nie eingerollt beobachtet wurde, so sei auch erwähnt, dass in meiner Sammlung ein solches Exemplar vorhanden ist, und dieselbe daher dem von Barrande (Supplt. Vol. I, pag. 175) zusammengestellten Verzeichnisse der seit dem Jahre 1852 neu beobachteten, eingerollten Trilobiten hinzugefügt werden kann.

Vorkommen: Das abgebildete Exemplar stammt aus den Schiefern der Etage *D—d5* zwischen Lejskov und Libomyšl, dem einzigen bis jetzt bekannten Fundorte dieser Art.

16. Aeglina mitrata Nov.

(Taf. XII [V], Fig. 13 *a—c*)

Von dieser sehr seltenen Art sind nur einige isolirte Glabellen bekannt. Ein Exemplar derselben befindet sich in der Sammlung des böhmischen Museums, ein anderes in jener des Herrn Dusl in Beraun und ausserdem einige in der Sammlung des verstorbenen Herrn J. M. v. Schary in Prag.

Die äussere Form der Glabella gleicht einem gleichschenkeligen Dreiecke mit convexen Seiten, dessen Basis dem Hinterrande des Kopfes entspricht. An der Oberfläche bemerkt man zwei Furchenpaare. Das erste ist in der Regel sehr undeutlich und überhaupt nicht an allen Exemplaren (welche sämmtlich Steinkerne sind) wahrnehmbar. Das zweite ist stets deutlich entwickelt und gegen die Medianlinie verlängert, so dass beide Furchen dieses Paares nach innen verschmelzen[1]. Etwa am Ende des ersten Drittels der ganzen Länge sicht man in der Medianlinie einen kleinen, länglichen, von vorn nach rückwärts gerichteten Höcker, von etwa 1 mm Länge.

Am Oberende der in Form eines gothischen Bogens zugespitzten Glabella bemerkt man einen stumpfen, schräg nach aufwärts gerichteten Fortsatz mit elliptischer Basis.

Der Palpebrallobus, welcher von der Glabella durch eine scharfe Furche getrennt erscheint, ist durch einen schmalen, etwa 1 mm breiten Streifen repräsentirt, der am Anfange des zweiten Drittels der ganzen Länge der Glabella beginnt und bis zu den beiden Hinterecken hinabreicht. Ob letztere zugespitzt oder gerundet waren, kann ich nicht genau unterscheiden, wahrscheinlich ist aber das Letztere der Fall. Auch der der fixen Wange entsprechende, bei anderen Arten als ein schmaler Streifen entwickelte Theil konnte nicht beobachtet werden.

Die Schale ist nicht erhalten. Am Steinkerne bemerkt man jedoch einzelne undeutliche Querrunzeln, welche namentlich nächst des Hinterrandes und an der Basis des vorderen Fortsatzes deutlich hervortreten.

---

[1] An dem Exemplar im böhmischen Museum ist das vordere Furchenpaar ebenfalls sehr deutlich. An dem abgebildeten ist es jedoch nicht entwickelt.

5*

Grösse: Die abgebildete Glabella ist 17 mm lang. Ihre grösste Breite beträgt 15 mm.

Vorkommen: Die sämmtlichen bekannten Exemplare stammen aus den Quarzconcretionen der Etage *D—d₁* von V o s e k.

Vergleichung: Durch das Vorhandensein des erwähnten Stirnfortsatzes, nähert sich die beschriebene Art der von B a r r a n d e (Vol. I, Supplt. pag. 59, Pl. 3, Fig. 1—4 und Pl. 15, Fig. 16—19) als *Aeglina armata* angeführten Form.

In der nachstehenden Tabelle sind die Unterschiede dieser beiden Arten übersichtlich zusammengestellt.

	Aegl. armata Barr.	*Aegl. mitrata Nov.*
Aeussere Form der Glabella	oval, hoch gewölbt	Dreiseitig, in Form eines gothischen Bogens zugespitzt, ziemlich flach
Hinteres Furchenpaar	nicht verwachsen und ebenso wie das vordere, breit	verwachsen, schmal
Stirnfortsatz	nach vorn gerichtet	nach aufwärts gekrümmt
Hinterrand der Glabella	gerade	nach hinten convex
Augenloben	hinter dem Stirnfortsatze verwachsen	beiderseits isolirt

Aus der Gestaltung der Augenloben lasst sich mit Bestimmtheit schliessen, dass die Augen von *Aeglina mitrata Nov.* vorne nicht in eine Fläche verwachsen waren, wie dies bei *Aegl. armata Barr.* vorkommt, sondern dass beide selbstständig ausgebildet sein mussten.

Hiedurch nähert sich aber die neue Art der mit ihr ebenfalls sehr verwandten *Aegl. sulcata Barr.* (Vol. I, Supplt. Pl. 8, Fig. 1—4), welche sich von ersterer durch den Mangel des Stirnfortsatzes unterscheidet.

17. Illaenus? puer, Barr.

(Taf. IX [II]. Fig. 1—3.)

1872. *Illaenus puer Barr.* Syst. Silur. Boh. Vol. I, Supplt. pag. 73, Pl. 14.

Von dieser Art waren bis jetzt blos einige sehr seltene Fragmente bekannt. Da es mir in neuerer Zeit gelungen ist, nebst einigen Bruchstücken auch ein ziemlich vollständiges Exemplar zu erhalten, so sei mir erlaubt, das von B a r r a n d e l. c. bereits gegebene Bild dieses Trilobiten einigermassen zu vervollständigen.

Was den Kopf betrifft, so habe ich nur hervorzuheben, dass die beweglichen Wangen mit einem ziemlich langen und breiten Dorne versehen sind. An der Oberfläche der Glabella bemerkt man keine Seitenfurchen, sowie auch keine Nackenfurche.

Das Hypostom ist unvollständig erhalten. Trotzdem bemerkt man aber, dass seine Charactere enen der Gattung *Illaenus* durchaus nicht entsprechen. Sie stimmen vielmehr mit jenen von *Asaphus, Ogygia* oder *Nileus* überein. Leider ist der Hinterrand nicht erhalten, so dass man sich nicht direct von der Form desselben überzeugen kann. Dass er aber entschieden nicht gerade war, dafür spricht die Richtung der Streifen der Schalenoberfläche. Diese biegen sich nämlich, von den Seitenrändern kommend, plötzlich nach vorne gegen die Medianlinie, woraus auf einen, wenn auch nicht bedeutenden Ausschnitt des Hinterrandes geschlossen werden darf. Auch ist es nicht unwahrscheinlich, dass in der Mitte dieses Ausschnittes auch noch ein kleiner Vorsprung vorhanden war, wie dies z. B. bei *Nileus armadillo* beobachtet wurde.

Es geht daraus hervor, dass die generischen Merkmale der in Frage stehenden Art nicht mit *Illaenus* übereinstimmen, sondern, dass sie einer anderen, bis jetzt nicht näher bestimmbaren Gattung angehört.

Der Thorax des in Figur 2 dargestellten Exemplares besteht aus 8 Segmenten. Seine Axe ist ziemlich gewölbt und verschmälert sich nach rückwärts derart, dass der achte Ring nur etwa halb so breit ist, wie der erste. Die Pleuren sind nicht so flach wie bei *Illaenus*, doch sind sie ebenso wie bei dieser Gattung nicht gefurcht. Ihre äusseren Enden krümmen sich ziemlich nach hinten und sind sensenförmig zugespitzt.

Das Pygidium ist hinreichend bekannt. Es ist aber nur zu bemerken, dass an dem in Fig. 3 gezeichneten Exemplare das letzte Thoraxsegment mit dem Vorderrande des Pygidiums verwachsen ist und folglich ein Entwickelungsstadium der Art darstellt.

Die Oberfläche der Schale ist fein gestreift. Die verschiedenen Richtungen der Streifchen sind aus den Figuren ersichtlich. Zwischen den Streifchen des Hypostoms bemerkt man ausserdem einzelne Reihen kleiner Grübchen. Ebenso an der Subfrontalduplicatur.

Vorkommen: Schiefer der Etage *D—dᵣ* von Sv. Dobrotivá (St. Benigna) bei Hofovic.

18. Acidaspis fuscina Nov.

(Taf. X [III], Fig. 19.)

Der Kopf des vorliegenden Exemplares ist blos theilweise erhalten. Das wichtigste Merkmal desselben ist die bedeutend erweiterte, querliegende Frontalpartie der Glabella. Ein anderes Merkmal ist der blos links erhaltene, etwa 1 mm lange, knötchenförmige Lappen der Glabelle, welcher wahrscheinlich ebenso wie bei *Acidaspis Geinitziana* (vergl. Barr. Vol. 1, Pl. 39) dem zweiten Lateralloben derselben entspricht.

Von den übrigen Partien des Kopfes sind nur die Augenleiste und ein Theil der beweglichen Wange erhalten. Letztere war mit einem Wangendorne versehen.

Der Thorax ist vollständig und zählt 10 Segmente. Die Axe ist hoch gewölbt, nimmt etwa ein Drittel der ganzen Breite ein und verschmälert sich allmälig gegen das Pygidium. Die Ringe sind schmal und durch breite Gelenksfurchen von einander getrennt. Die Wülste (bourrelet) nehmen die ganze horizontale Partie der Pleura ein und zeigen eine schwache Längsfurche. Ihre äusseren Enden gehen plötzlich in lange, cylindrische Dorne über. Die vordere und hintere, den Wulst begrenzende Zone ist sehr schmal und blos am Abdruck der inneren Schalenfläche sichtbar.

Das Pygidium ist halbkreisförmig. Die hochgewölbte, etwa ein Drittel der ganzen Breite einnehmende Axe zeigt zwei sehr deutliche und einen dritten schwach angedeuteten Ring. Von den äusseren Enden des ersten Ringes gehen je ein starker, gewölbter Wulst nach aus- und rückwärts und endet am hinteren Umfange des Pygidiums mit einem cylinderischen Dorne. Zwischen diesen beiden Hauptdornen sieht man noch einen dritten in der verlängerten Richtung der Axe. Sonst ist der Hinterrand des Pygidiums mit keinen anderen Spitzen versehen.

Die Oberfläche der Schale ist granulirt. Die Körnchen sind ungleich, ziemlich von einander entfernt und bedecken nicht nur die Flächen der Thoraxsegmente und des Pygidiums, sondern auch die der Dornfortsätze.

Grösse: Die Länge des gezeichneten Exemplares misst, die Dorne am Pygidium nicht gerechnet, 15 mm. Die grösste Breite dürfte etwa 8 mm betragen haben.

Vorkommen: Das beschriebene Exemplar fand ich in einer aus gelbem Kalkstein bestehenden Bank der Etage *F—f2* bei Konĕprus zugleich mit vielen anderen Trilobiten, namentlich: *Bronteus thysanopeltis, Cheirurus Sternbergi, Lichas Haueri, Proetus neglectus* etc. etc.

Vergleichung: Die beschriebene Art ist mit *Acidaspis subterarmata Barr.* (Vol. I, pag. 749, Pl. 39) sehr nahe verwandt. Doch ist der äussere Umfang des Pygidiums der letzteren mit etwa 24 bis 30 kleinen Spitzchen verziert, wogegen er bei *A. fuscina* vollkommen glatt erscheint.

19. Acidaspis Krejčii Nov.

(Taf. X [III], Fig. 15—17.)

Der Kopf ist hoch gewölbt, vorne bedeutend erweitert, hinten verschmälert. Sein äusserer Umfang ist mit einem starken, am Hinterrande etwas verschmälerten, an den beiden nach vorn vorspringenden Seitenrändern bedeutend erweiterten Randwulste umgeben. Die Innenseite des letzteren wird von einer ziemlich tiefen, am Stirnrande des Kopfes ebenfalls verschmälerten Randfurche begleitet.

Die Dorsalfurchen des Kopfes sind wohl nicht sehr tief, können aber an allen vorliegenden Exemplaren deutlich erkannt werden. Viel breiter und tiefer als diese letzteren sind die beiden „falschen Furchen" (faux sillons), in welche die Seitenfurchen einmünden.

Die vordere und mittlere Seitenfurche ist klein, aber scharf ausgeprägt; sie liegen dicht hinter einander und sind blos durch ein schmales, querverlängertes, den ersten Seitenlobus repräsentirendes Körnchen von einander getrennt. Die dritte ist die grösste und ebenfalls grübchenförmig. Der zweite und der dritte Seitenlobus gleichen zwei hinter einander liegenden, rundlichen Höckern.

Der vorspringende Nackenring trug zwei divergirende, starke Dornfortsätze, von denen jedoch blos die Basis erhalten ist (vergl. Fig. 16).

Die Augen liegen nicht in der Nähe des Hinterrandes des Kopfes, wie bei den meisten Arten dieser Gattung, sondern in der vorderen Hälfte des Kopfes. Das Auge selbst ist deutlich facettirt, seine Form ist halbelliptisch. Die etwa 1 mm breite Augenleiste kann man beiderseits vom Stirnrande bis zum Auge verfolgen.

Die Wangen sind mit starken, nach aussen divergirenden, mit breiter Basis aufsitzenden Wangendornen versehen. Ausserdem sind die äusseren Ränder der beweglichen Wangen mit einer Reihe kurzer Spitzen verziert.

Da trotz der weit nach vorne liegenden Augen eine Gesichtsnaht entwickelt ist, so ist auch die Trennung der beweglichen und fixen Wangen eine sehr scharfe. Die Naht beginnt am Stirnrande mit zwei Aesten, geht ausserhalb der Augenleiste nach aussen und rückwärts zu den Augen und von da an der Innenseite der erweiterten, wulstig hervorragenden Basis der Wangendornen zu den beiden Hinterecken des Kopfes, so dass die letzteren, ebenso wie bei allen Acidaspiden, ausserhalb der Gesichtsnaht zu liegen kommen.

Von den Thoraxsegmenten sind neun erhalten. Da das Pygidium (vergl. Fig. 15) nicht vorhanden ist, so bleibt es vorderhand unentschieden, ob das Maximum der Segmente dieser Art die Zahl 10 erreicht hat oder nicht. Die Axe ist stark hervorragend. Die Pleuren mit einem halbcylindrischen, in einen langen Dorn verlängerten Wulste versehen. Vor demselben bemerkt man eine schmale, den nach abwärts gebogenen Aussenrand der Pleura nicht erreichende Furche. Die vor dem Wulste liegende Zone ist breiter als die hintere (vergl. Fig. 15 b).

Das Hypostom, sowie auch das Pygidium sind unbekannt.

Die ganze Oberfläche der Schale, sowie auch der sämmtlichen Dornfortsätze ist fein und dicht granulirt. Doch ist diese Granulation am Kopfe und an den Dornen etwas gröber als an den Thoraxsegmenten. Sie ist namentlich an den Pleuralwülsten sehr schwach. Ausserdem ist der Kopf mit einzelnen stark hervorragenden, auch am Steinkerne wahrnehmbaren Tuberkeln versehen. Die Vertheilung derselben zeigt an allen fünf vorliegenden Köpfen eine unläugbare Regelmässigkeit und Symmetrie. An der Uebergangsstelle der Pleuralwülste in den Dornfortsatz sitzt je ein constant entwickeltes Höckerchen.

Grösse: Das in Fig. 15 dargestellte, unvollständige Exemplar ist 43 mm lang, die grösste Breite des Thorax beträgt 28 mm.

Vorkommen: Von den fünf mir bis jetzt bekannten Exemplaren dieser Art stammen drei aus Etage *G—g1* von Lochkov und 2 von Klein-Chuchle bei Prag.

Vergleichung: Die Merkmale des Kopfes der beschriebenen Art zeigen mit den Köpfen der zur Gruppe des *Acidaspis Verneuili Barr.* gehörigen Arten, zu welchen auch *A. vesiculosa Beyr.* und *A. rara Barr.* gezählt werden müssen, eine sehr auffallende Uebereinstimmung. Dafür sprechen 1. die weit nach vorne gelegenen Augen, 2. die Erweiterung der vorderen Partie des Kopfes, 3. die auffallende Wölbung und 4. die charakteristische, den sämmtlichen hier genannten Arten gemeinsame Vertheilung der Dornfortsätze desselben. Alle diese Arten entbehren aber die Gesichtsnaht, wogegen sie bei *A. Krejčii* deutlich verfolgt werden kann.

Die Form der Thoraxsegmente der letzteren Art zeigt dagegen einen auffallenden Unterschied in der Gestaltung des Wulstes und der denselben begleitenden Furche.

Eine vollkommen entsprechende Harmonie in der Gestaltung der Thoraxsegmente bemerkt man nur bei *A. Verneuili* und *A. rara*. Dasselbe gilt wahrscheinlich auch von *A. vesiculosa*, doch ist der Thorax dieser Art bis jetzt unbekannt.

Bemerkenswerth ist ausserdem die Uebereinstimmung der Pleuren der ebenfalls mit einer Gesichtsnaht versehenen *A. monstrosa Barr.* (Vol. I, Suppl. Pl. 7, Fig. 2) mit jenen von *A. Krejčii*. Diese beiden Arten kommen auch an einem gemeinsamen Fundorte der Etage *G—g1* bei Lochkov vor.

Es scheint daher, als würde diese letztere Art einen Uebergang der Gruppe des *A. Verneuili* in jene des *A. monstrosa* vermitteln.

20. Acidaspis optata Nov.

(Taf. X [III], Fig. 6.)

Mit diesem Namen bezeichne ich ein isolirtes Pygidium eines bis jetzt nicht näher bekannten Acidaspiden aus dem Kalkstein von Koněprus.

Die Form desselben ist dreiseitig. Die durch eine tiefe Furche von dem Gelenke getrennte Axe trägt zwei Ringe. Der vordere ist ziemlich stark hervorragend und etwas breiter, aber kürzer als der hintere. Letzterer ist rundlich und von einer halbkreisförmigen Furche umgeben.

Von den Aussenenden des vorderen Ringes gehen zwei starke Wülste ab, divergiren gegen den Aussenrand, verschmälern sich daselbst plötzlich und enden mit nicht sehr langen, schmalen und scharfen Hauptspitzen. Innerhalb der letzteren bemerkt man am Hinterrande zwei Secundarspitzen, an den beiden Flanken ausserdem noch je vier äussere Nebenspitzen, von denen die innerste die längste, die äusserste aber die kürzeste ist.

Die Schale ist nicht erhalten, doch sieht man an der Oberfläche des Steinkernes hie und da einzelne kleine Körnchen verstreut.

Grösse: Das abgebildete Pygidium ist 22 mm breit und 6 mm lang.

Vorkommen: Das einzige mir bekannte Exemplar stammt aus einer gelblichen Kalkstein-bank der Etage F—f2 von Konĕprus und wurde daselbst zugleich mit A. pigra, Bront. thysanopeltis, Cheirurus Sternbergi und vielen anderen Trilobiten entdeckt.

Vergleichung: Dieses Pygidium ist sehr charakteristisch und kann daher nicht so leicht mit anderen verwandten Arten verwechselt werden. Die am nächsten stehende Form wäre A. Laportei Corda (vergl. Barr. Vol I, Pl. 39, Fig. 23). Doch sind bei dieser Art nicht nur die Haupt-, sondern auch die Nebenspitzen viel stärker und der Uebergang der Wülste in die beiden Hauptspitzen nicht so plötzlich wie bei A. optata.

Bemerkung: Vielleicht wird sich mit der Zeit herausstellen, dass das beschriebene Pygidium keiner selbstständigen Art angehören dürfte, sondern dass es mit der oder jener von Barrande bereits beschriebenen isolirten Glabellen aus F—f2 von Konĕprus wird zusammengezogen werden müssen.

Als solche Glabellen, denen dieses Pygidium angehören könnte, sind folgende hervorzuheben:

1. A. lacerata   vergl. Barr. Vol. I, Pl. 39
2. A. truncata   „   „   „   „
3. A. ursula   „   „   (Supplt.), Pl. 16.

21. Acidaspis pigra Barr.

(Taf. X |III|, Fig. 18.)

1872. A. pigra Barr. Syst. Silur. de Boh. Vol. 1, Supplt. pag. 80, Pl. 15.

Wie aus Barrande's Abbildung hervorgeht, war das Pygidium dieser Art sehr unvoll-ständig bekannt.

In der Sammlung des Herrn J. M. von Schary hatte ich Gelegenheit einige ziemlich voll-ständige Exemplare dieser Art mit ihren Pygidien zu untersuchen.

Das von mir gezeichnete Pygidium ist wohl isolirt, doch stimmt es mit den Pygidien der vollständigen, in der Schary'schen Sammlung repräsentirten Exemplare dieser Art so vollkommen überein, dass es mir nicht nöthig erschien, ganze Exemplare nochmals zu zeichnen.

Das Pygidium gleicht einem gleichschenkeligen Dreieck mit nach vorne gerichteter Basis. Die Axe besteht aus zwei sehr deutlichen Ringen. Das Gelenk des vorderen Ringes ist von diesem durch eine tiefe Furche getrennt. Der Ring selbst ist erhaben und in der Mitte etwas verschmälert. Hinter demselben beobachtet man eine Andeutung des Gelenkes des zweiten Ringes, welches von diesem ebenfalls durch eine Gelenkfurche getrennt erscheint. Hinter dem zweiten Ringe ist noch ein drittes rudimentäres Axensegment ersichtlich. Diese, sowie auch der zweite Ring sind von einer circulären Furche umgeben.

Die von den beiden Ecken des vorderen Ringes abgehenden Wülste sind stark und erhaben. Ihre Hinterenden sind nach rückwärts verlängert und bilden die beiden Hauptspitzen. Von den viel schwächeren Nebenspitzen beobachtet man 3 innere und je 4 äussere beiderseits. Die unpaare innere ist die schwächste.

Die Oberfläche der Schale ist sehr gut erhalten und erscheint vollkommen glatt. Nur an den Enden des ersten Ringes, sowie auch etwa in der Mitte der Wulste beobachtet man je ein kleines Körnchen.

Grösse: Das Pygidium ist 18 mm breit und ohne Spitze 6 mm lang.

Vorkommen: Etage F—$f2$ von Konĕprus.

22. Acidaspis Prévosti Barr.

(Taf. X [Ili], Fig. 12—14.)

1852. *A. Prévosti Barr.* Syst. Silur. de Boh. Vol. I, pag. 739. Pl. 30
1872. „ „ „ „ „ „ „ Supplt. pag. 81, Pl. 12.

Zu den bereits durch die Arbeiten Barrande's genügend bekannten Variationen in der Anzahl der inneren und äusseren, am hinteren Umfange des Pygidiums dieser Art vorkommenden Nebenspitzen gesellt sich noch eine weitere, die bis jetzt noch nicht beobachtet wurde.

Das in Fig. 13 dargestellte Pygidium aus dem E—$c2$ Kalke von St. Ivan zeigt nämlich vier innere Nebenspitzen zwischen den beiden grossen Hauptdornen und beiderseits je sechs äussere Nebenspitzen ausserhalb derselben.

In Fig. 12 und 14 sind anomal entwickelte Pygidien dargestellt. Beide stammen aus den Kalkschiefern von Lodĕnic. Beide zeigen blos zwei innere Nebenspitzen und drei äussere rechts. Linkerseits ist dagegen an dem in Fig. 12 dargestellten Exemplare blos eine, an jenem in Fig. 14 gegebenen sind aber zwei äussere Nebenspitzen vorhanden.

Die übrigen bis jetzt bekannten Variationen sind in Barrande's Supplement Vol. I, pag. 81 tabellarisch zusammengestellt.

Will man die sämmtlichen bis jetzt bekannten Fälle übersichtlich zusammenstellen, so bekommt man die nachstehende Tabelle:

Acidaspis Prévosti Barr.

innere	Anzahl der Secundärspitzen äussere	Beobachtet von
2 . . . . . 1 rechts	3 links	Nov.
2 . . . . 2 „	3 „	„
3	je 5 beiderseits . .	Barr.
4 . . . . „	3 „	„
4 . . . . „	5 „	„
4 . . . . „	6 „	Nov.
5 . . . . „	5 „	Barr.
6 . . . . „	4 „	„

Aus diesen Beispielen geht hervor, wie wenig Gewicht auf die Anzahl der vorhandenen Nebenspitzen gelegt werden kann, und dies umsomehr, als die meisten derselben nicht nur an demselben Fundorte, sondern auch in demselben Horizonte also gleichzeitig vorkommen.

Einen ganz analogen Fall beobachtet man bei den kaum als selbstständige Arten zu betrachtenden Formen:

Acidaspis rara Barr., A. Verneuili Barr. und *A. vesiculosa Beyr.* Doch kommen diese Arten nicht neben einander, sondern in über einander liegenden Horizonten vor.

23. Acidaspis rara Barr.

(Taf. X [III], Fig. 7—11.)

1872. *Acidaspis rara Barr.* Syst. Silur. Boh. Vol. I, Supplt. pag. 81, Pl. 12.

Von dieser Art ist l. c. blos ein unvollständiges Pygidium abgebildet und beschrieben, welches ebenfalls, wie die mir vorliegenden Exemplare, den Kalkschiefern der Etage *E—e2* von Lodĕnic entnommen ist.

Es wird daher nicht ohne Interesse sein, hiemit auch die übrigen Schalenelemente, sofern dieselben einer Betrachtung unterzogen werden konnten, bekannt zu geben.

Die Fragmente der sämmtlichen vier abgebildeten Exemplare sind zusammengedrückt, wodurch die Erkenntniss einzelner Theile bedeutend erschwert wird.

Die allgemeine Form des Kopfes ist ein Trapez, dessen breite Seite dem Vorderrande, die mit ihr parallele kürzere dem Hinterrande desselben entspricht. Die beiden kurzen Seitenränder, sowie auch die Vorderecken sind gerundet.

Der äussere Umfang des Kopfes ist von einem schmalen, erhabenen Randwulste umgeben, dessen Innenrand von einer scharfen Furche begrenzt wird. Die Dorsalfurchen sind nicht sehr deutlich, dagegen treten die „falschen Furchen" (faux sillons de la glabelle Barr.)[1], in welche die paarigen Seitenfurchen der Glabella einmünden, deutlich hervor.

Die erste Seitenfurche ist kurz, kaum angedeutet. Die zweite und die dritte sehr deutlich und ziemlich tief. Der erste Seitenlobus gleicht einem kleinen Körnchen. Der zweite und dritte ist gross und ziemlich erhöht. Das von den falschen Furchen eingeschlossene Mittelstück der Glabella ist erhaben. Die Furchen selbst gegen die Axe gebogen.

Der Nackenring trägt in der Mitte ein kleines Körnchen und scheint ausserdem mit zwei divergirenden Spitzen versehen gewesen zu sein.

Eine Gesichtsnaht fehlt. Doch ist die innere Partie der Wange (joue fixe bei Arten mit entwickelter Gesichtsnaht) von der äusseren Partie derselben (joue mobile dieser Arten) durch eine erhabene, schmale, vom Auge schräg nach innen und vorn, gegen den Stirnrand der Glabella verlaufende Augenleiste (filet oculaire Barr.) getrennt.

Auffallend ist auch die Lage der Augen. Dieselben liegen nämlich nicht in der Nähe der hinteren Wangenfurche, sondern rücken viel weiter nach vorne, etwa in die Mitte der Seitenloben des Kopfes. Das Hinterende der Augenleiste geht allmälig in den Wangendorn (Pointe génale) über. Von letzterem ist aber blos die Basis erhalten.

Der querverlängerte, gerundete Vorderrand der beiden Wangen ist am Randwulste mit einer Reihe kleiner Spitzen verziert.

Der Thorax zählt 10 Segmente. Seine äussere Form gleicht einer vorne abgestutzten Ellipse. Seine Axe nimmt nach rückwärts allmälig an Breite ab. Die beiden Enden eines jeden Ringes sind etwas angeschwollen und schräg nach vorn und aussen gerichtet. Von den horizontalen Pleuren sind die vordersten und hintersten die kürzesten, die mittleren dagegen die längsten. Die Oberfläche derselben ist flach, und bemerkt man nur in der Mitte eine sehr schwach angedeutete Furche. Die Wülste der Pleuren verjüngen sich allmälig nach aussen und enden mit starken, verlängerten Dornen. Die Basis eines jeden Dornes erscheint etwas verdickt. Die Dorne der vorderen Rippen sind nach

---

[1] Vergl. Barr. Vol. I. Pl. 30. Schema Fig. 57.

vorwärts, die der hinteren nach rückwärts gekrummt. Die mittleren sind gerade. Die äusseren Partien der Pleuren sind nur unvollständig erhalten und scheinen, ebenso wie bei *Acidaspis Verneuili*, senkrecht nach abwärts gerichtet, und ebenfalls mit kurzen Dornen versehen gewesen zu sein. Die den Wulst nach vorn und rückwärts begrenzenden Zonen sind schmal und erweitern sich etwas nach aussen.

Der äussere Umfang des Pygidiums ist dreiseitig. Seine durch eine tiefe Furche von dem Gelenke getrennte Axe zeigt zwei Segmente. Das erste ist stark gewölbt, das zweite dagegen erscheint wie eingedrückt, ist undeutlich und zu beiden Seiten von einem tiefen, in den Dorsalfurchen liegenden Eindruck umgeben.

Am äusseren Umfange des Schildes bemerkt man zwei Hauptspitzen (p o i n t e s p r i n c i p a l e s), dann zwei äussere und fünf innere N e b e n s p i t z e n (p o i n t e s s e c o n d a i r e s). Die Hauptspitzen unterscheidet man, ebenso wie bei anderen Arten, nach dem vom ersten Axensegmente ausgehenden und zu der Basis dieser Spitzen hinziehenden Wülstchen. Auch sind sie etwas stärker, als die Nebenspitzen. Von diesen ist die unpaarige innere die längste.

Die Schale ist an keinem der beobachteten Exemplare gut erhalten, doch sind die meisten Rauhigkeiten derselben am Steinkerne wiedergegeben. Die Oberfläche desselben ist mit kleinen, ungleich grossen Körnchen bedeckt. Einzelne grössere Körnchen beobachtet man namentlich am Mittelstücke der Glabella, ferner am Hinterrande des Pleuralwulstes, sowie auch an den Axenringen des Thorax und des Pygidiums. Ausserdem sind alle Dornfortsätze mit zahlreichen kleinen Spitzen verziert.

G r ö s s e : Das in Fig. 8 dargestellte Exemplar ist 30 mm lang und 18 mm breit.

V o r k o m m e n : Die sämmtlichen abgebildeten Exemplare sind den Kalkschiefern der Etage *E—e2* von L o d ě n i c entnommen. Sie kommen daselbst zugleich mit vielen anderen Trilobiten, wie: *Arethusina Konincki, Acidaspis mira* etc. etc., vor.

V e r g l e i c h u n g : Vergleicht man den soeben in seinen Details geschilderten Trilobiten *A. rara Barr.* mit den beiden, bereits seit 1846 bekannten Acidaspiden, nämlich mit *A. Verneuili Barr.* und *A. vesiculosa Beyr.*, so gelangt man sofort zu dem Resultate, dass alle drei nicht nur einer ganz eigenthümlichen Gruppe angehören, sondern dass sie auch sehr nahe verwandt sind. Dass sich *A. Verneuili Barr.* von *A. vesiculosa Beyr.* nicht scharf trennen lässt, hat schon B a r r a n d e hervorgehoben. Ihre gemeinsamen Merkmale bestehen in der Form des Kopfes und wahrscheinlich auch des Thorax. Von *A. vesiculosa* ist letzterer nur in sehr unvollständigen Fragmenten bekannt; doch auch diese stimmen mit *A. Verneuili* überein.

Dasselbe gilt auch von *Acidaspis rara*. Auch hier ist der Kopf und der Thorax von jenem des *A. Verneuili* kaum zu unterscheiden.

Die wirklich nachweisbaren Unterschiede bestehen blos in der verschiedenen Anzahl der Nebenspitzen innerhalb und ausserhalb der Hauptspitzen am äusseren Umfange des Pygidiums.

Diese Unterschiede sind aus der nachstehenden Tabelle ersichtlich.

Acidaspis	Nebenspitzen	
	innerhalb der Hauptspitzen	ausserhalb der Hauptspitzen
rara Barr.	5	1
Verneuili Barr.	3	1
vesiculosa Beyr.	3	—

6*

24. Acidaspis vesiculosa Beyr. sp.

1852 *A. vesiculosa Beyr.,* Barr. Syst. Silur. Boh. Vol. l, pag. 715, Pl. 38.

Verticale Vertheilung.

Die bis jetzt blos aus *F—f2* bekannte Art fand ich vor Kurzem in der an *Tentaculites intermedius Barr.* überaus reichen, schwarzen Kalksteinschichte der Etage *F—f1* von L o c h k o v bei Prag.

Doch ist mir aus dieser Subdivision der Etage *F* blos ein isolirter, jedoch wohl erhaltener Kopf bekannt. Thorax, Pygidium und Hypostom fehlen.

B e m e r k u n g: Da sich *A. vesiculosa Beyr.* von *A. Verneuili Barr.* nur durch die Form ihres Pygidiums, resp. die verschiedene Anzahl der äusseren Nebenspitzen, nämlich keine bei der ersteren und je eine beiderseits bei der letzteren unterscheidet, so könnte dieser Kopf ebenso gut als zu *Acidaspis Verneuili Barr.* (Vol. I, Pl. 38) einer in der Etage *E* sehr verbreiteten, von *A. vesiculosa* nicht sehr scharf getrennten Trilobitenform gehörig betrachtet werden.

Hierüber vergleiche die der Beschreibung von *Acidaspis rara* beigefügte Bemerkung dieser Arbeit.

25. Cheirurus pater Barr.

(Taf. X [III], Fig. 1—3.)

1872. *Ch. pater Barr.* Syst. Silur. Boh. Vol. I. Suppl. pag. 91, Pl. 8, Fig. 13—18.

Ibidem $\left\{ \begin{array}{l} \text{„ 10, „ 20—21,} \\ \text{„ 12, „ 1.} \end{array} \right.$

Da die von mir gezeichneten Exemplare einzelne Eigenthümlichkeiten zeigen, die an den von B a r r a n d e abgebildeten Stücken nicht beobachtet werden konnten, so erlaube ich mir, die Art neuerdings zu beschreiben.

Der Kopf der beiden abgebildeten Exemplare ist wohl nicht gut erhalten, doch erkennt man an der grossen, stark zusammengedrückten Glabella blos das dritte Paar der Seitenfurchen und Loben sehr deutlich. Auch die beiden Hinterecken der fixen Wangen, sowie ihre kurzen Dornfortsätze sind nicht überliefert. Der Occipitalring der beiden abgebildeten Exemplare trägt in der Mitte, und zwar in der Nähe der Occipitalfurche ein sehr kleines Körnchen.

Der Thorax zählt 12 Segmente. Seine Axe ist etwas breiter als der innere, horizontale Theil der Pleuren. Beide werden jedoch gegen das Pygidium hin allmälig schmäler. Die Pleuren liegen etwa um die halbe Höhe desjenigen Axenringes, dem sie angehören, nach vorwärts, was namentlich an den vorderen Thoraxsegmenten deutlich hervortritt. Der äussere Theil der Pleuren ist conisch, verlängert, zugespitzt und etwa ebenso lang, als der innere Theil derselben. Ausserdem bemerkt man, dass der äussere Pleuratheil der ersten sechs Segmente nach vorne, jener der übrigen Segmente aber nach rückwärts gebogen erscheint. Das innere Ende des horizontalen Pleuratheiles zeigt eine kleine, längliche Anschwellung. Das äussere Ende desselben geht S-förmig in den gekrümmten Theil der Pleura über. Die Furche der Pleura ist durch eine Reihe kaum bemerkbarer Grübchen angedeutet.

Das Pygidium hat drei deutliche Ringe und eben so viel Rippenpaare, deren verlängerte Enden ebenso wie die letzten Thoraxsegmente nach innen und hinten gekrümmt sind.

Die Oberfläche der Schale des in Fig. 1 dargestellten Exemplares ist dort, wo sie erhalten ist, so namentlich am Nackenringe, an der Randausbreitung der fixen Wange und am Pygidium mit feinen, nur mit dem bewaffneten Auge sichtbaren, dicht gedrängten Körnchen bedeckt.

An der Oberfläche des Steinkernes des Pygidiums bemerkt man jedoch zahlreiche, ziemlich grobe und weit von einander entfernte Grübchen.

Grösse: Die Länge des auf Taf. X (III), Fig. 1, gezeichneten Exemplares beträgt 95 mm. Die Breite 60 mm.

Vorkommen: Die von mir abgebildeten Exemplare stammen aus den schwarzen Schiefern der Etage *D—d1* von St. Benigna (Svata Dobrotivá). Sonst ist die Art auch noch aus den Quarzconcretionen von Vosek bekannt, doch ist sie in beiden Fundorten sehr selten.

26. Placoparia grandis Cord.

1852. *Pl. Zippei (pars) Barr.* Syst. Silur. Boh. Vol. I, pag. 805, Pl. 29, Fig. 30—31.
1872. *Pl. grandis Barr.* Ibid. Supplt. pag. 104, Pl. 2, Fig. 24—25 und Pl. 8, Fig. 43—49.

Da bis jetzt kein vollständiges Exemplar dieser Art bekannt war, so sei hier erwähnt, dass ein solches in der Sammlung des böhmischen Museums vorhanden ist. Sein Thorax zeigt 12 Segmente, also genau so viel wie *Pl. Zippei Boeck sp.*, der zweite Repräsentant dieser Gattung in Böhmen. Dagegen hat *Pl. Tourneminei Kou.* blos 11 Thoraxsegmente aufzuweisen (vergl. Barr. Vol. I, Supplt. pag. 102).

Dasselbe Exemplar ist ausserdem vollständig eingerollt.

Vorkommen: Quarzitetage *Dd—2* von Trubsko bei Beraun.

27. Cromus transiens Barr.

(Taf. VIII [I]. Fig. 13—16.)

1852. *Cromus transiens Barr.* Syst. Silur. Boh. Vol. I, pag. 828, Pl. 43, Fig. 18—19.

Von dieser Art waren bis jetzt blos Pygidien bekannt. Den abgebildeten Kopf glaube ich deswegen mit den erwähnten Pygidien als zu derselben Art gehörig zusammenziehen zu müssen, da derselbe mit keinem der von Barrande beschriebenen drei *Cromus*-Köpfe übereinstimmt. Uebrigens fand ich diesen Kopf in einem Gesteinstücke, in welchem auch einige als *Cromus transiens Barr.* beschriebene Pygidien vorkamen. Diese Zusammenziehung kann umsoweniger einem Bedenken unterliegen, als von den übrigen drei böhmischen Arten der Gattung *Cromus* mehr oder weniger vollständige Exemplare vorliegen.

Die Glabella ist von verkehrt birnförmiger Gestalt, stark gewölbt, vorne erweitert, hinten bedeutend verschmälert und beiderseits von sehr vertieften Dorsalfurchen umgeben. Die die Gattung *Cromus* charakterisirenden vier Paare Seitenfurchen sind tief eingeschnitten, so dass die entsprechenden Loben noch viel deutlicher als bei den übrigen drei Arten hervortreten können. Der hochgewölbte Nackenring ist durch eine tiefe Furche von der Basis der Glabella getrennt.

Das wichtigste Merkmal der Art sind aber die ebenfalls auffallend hochgewölbten, aber sehr kurzen fixen Wangen mit ihren sehr tiefen und breiten hinteren Wangenfurchen und den kurzen Wangendornen. Der hintere Rand der Wangen (Bord postérieur de la joue Barr.) bildet mit jenem der entgegengesetzten Seite und mit dem Nackenringe einen nach vorne concaven Bogen.

Die Gesichtsnaht zeigt im Ganzen dieselbe Biegung wie bei den übrigen Arten, doch rücken die äusseren Aeste derselben mehr nach rückwärts, so dass sie auf der Strecke von den Ecken bis zu den Augen, mit dem Hinterrande fast parallel sind. Deswegen fallen dann die fixen Wangen sehr schmal aus, was bei der starken Wölbung derselben um so auffallender wird.

Das Hypostom, welches in demselben Gesteinstücke aufgefunden wurde, ist nach seinem mittleren, weit nach vorne verlängerten Fortsatze leicht von jenen der übrigen Arten zu unterscheiden.

Es zeigt jedoch auch viel Aehnlichkeit mit dem Hypostom von *Encrinurus punctatus*, dessen Fortsatz den Kopfrand am Stirnlobus bedeutend überragt.

Die beweglichen Wangen, sowie auch der Thorax sind bis jetzt unbekannt.

Die Oberfläche ist ebenso wie bei *C. Beaumonti Barr*, oder *C. Bohemicus Barr*. mit groben Höckern bedeckt, die auch an Steinkernen deutlich hervortreten. Eine kleine Partie der Schale, die in einer Wangenecke erhalten ist, zeigt eine äusserst feine, nur bei starker Vergrösserung sichtbare Granulirung.

Grösse: Die Glabella des abgebildeten Exemplares ist 9 mm lang. Die grösste Breite zwischen den beiden Wangendornen beträgt 20 mm, die Wölbung etwa 6 mm.

Vorkommen: Die beschriebenen Bruchstücke fand ich im Kalkstein der Etage $E—e2$ von Listic e nächst Beraun bei einer gelegentlichen Excursion, die ich in Gesellschaft des Herrn M. Dusl dorthin unternahm.

Vergleichung. Der beschriebene Kopf unterscheidet sich von jenem der übrigen böhmischen *Cromus*-Arten: 1. durch seine bedeutende Wölbung in der Querrichtung, welche mit jener der bereits beschriebenen Pygidien im vollsten Einklang ist. 2. Durch die auffallend schmalen fixen Wangen und 3. durch den die Gestaltung der letzteren bedingenden Verlauf der Gesichtsnaht.

C. Beaumonti Barr. und *C. Bohemicus Barr*. haben übrigens gerundete Wangenecken. Dagegen sind *C. intercostatus Barr*. und *C. transiens Barr*. mit kurzen Dornen versehen. Die Unterschiede dieser beiden letztgenannten Arten sind übrigens so auffallend, dass sie nicht besonders angeführt werden müssen (vergl. Barr. Vol. I, Pl. 43. Fig. 1—5).

28. Bronteus furcifer Cord.

1852. *Bront. furcifer Cord. Barr.*: Syst. Silur. Boh. Vol. I, pag. 858, Pl. 48, Fig. 36—38.
1872.   „   „   , ibid. Supplt. pag. 126, Pl. 11, Fig. 13—18.

Verticale Vertheilung.

Diese ziemlich seltene Art ist bis jetzt blos in der Etage $G—g1$ nachgewiesen worden. Es wird daher nicht ohne Interesse sein, zu erwähnen, dass sie ausserdem auch noch in $G—g2$ constatirt wurde. Das einzige aus dieser Etage bekannte Exemplar ist ein Pygidium, welches in den Tentaculitenschiefern von Švagerka bei Hluboč̌ep entdeckt wurde und gegenwärtig in der Sammlung des böhmischen Museums aufbewahrt wird.

29. Bronteus linguatus Nov.

(Taf. XII [V]. Fig. 11a—d.)

Von dieser Species ist blos das abgebildete Pygidium vorhanden. Die übrigen Körpertheile sind bis jetzt unbekannt. Die verlängerte Form des Pygidiums deutet darauf hin, dass die Art der Gruppe des *Bronteus Scharyi Barr*. (Vol. I, Supplt. Pl. 9, Fig. 5—8) und *B. perlongus Barr*. (ebenda Pl. 15, Fig. 36—37) angehört, von denen übrigens auch blos Pygidien bekannt sind. Doch ist *B. linguatus Nov*. von den beiden letzteren leicht zu unterscheiden.

Das Pygidium ist verlängert oval, mit einem quer abgestutzten Vorderrande und beiderseits verlängerten, etwas hervorragenden Vorderecken, so zwar dass die beiden Seitenränder im ersten

Drittel der ganzen Länge etwas ausgeschnitten erscheinen. Daher fällt auch die grösste Breite vor die Mitte der ganzen Länge.

Die Oberfläche ist blos in der nächsten Umgebung der rudimentären Axe horizontal, dann aber vertieft sie sich allmälig und bildet einwärts von den sich bedeutend erhebenden Seitenrändern eine halbelliptische Concavität.

Die rudimentäre Axe ist triangulär und beiderseits durch eine kurze, eingedrückte Leiste mit dem Vorderende der äussersten Rippe in Verbindung. Von den drei Loben der Axe ist der mittlere fast ebenso breit, wie die drei innersten Rippen an ihrem Ursprung. Von dem mit dem Thorax articulirenden Gelenke ist die Axe durch eine vertiefte Gelenksfurche getrennt. Die mittlere, unpaare Rippe ist, sowie auch die äusserste am breitesten. Erstere ist am Hinterrande auf eine kurze Strecke gegabelt.

Die sieben Seitenrippen sind Anfangs unter einander und mit der unpaaren parallel. Vom zweiten Drittel der ganzen Länge angefangen, treten sie jedoch allmälig an Breite zunehmend aus einander, um die Seitenränder zu erreichen.

Die breite, äusserste Rippe ist durch eine kurze, vertiefte Bogenlinie von der nach aussen vorspringenden, dreieckigen Spitze an der Vorderecke getrennt. Von letzterer zieht sich am äusseren Rande dieser Rippe bis zum Ende derselben eine schmale, auch bei *B. Scharyi Barr.* wahrnehmbare Leiste herab.

Die Zwischenfurchen sind bedeutend schmäler, als die Rippen, und erscheinen Anfangs blos als eingeschnittene scharfe Linien, werden jedoch später etwas weiter und verschwinden ziemlich knapp an den Rändern.

Die Duplicatur ist unbekannt.

Die Oberfläche der Schale, welche sehr schön erhalten ist, ist gestreift und zugleich granulirt. Am mittleren Lobus der rudimentären Axe bemerkt man jedoch keine Streifen, sondern blos feine, dicht gedrängte Körnchen. Die die Rippen trennenden Furchen sind vollständig glatt. Das Gelenk der Axe quergestreift. Die feinen Streifen der Oberfläche sind erhaben und treten in Form von zarten Runzeln hervor. Sie sind an den äusseren Rändern des Pygidiums etwas dichter, als gegen die Mitte.

Grösse: Das abgebildete Exemplar ist 40 mm lang. Seine grösste Breite beträgt 23 mm.

Vorkommen: Die Art wurde in einem gelblichen, dichten Kalke der Etage *F—f2* in der Umgebung von Měnan zugleich mit *Br. rhinoceros Barr.*, *Br. Scharyi Barr.* etc. vorgefunden.

Vergleichung: Die beschriebene Art dürfte mit *B. Scharyi Barr.* oder mit *B. perlongus Barr.* verwechselt werden.

1. *B. Scharyi Barr.* (Vol. I, Supplt. Pl. 9) hat eine blos granulirte, nicht aber zugleich gestreifte Schale. Seine Rippen treten gleich von der Axe aus einander und verlaufen daher Anfangs nicht so parallel, wie bei *B. linguatus*. Ausserdem sind die Dimensionen der beiden Arten auch ziemlich verschieden.

2. *B. perlongus Barr.* (Vol. I, Supplt. Pl. 15), von dem blos die hintere Partie eines Pygidiums bekannt ist, ist rückwärts viel spitzer gerundet und scheint übrigens viel länger und schmäler gewesen zu sein, als *B. linguatus*. Seine Zwischenfurchen sind ausserdem viel breiter und seine Seitenränder nicht so stark nach aufwärts gebogen.

30. Bronteus palifer Beyr.

(Taf. XII [V]. Fig. 10.)

1852. *Bronteus palifer Barr.* Syst. Silur. Boh. Vol. I, pag. 859, Pl. 8, Fig. 31 und Pl. 45, Fig. 1—21.

1872. „ „ „ Ibid. Suppl. pag. 129, Taf. 16, Fig. 21—22.

Obwohl diese Art zu den häufigsten Trilobiten Böhmens gehört, sind doch vollständigere Exemplare ausserordentlich selten. Das abgebildete Stück ist wohl das beste bis jetzt bekannte Exemplar dieser Art. Leider ist der Kopf nicht vollständig. Von diesem sind blos die zungenförmigen, die hintere Wangenfurche tragenden Ausläufer der fixen Wange vorhanden. Die nicht erhaltenen Partien der Schale sind jedoch in Contourlinien dargestellt.

Die Dorsalfurchen des Thorax bilden zwei parallele Linien und blos das erste Thoraxsegment zeigt eine von den übrigen abweichende Form, die darin besteht, dass die Furchen zu beiden Seiten des Ringes nach vorne und einwärts convergiren. Ausserdem ist dieses Segment etwas breiter, als jedes der folgenden. Am Pygidium sieht man die Duplicatur in ihrer ganzen Ausdehnung.

V o r k o m m e n : Das abgebildete Exemplar stammt aus den weissen Kalken der Etage F—f2 von K o n ě p r u s.

31. Bronteus parabolinus Barr.

(Taf. XI [V], Fig. 1—14.)

1882 *Bront. parabolinus Barr.* Syst. Silur Boh. Vel. VI, Indroduction pag. XX [1]).

Von dieser neuen Art liegen mir etwa 20 Pygidien vor. Die übrigen Körpertheile sind bis jetzt unbekannt.

Das Pygidium ist lanzettförmig, mit geradem Vorderrande, convexen meist etwas ausgeschweiften Seitenrändern und scharf zugespitztem Hinterrande. Die grösste Breite fällt etwa in die Mitte der Schale. Lange und breite Formen sind leicht von einander zu unterscheiden (vergl. Fig. 5 mit Fig. 10).

Die Oberfläche ist in der Umgebung der Axe horizontal, in der Mitte mehr oder minder convex, am Hinterrande concav. Die Seitenränder sind etwas nach aufwärts gekrümmt.

Die rudimentäre Axe ist verhältnissmässig sehr stark entwickelt, dreiseitig. Ihre Ecken hängen beiderseits durch kurze nach abwärts gebogene Wülstchen mit den Vorderecken resp. den äussersten Rippen des Pygidiums zusammen, von den drei Axenloben ist der mittlere der grösste und ragt am stärksten hervor. Seine grösste Breite gleicht etwa der Breite der drei mittleren Rippen. Gelenk und Gelenkfurche sind deutlich entwickelt, die beiden Vorderecken ragen etwas nach auswärts.

Die unpaarige Rippe ist etwas stärker als die benachbarten; am erweiterten Hinterrande derselben bemerkt man keine Spur einer Gabelung. Die sieben Seitenrippen sind anfangs untercinander parallel, divergiren aber, allmälig an Breite gewinnend gegen die Seitenränder. Die äusserste siebente Rippe ist etwas breiter als die benachbarten und fällt, in Folge der nach aufwärts gebogenen Seitenränder schief gegen die Ebene des Pygidiums ein. Sie ist von allen die kürzeste und reicht blos bis an das Ende des ersten Viertels der ganzen Länge hinab. Die Zwischenfurchen sind sehr schmal.

---

[1]) l. c. charakterisirt B a r r a n d e diese Art wie folgt: „Pygidium isolé, très allongé, appartenant au groupe de *Bront. perlongus* et *Bront. Scharyi*: côte médiane non bifurquée.“

ziemlich scharf eingeschnitten, erreichen aber die Seitenränder nicht vollständig, noch weniger aber den Hinterrand.

Die Schalenduplicatur reicht sehr weit hinauf. Die Oberfläche der Schale ist quergestreift. Die Streifchen sind erhaben, ziemlich dicht neben einander und gehen nur am Hinterrande über die Furchen hinweg. (Vergl. Fig. 7.) In der Mitte, sowie auch vorne sind jedoch die Furchen glatt. (Vergl. Fig. 8.) An den Seitenrändern sind sie etwas nach rückwärts gekrümmt. Die Duplicatur ist auf beiden Seiten gestreift. Zwischen den spärlicheren stärkeren bemerkt man eine Anzahl äusserst feiner, parallel mit den ersteren verlaufender Streifen. Die stärkeren anastomosiren häufig unter einander. In der Mitte bilden diese Streifchen einen nach rückwärts convexen Bogen.

Grösse: Das kleinste mir bekannte Exemplar (Fig. 12) ist 6 mm lang und 4 mm breit. Das grössere, in Fig. 10 dargestellte ist 14 mm lang und 7 mm breit.

Ausserdem gibt es noch unvollständige Pygidien, deren Totallänge auf 30 mm geschätzt werden darf.

Vorkommen: Die sämmtlichen Exemplare sammelte ich in einem zersetzten, gelblichen, wahrscheinlich der Etage *F—f2* gehörigen Kalkstein am rechten Gehänge des Thales von K. Chuchle, wo er in grossen Steinbrüchen aufgeschlossen ist.

Vergleichung: Diese der Gruppe des *Bronteus linguatus*, *Scharyi* und *perlongus* gehörige Art unterscheidet sich von allen ihren Verwandten: 1. durch das zugespitzte Hinterende, 2. die nicht gegabelte mittlere Rippe und 3. durch die Beschaffenheit ihrer Oberfläche.

32. Bronteus Richteri Barr.

(Taf. IX [II], Fig. 11a—c.)

1852. *Bronteus Richteri Barr.* Syst. Silur. Boh. Vol 1, pag. 888, Pl. 48.

Von dieser sehr seltenen Art waren bis jetzt nur einige Pygidien bekannt, von welchen zwei in der Sammlung des Herrn Barrande, zwei andere in der Sammlung des böhmischen Museums aufbewahrt werden. Die beiden ersteren stammen von Lužec (*G—g1*), die letzteren jedoch aus dem jetzt schon aufgelassenen Steinbruche nächst dem Brauhause „Švagerka" bei Hlubočep.

Da ich im Vorjahre aus dem letztgenannten Steinbruche eine isolirte, der Gattung *Bronteus* entsprechende Glabella erhielt, deren Schalenoberfläche mit jener der erwähnten Pygidien vollständig übereinstimmt, so glaube ich, dass dieselbe als zu *Br. Richteri* gehörig betrachtet werden darf. Diese Ansicht gewinnt desto mehr an Wahrscheinlichkeit, als bei Švagerka ausser dieser Art blos *Bront. furcifer* (Barr. Vol. I, Pl. 48 und Supplt. Pl. 11) vorkömmt, dessen Schalenbestandtheile leicht von jenen der ersteren Art zu unterscheiden sind.

Die von sehr tiefen Dorsalfurchen begrenzte Glabella ist triangulär, ziemlich stark gewölbt, vorne von einer schmalen, gegen die Mittellinie an Breite abnehmenden Randausbreitung umgeben. Der mittlere Theil der Glabella hinter den Stirnloben erscheint bedeutend verschmälert und derart erhöht, dass er längs der Medianlinie stumpfkantig wird. Die inneren Enden der Seitenfurchen hängen vermittelst eines nach einwärts convexen Bogens zusammen. Der vordere ziemlich grosse, ovale Seitenlobus ist durch die feinen, querverlaufenden vorderen Seitenfurchen von den Flanken des Stirnlobus getrennt. Der zweite, ebenfalls deutlich begrenzte Lobus ist jedoch blos auf ein kleines 1 mm breites Körnchen reducirt. Die Basis der Glabella erweitert sich unbedeutend und ist von dem Nackenring durch eine ziemlich breite und vertiefte Nackenfurche getrennt. Der Hinterrand des Nackenringes trägt in der Mitte eine unbedeutende Protuberanz.

Die fixe Wange ist ziemlich entwickelt, jedoch nicht so hoch wie die Glabella. Der halbkreisförmige, horizontale Palpebrallobus ist ebenso wie bei *Bronteus umbellifer* am Hinterrande mit einem kurzen, unbedeutenden, aber gut markirten Fortsatz versehen. Ausserdem ist er von einem schmalen Wülstchen umgeben, welches am Innenrande von einer Furche begleitet wird. Dieses Wülstchen setzt auf der fixen Wange fort und ist daselbst schräg nach vorn und innen gegen den vorderen Lobus gerichtet, doch verschwindet es knapp vor den Dorsalfurchen. Die das Wülstchen begleitende Furche ist an der Oberfläche der fixen Wange ziemlich tief und ganz analog wie bei *Bront. umbellifer* (vergl. Taf. IX [II', Fig. 12) gebildet.

Der zungenförmige, die hintere Wangenfurche tragende Fortsatz der fixen Wange ist fast rechtwinkelig nach abwärts gebogen und reicht kaum über die Augen hinaus.

Sonst ist die Oberfläche der fixen Wange ebenso wie bei *Bront. umbellifer* mit einigen gegen den Palpebrallobus convergirenden Runzeln bedeckt.

Das Auge ist facettirt und sein Aussenrand von einer schmalen Furche umgeben.

Die Aeste der Gesichtsnaht sind in ihrem Verlaufe zwischen dem Auge und dem Stirnrande unter einander fast parallel. Der übrige Theil derselben befolgt den die Gattung charakterisirenden Weg.

Die Oberfläche zeigt eine zweifache Granulation. Diese besteht erstens darin, dass die ganze Schale, die Furchen ausgenommen, mit äusserst feinen, dicht gedrängten Körnchen derart bedeckt ist, dass sie der Schale ein eigenthümliches, rauhes Ansehen verleihen. Die zweite Art der Körnchen ist viel grösser und sind dieselben an der Oberfläche nur spärlich vertheilt (vergl. Fig. 11 c).

Grosse: Die Länge des Kopfes beträgt 14 mm, die Breite zwischen den beiden Augenloben 17 mm.

Vorkommen: Die abgebildete Glabella wurde in dem Kalkstein der Etage *G—g1* im Steinbruche von Švagerka gefunden. Die Art kommt daselbst zugleich mit *Bront. furcifer, Phacops modestus* und *Dalmania Mac-Coyi* vor. Gleichzeitig mit der letzteren Art kommt *Br. Richteri* auch bei Lužec *(G—g1)* vor. Doch fand man daselbst blos Pygidien, wogegen bei Švagerka nicht nur Pygidien, sondern auch die eben beschriebene Glabella entdeckt wurde.

Vergleichung: Die Glabella von *Bront. Richteri* zeigt viel Aehnlichkeit mit jener von *Bronteus umbellifer.* Als gemeinsame Merkmale wären hervorzuheben: 1. Die Runzelung an der Oberfläche der fixen Wange; 2. die erhabene, schräg gegen den Palpebrallobus verlaufende Leiste und die die Innenseite derselben begleitende Rinne; 3. der kurze Fortsatz am Hinterrande des Augenlobus.

Doch unterscheidet sich die Glabella von *Br. umbellifer* von jener der ersteren Art: 1. Durch die granulirte und zugleich gestreifte Oberfläche der Schale, 2. durch die Bildung der Seitenfurchen.

Ausserdem sind die Pygidien der beiden Arten gänzlich verschieden.

33. Bronteus Schöbli Nov.

(Taf. XII [V] Fig. 1—2.)

Mit Ausnahme des unvollständigen Thorax und des Hypostoms sind alle übrigen Körpertheile dieser neuen Art derart erhalten, dass sie von jenen anderer Bronteiden Böhmens leicht unterschieden werden können.

Der Kopf ist halbkreisförmig und sehr mässig gewölbt. Längs des äusseren Umfanges desselben zieht sich eine seichte, schwach nach aufwärts gekrümmte Randausbreitung, die sich gegen den Stirnlobus etwas verschmälert. An den beweglichen Wangen erweitert sie sich derart, dass dadurch längs derselben eine concave Fläche entsteht. Der innere Umfang des Kopfes ist fast geradlinig und nur an den beiden Hinterecken infolge der Zuspitzung der Wangen etwas nach rückwärts gekrümmt.

Die Glabella ist unbedeutend gewölbt und die sie beiderseits einschliessenden Dorsalfurchen schwach vertieft, jedoch ziemlich breit. Hinter den mittleren Loben der Glabella bemerkt man, ebenso wie bei vielen anderen Arten eine kleine, ovale Dilatation der Dorsalfurchen, die nach aussen von den unbeweglichen Wangen begrenzt werden. Die grösste Breite der Glabella fällt etwa in die Mitte des Stirnlobus. Das Verhältniss der schmälsten Partie an der Basis zur grössten Breite am Stirnlobus ist wie 1 : 4.

Der Stirnlobus gleicht einer queren Ellipse, deren Enden beiderseits über die Augen hinausragen. Die Seitenfurchen sind ganz unbedeutend vertieft. Die vorderen sind am schwächsten ausgeprägt und etwas schräg nach innen und vorn gerichtet, mit ihren inneren Enden hängen sie nicht zusammen. Die zweite und dritte Seitenfurche ist ebenfalls sehr schwach ausgeprägt und kurz. Sie schliessen eine kaum merkliche, dem mittleren Lappen entsprechende Erhöhung ein.

Die inneren Enden dieser beiden Seitenfurchen gehen vermittelst einer die verschmälerte Partie der Glabella verquerenden Depression in einander über. Gerade vor der Mitte dieser Depression bemerkt man ein kleines, wenig hervorragendes Höckerchen. Die Nackenfurche ist breit und zeigt beiderseits einen kaum angedeuteten Eindruck. Der Nackenring ist nur etwa halb so breit als die Nackenfurche und in der Mitte mit einer unbedeutenden Protuberanz versehen.

Die fixen Wangen sind verhältnissmässig klein, ihr Palpebrallobus schräg nach aussen und rückwärts gerichtet. An seinem Vorder- und Hinterrande bemerkt man je eine in derselben Richtung verlängerte Protuberanz. (Vergl. Fig. 1 b.) Die die hintere Wangenfurche tragende, zungenförmige Verlängerung der fixen Wange unterhalb der Augen reicht beiderseits kaum über die letzteren hinaus. Die Sehfläche ist deutlich facettirt. Die beweglichen Wangen sind concav und an den äusseren Ecken mit kurzen Dornen versehen.

Die beiden Aeste der Gesichtsnaht verlaufen Anfangs parallel mit den Seitenrändern des Stirnlobus, jedoch ausserhalb der Dorsalfurchen, biegen sich dann plötzlich nach auswärts, um den Palpebrallobus zu erreichen, und enden mit der zungenförmigen Verlängerung der fixen Wangen am Innenrande des Kopfes.

Das Hypostom ist unbekannt.

Der Thorax, den ich blos an einem Exemplare im böhmischen Museum beobachten konnte, liegt unvollständig vor. An demselben können blos acht Segmente gezählt werden. Das Maximum der Thoraxsegmente ist also noch nicht sichergestellt.

Das Pygidium gleicht einer halben Ellipse und ist etwas breiter als lang. Seine Oberfläche ist in der Umgebung der rudimentären Axe flach gewölbt, längs des Aussenrandes concav, der Randsaum selbst fast horizontal.

Die Gelenklinie am Vorderrande ist Anfangs gerade, dann aber bogenförmig gekrümmt, so dass die beiden Ecken abgerundet erscheinen. Die Axe ist triangular, dreilappig. Der mittlere Lappen derselben ist schmäler als das Vorderende der unpaaren Rippe. Letztere ist doppelt so breit als jede der benachbarten und am Hinterende gegabelt. Man zählt je sieben Rippen an den Flanken, die durch schwach vertiefte und flache Zwischenfurchen von einander getrennt werden. Letztere erweitern sich wohl etwas an ihren Enden, erreichen aber die Peripherie nicht.

Die Oberfläche der zarten Schale zeigt viele Eigenthümlichkeiten. Sie ist am Stirnlobus äusserst fein und dicht granulirt. An der vor der Nackenfurche liegenden Basis der Glabella, sowie auch am Nackenringe mit kurzen, concentrisch geordneten Runzeln bedeckt. Die fixen Wangen sind

7*

in der Mitte granulirt, sonst aber ebenfalls gerunzelt. Die beweglichen Wangen zeigen in der Nähe der Augen kleine, jedoch verlängerte Körnchen, die gegen den äusseren Umfang an Zahl und Länge zunehmen und schliesslich ebenfalls in kurze, halbkreisförmige Runzeln übergehen, deren Convexität gegen die Axe gerichtet ist. Die Seitenfurchen der Glabella, sowie auch die Dorsalfurchen sind glatt.

Die Oberfläche des Pygidiums ist ebenfalls dicht und fein gekörnt. Die äusserste Rippe, sowie auch die inneren Enden der übrigen Rippen zeigen jedoch querverlängerte Körnchen, die ebenfalls den Charakter der Runzeln am Kopfe annehmen. Die Zwischenrippenfurchen sind glatt. Alle diese Charaktere sind auch am Steinkerne reproduzirt.

Grösse: Der abgebildete Kopf ist 18 mm lang und 36 mm breit. Die Länge des Pygidiums beträgt 30 mm, seine grösste Breite 36 mm.

Vorkommen: Die gezeichneten Exemplare fand ich im weissen Kalkstein der Etage *F—f2* von Konöprus.

Vergleichung: 1. Die beschriebene Art zeigt die grösste Aehnlichkeit mit *Bronteus tardissimus Barr.* (Supplt. Pl. 32, Fig. 1). Doch ist die Schale dieses Trilobiten glatt, die vorderen Loben der Glabella sehr stark hervorragend und zwischen denselben kein querverlängertes Körnchen entwickelt. Die Rippen des Pygidiums sind viel schmäler und die Intercostalfurchen viel breiter als bei *Br. Schöbli.*

2. Auch *Bronteus Sieberi Barr.* (Vol. I, Pl. 48, Fig. 9—12) hat eine vollkommen glatte Schale und verhältnissmässig breitere Intercostalfurchen als die eben beschriebene Art.

34. Bronteus umbellifer Beyr.

(Taf. IX [II], Fig. 12.)

1852. *B. umbellifer Barr.* Syst. Silur. Boh. Vol. I, pag. 870, Pl. 44 und 48.
1872. „ „ „ „ „ „ Supplt. pag. 137. Pl. 16.

Der Kopf dieser Art zeigt in einer gewissen Hinsicht viel Analogie mit jenem von *Bronteus Richteri Barr.* (vergl. Taf. IX [II], Fig. 11).

Diese Analogie besteht: 1. In der Runzelung der Oberfläche der fixen Wange, 2. in dem vom Vorderrande des Palpebrallobus über die fixe Wange gegen die Dorsalfurche ansteigenden Wulste und 3. in dem kleinen, nach aus- und rückwärts gerichteten Processus am Hinterrande des Augenloben.

Da dieser Fortsatz wegen des meist schlechten Erhaltungszustandes der Exemplare noch nicht beobachtet wurde, so hebe ich die letztere Eigenthümlichkeit dieser Art besonders hervor. Ein ähnlicher, jedoch kaum angedeuteter Fortsatz existirt nebstdem auch am Vorderrande der Augenloben (vergl. Taf. IX [II], Fig. 12), ist aber nur an sehr gut erhaltenen Exemplaren zu beobachten.

Analoge Fortsätze an den beiden Rändern der Augenloben zeigen übrigens auch einige andere böhmische *Bronteus*-Arten, nur sind die Fortsätze, namentlich am Hinterrande mitunter bedeutend entwickelt, am Vorderrande dagegen auf ein Minimum reducirt.

Neben *Bront. umbellifer* wären in dieser Hinsicht noch die Arten: *Bront. Schöbli, Br. Richteri, Br. palifer* und *Br. Haidingeri* zu erwähnen. Durch besonders lange Fortsätze der Augenloben zeichnen sich ausserdem noch *Br. furcifer* und *Br. rhinoceros* aus.

35. Bronteus viator Barr.

(Taf. XI [IV], Fig. 12—28 und Taf. XII [V]. Fig. 3—10.)

1852. *Bront. viator Barr* Syst. Silur. de Boh. Vol. I, pag. 856, Pl. 47, Fig. 18—19 (Kopf).

1852. „ *Kutorgai* „ „ „ „ „ „ „ „ „ 854, „ „ „ 32—33 (Pygidium).

Unter diesem Namen beschreibt Barrande einen in den Kalken der Etage F—f2 vorkommenden, sehr unvollständigen Kopf und betrachtet ein isolirtes, der Form nach sehr selten vorkommendes, verhältnissmässig sehr kleines, l. c. Vol. I, Pl. 47, Fig. 20—22, abgebildetes Pygidium als zu derselben Art gehörig.

Während meiner Studien im Gebiete der böhmischen Trilobitenfauna kam ich zu der Ueberzeugung, dass dieses Pygidium mit der oben erwähnten Glabella nicht vereinigt werden kann, sondern dass es durch das als *Bront. Kutorgai Barr.* bezeichnete Pygidium zu ersetzen ist.

Indem nun die Köpfe der Bronteiden viel charakteristischere Merkmale bieten, als deren Pygidien, so will ich für die nun ziemlich vollständig bekannte Art den vom Verfasser für den Kopf gewählten Namen aufrecht erhalten. Es wäre dann das als *Bront. Kutorgai Barr.* bezeichnete Pygidium aus der Liste der böhmischen Trilobiten zu streichen und dem als *Bront. viator* beschriebenen ein neuer Namen zu geben.

Im Nachstehenden will ich nur diejenigen Theile des auf die erwähnte Art modificirten Bronteiden beschreiben, die bis jetzt unvollständig oder gar nicht bekannt waren.

Eine Vergleichung der von Barrande und mir gegebenen Abbildungen der Glabella kann uns sofort überzeugen, dass dieselben vollkommen übereinstimmen.

Von den übrigen das Kopfschild zusammensetzenden Elementen sind folgende hervorzuheben:

1. Die die hintere Wangenfurche tragenden zungenförmigen Fortsätze der fixen Wangen. Sie sind schmal und reichen beiderseits über die Augen hinaus (Taf. XI [IV], Fig. 24).

2. Die bewegliche Wange. Sie ist concav und mit einem ziemlich verlängerten Wangendorne versehen (Taf. XI [IV], Fig. 25—26). Um das facettirte Auge beobachtet man einen schmalen concentrischen Wulst.

3. Die Duplicatur des Kopfes ist sehr breit, läuft an der Unterseite der Wangen bis zu den Augen herauf und hängt vor denselben mit der Subfrontalpartie zusammen. Am Hinterrande der Duplicatur der beweglichen Wange bemerkt man eine mit dem Hinterrande derselben parallele, gegen den Wangendorn verlaufende Furche (vergl. Taf. XI [IV], Fig. 25 und Taf. XII [V], Fig. 4), der auf der Aussenseite derselben ein Wulst entsprechen würde.

Die subfrontale Partie der Duplicatur ist etwas schmäler, als die Wangenpartie derselben. Am Hinterrande der ersteren Partie bemerkt man zwei rechtwinkelige, nach einwärts gegen die Kopfhöhle gerichtete Fortsätze, zwischen welchen das Hypostom eingeklemmt war. Der freie Hinterrand dieser Duplicatur, welcher den Verlauf der Hypostomalsutur andeutet, ist dem Vorderrande des Hypostoms entsprechend gekrümmt.

4. Das Hypostom[1]) hat einen schwach ausgeschnittenen Vorderrand. Die Seitenränder sind hinter den Vorderflügeln stark ausgeschnitten. Der Hinterrand ist nicht zugespitzt, sondern gerundet. Der vordere Lappen des Mittelstückes ist ziemlich hoch gewölbt und dreimal so lang, als

---

[1]) Bei der Beschreibung dieses Hypostoms benützte ich bereits die von mir seinerzeit vorgeschlagene Terminologie. Vergl. „Studien an Hypostomen böhmischer Trilobiten" in den Sitzungsber. der kön. böhm. G. d. W. 1880.

der hintere. Letzterer ist halbmondförmig und schwächer gewölbt. Die die beiden Loben trennende Mittelfurche ist an ihren beiden Enden viel tiefer, als in der Mitte. Die Duplicatur ist ziemlich breit und reicht bis zu der halbkreisförmigen das Mittelstück umgebenden Furche. Das vordere Flügelpaar ist stark entwickelt. Die Flügel des hinteren Paares stehen weit ab und bilden zwei nach vorn und einwärts gerichtete zungenförmige Fortsätze.

Was nun den T h o r a x betrifft, so liegen mir blos Bruchstücke einzelner isolirter Segmente vor, die zugleich mit zahlreichen Köpfen und Pygidien in denselben Gesteinstücken vorgefunden wurden.

Das P y g i d i u m variirt in seinen Proportionen, je nachdem es der langen oder der breiten Form des Thieres angehört. Seine Oberfläche ist in der Mitte mässig gewölbt und verflacht sich alsdann bis zum Rande. Die Articulationslinie ist Anfangs gerade, biegt sich dann, einen flachen Bogen bildend, derart nach rückwärts, dass die grösste Breite des Pygidiums ziemlich nahe gegen den Thoraxrand vorrückt. Die rudimentäre Axe ist triangulär und ziemlich erhaben. Ihre Breite beträgt etwas mehr als ein Viertel der grössten Breite des Pygidiums. An ihrer Oberfläche bemerkt man zwei fast parallele Furchen, durch welche die Axe in drei Loben getheilt erscheint. Der mittlere dieser Loben ist stärker hervorragend, als die beiden seitlichen, doch springt er nicht bedeutend vor. Er ist vorne etwa ebenso breit wie die unpaare Rippe an ihrem Ursprunge. Letztere ist etwa zweimal so breit, als die benachbarten, und gabelt sich am Anfang des letzten Drittels ihrer ganzen Länge. Von den sieben Seitenrippen sind die fünf inneren gleich breit, die sechste und siebente, jedoch viel breiter, als die letzteren. Die die Rippen trennenden Zwischenräume sind Anfangs sehr schmal, erweitern sich allmälig je mehr sie sich dem Rande nähern. Die Rippen selbst sind an ihren Hinterenden kaum merklich breiter, als die sie trennenden Furchen. Die Oberfläche der letzteren ist nicht concav, sondern flach. Die Furchen verschwinden, ohne den Aussenrand zu erreichen.

Die Duplicatur der Schale des Pygidiums reicht in der Medianlinie etwa bis zur halben Länge des Pygidiums hinauf. Vorne an den beiden Flanken ist sie jedoch beiderseits ziemlich breiter, als die Hälfte der letzteren.

Die Structur der Schale dieser Art zeigt viele Eigenthümlichkeiten und Unregelmässigkeiten, so zwar, dass bei ungenügendem Material die Individuen leicht in mehrere Arten getrennt werden könnten.

Der vorwaltende Charakter der Structur der Schalenoberfläche sind erhabene Streifchen, welche als feine Wülstchen hervortreten.

Man beobachtet diese Wülstchen an der Oberfläche des Kopfes folgendermassen gruppirt und gestaltet:

Am Stirnlobus, sowie auch an seinen beiden Flanken sind sie blos vorne entwickelt und laufen parallel mit dem Aussenrande. Am vorderen Lobus der Glabella sind sie parallel mit der diesen Lobus begrenzenden, kreisförmigen Furche. Am Occipitalringe gruppiren sie sich concentrisch um die aus demselben hervorragende Protuberanz. An den fixen, namentlich aber an den beweglichen Wangen bilden sie kleine, gegen den Aussenrand an Grösse zunehmende, offene Ringe und andere unregelmässige, bogenförmige Figuren. An einzelnen Individuen schieben sich, namentlich an den Wangen zwischen die eben beschriebenen Wülstchen noch andere, wohl ebenso gestaltete aber viel feinere Streifchen ein (vergl. Taf. XII [VI, Fig. 6). Die sämmtlichen Furchen des Kopfes sind vollkommen glatt.

Viel bedeutendere Schwankungen in der Anzahl, Länge und Vertheilung der Streifchen, als am Kopfe, zeigt die Schalenstructur des Pygidiums. Sie sind an manchen Individuen dicht gedrängt und mitunter nur dem bewaffneten Auge erkenntlich. Bei anderen treten sie jedoch so spärlich auf, dass die Schale fast glatt erscheint. In diesem Falle pflegen sie jedoch etwas gröber zu sein und können oft schon mit blossem Auge unterschieden werden.

Die Streifchen der Axe sind nach vorn gebogen, jene an den Rippen perpendiculär zur Richtung derselben, die des Randsaumes parallel mit demselben.

Viele der Streifchen sind gegabelt oder sie anastomosiren. Darunter sind einzelne sehr lang, andere derart verkürzt, dass sie ein kleines, quergerichtetes Körnchen darstellen.

Die die Rippen trennenden Zwischenräume sind an vielen Exemplaren ganz glatt (vergl. Taf. XII (VI, Fig. 6). An anderen beobachtet man jedoch blos am Hinterende der Furchen eine Anzahl quergerichteter Streifchen, die viel weiter von einander abstehen, als an den Rippen, und blos an der concaven Randpartie des Pygidiums entwickelt sind. Die vordere Partie der Furchen ist dann bis etwa zu zwei Dritteln ihrer Länge glatt (vergl. Taf. XII V, Fig. 9 und *Bront. Kutorgai Barr.*).

Die Oberfläche des Hypostoms ist mit nach rückwärts gebogenen, mit den Seiten- und dem Hinterrand parallelen, vielfach gegabelten und anastomosirenden Streifen versehen.

Die Streifen der Duplicatur sind am Kopfe, sowie auch am Pygidium parallel mit den Aussenrändern.

Grösse: Die auf Taf. XI (IV), Fig. 16 und 22, abgebildeten Exemplare zeigen, dass diese Art mit *Bront. palifer* zu den grössten böhmischen Reprasentanten der Gattung gehört. Die in Fig. 22 dargestellte Glabella ist 50 mm lang und ihre grösste Breite beträgt 64 mm. Das Pygidium ist 84 mm lang und 95 mm breit. Die Länge des ganzen Thieres mag etwa 200 mm betragen haben.

Vorkommen: Von den zahlreichen mir vorliegenden Exemplaren stammen die meisten aus dem röthlichen Kalkstein der Etage *F—f2* von Mönan. Andere fand ich vor kurzer Zeit in einem ebenfalls röthlichen, dichten Kalkstein, welcher soeben in den Steinbrüchen an der von Klein-Chuchle nach Slivenec führenden Strasse gewonnen wird und wie es scheint, der Etage *F—f2* angehören dürfte.

Vergleichung: Die Beschaffenheit der Schalenoberfläche dieser Art ist so charakteristisch und eigenthümlich, dass sie sonst mit keiner Bronteidenform verwechselt werden kann.

Bemerkung: Dass das von Barrande l. c. Taf. XLVII, Fig. 20—22, abgebildete Pygidium mit dem von demselben Verfasser als *Bront. viator* beschriebenen Kopfe nicht zusammengezogen werden kann, geht vor Allem daraus hervor, dass die Structur der Schale dieses Pygidiums von jener der Köpfe sehr verschieden ist. Einige Exemplare dieser Pygidien, die ich aus dem weissen Kalkstein von Konĕprus zu untersuchen Gelegenheit hatte, zeigen eine ausserordentlich fein gestreifte Schalenoberfläche, die mit der verhältnissmässig viel gröberen Runzelung der als *Bront. Kutorgai* beschriebenen Pygidien nichts Gemeinsames hat. Dagegen sind die Runzeln dieses letzteren Pygidiums mit jenen der als *Bront. viator* beschriebenen Köpfe in vollster Harmonie.

Ausserdem ist noch hervorzuheben, dass die sämmtlichen von mir untersuchten Pygidien mit den als *Bront. viator Barr.* beschriebenen übereinstimmen, nie derartige Dimensionen erreichen, die jenen der von demselben Verfasser gezeichneten Glabella entsprechen würden.

Ohne Zweifel wird es mit der Zeit gelingen, zu dem l. c. Fig. 20—22 gezeichneten, nach dem auffallend vorspringenden mittleren Axenloben leicht erkennbaren Pygidium auch die übrigen, bis jetzt unbekannt gebliebenen Schalenstücke zu entdecken und so ein vollständiges Bild dieser jetzt als neu zu beschreibenden Art zu erhalten.

36. Agnostus caducus Barr.

(Taf. X [III]. Fig. 2o—23.)

1872. *Ag. caducus Barr.* Syst. Silur. Boh. Vol. I, Suppl. pag. 142, Pl. 14.

Der l. c. abgebildete Kopf war das einzige bis jetzt bekannte Fragment dieser Art. Die beiden von mir gezeichneten Köpfe verglich ich mit dem von Barrande dargestellten Originalstücke in der Sammlung des Herrn von Schary und fand eine vollständige Uebereinstimmung derselben.

Da die Glabella des Originales etwas eingedrückt ist, so sei mir erlaubt, der l. c. gegebenen Beschreibung Folgendes beizufügen.

Die erste Querfurche der Glabella ist nach vorne convex. Gleich hinter derselben befindet sich am Vorderrande des zweiten Querlobus ein kleines, in der Medianlinie liegendes, an beiden von mir abgebildeten Exemplaren deutlich hervortretendes Körnchen.

Was die beiden Pygidien, welche ich als zu dieser Art gehörig betrachte, betrifft, so sei Folgendes bemerkt:

Es scheint keinem Zweifel zu unterliegen, dass die beiden in Fig. 22 und 23 von mir dargestellten Pygidien der obigen Art angehören, denn es ist vor Allem der Habitus der Köpfe mit jenem dieser Pygidien vollkommen übereinstimmend. Zweitens ist *A. caducus* der einzige in dem Eisensteinstollen von Svatá Dobrotivá (Sta. Benigna) vorkommende und von Barrande beschriebene *Agnostus*, dessen Pygidium bis jetzt noch unbekannt war. Von den übrigen daselbst vorkommenden Arten nämlich:

Agnostus perrugatus Barr. Suppl. Pl 14

und » *similaris* « » »

sind sowohl Kopfe, als auch Pygidien hinreichend bekannt.

Agnostus fortis Nov., der mit den erwähnten Arten gleichzeitig vorkommt und von mir als neu aufgestellt wird, kann mit *A. caducus* nicht verwechselt werden, da der Charakter der Köpfe des ersteren von jenem der Pygidien der letzteren gänzlich verschieden ist.

Die Beschreibung der von mir als zu *A. caducus* gehörig betrachteten Pygidien ist folgende:

Das Pygidium ist quadratisch, fast ebenso lang als breit, mit schräg abgeschnittenen Vorderecken und gerundetem Hinterrande. Die von deutlichen Dorsalfurchen eingeschlossene Axe oder der Mittellobus reicht etwas über die Hälfte der ganzen Länge hinaus. Seine grösste Breite am Vorderrande gleicht etwa der halben Totalbreite daselbst. Sein Hinterende erscheint dem Hinterrande entsprechend gerundet.

Die Oberfläche der Axe zeigt zwei in der Mitte unterbrochene Querfurchen, durch welche die letztere in drei deutlich von einander getrennte Loben abgetheilt wird. Der hintere Lobus ist halbkreisförmig. Der vordere und mittlere ist in der Mitte unterbrochen. An dieser Stelle bemerkt man einen hervorragenden, etwas verlängerten Höcker, der vorne bis zur Gelenkfurche hinaufreicht.

Die die Seitenlappen repräsentirende, den Mittellappen umgebende Zone ist hufeisenförmig, convex, in der Medianlinie etwas breiter, als an den Flanken, und von der schmalen Randausbreitung durch eine concentrische Furche getrennt. An den Hinterecken bemerkt man je eine kurze Spitze.

Die Oberfläche der Schale, welche nur theilweise erhalten ist, erscheint vollkommen glatt. An der hufeisenförmigen Zone bemerkt man einige sehr undeutliche Runzeln, die übrigens durch Druck entstanden sein mögen.

Grösse: Das in Fig. 22 abgebildete Pygidium ist 5 mm lang und ebenso breit.

Vorkommen: Schiefer der Zone *D—d1* von Svatá Dobrotivá (Sta. Benigna) bei Hofovic.

Vergleichung: Die Art könnte nur mit solchen verwechselt werden, deren Hinterecken am Pygidium mit Spitzen versehen sind; solche gibt es aber in Böhmen blos zwei, nämlich: *Ag. granulatus Barr.* (Vol. I, Pl. 49) und *Ag. perrugatus Barr.* (Vol. I, Supplt. Pl. 14).

a) Das Pygidium der ersteren Art hat vier Axenloben und seine langen, scharfen Spitzen an den Hinterecken, sowie auch die Seitenkanten sind gezähnt.

b) Bei *Ag. perrugatus* sind die Seitenloben mit zahlreichen, radiär von der Axe ausgehenden Runzeln bedeckt.

37. Agnostus fortis Nov.

(Taf. VIII [I], Fig. 10—11.)

Von dieser neuen Art liegen mir blos zwei Schildchen vor, deren Innenrand nicht erhalten ist und es ist daher unmöglich zu entscheiden, ob man es mit dem Kopf- oder Schwanzschild zu thun hat. Trotzdem sind die beiden Schildchen so charakteristisch, dass eine Verwechslung derselben mit anderen, bereits bekannten Arten nicht stattfinden kann.

Das Schildchen ist fast vierseitig, mit abgerundeten Aussenecken und verschmälert sich etwas gegen den Innen- oder Thoraxrand. An seiner nur unbedeutend gewölbten Oberfläche unterscheidet man folgende Elemente:

1. Den Axenlobus. Dieser ist länglich, ziemlich gewölbt und erweitert sich allmälig gegen den Thoraxrand. Seine Länge beträgt etwas mehr als zwei Drittel der ganzen Länge des Schildchens. An seiner Oberfläche können vier hinter einander liegende Querlappen unterschieden werden. Der erste ist vierseitig, etwas breiter als lang und in der Mitte durch eine Längsfurche in zwei Partien getheilt. Der zweite ist durch einen bis zur Längsfurche des ersten hinaufreichenden Vorsprung des dritten Querlobus in zwei isolirte, dreiseitige Partien abgetheilt. Der dritte Querlappen ist der grösste. Er gleicht einem Viereck, dessen Diagonale mit der Medianlinie zusammenfällt. Die vordere Ecke des Vierecks ist zugespitzt und trägt einen kleinen, knötchenförmigen Fortsatz. Die Hinterecke ist gerundet. Der vierte Querlobus, welcher vielleicht dem Nackenring entsprechen dürfte, ist auf seinen beiden Enden erweitert, in der Mitte bedeutend verschmälert und trägt daselbst ein kleines, erhabenes Knötchen (vergl. das vollständigere in Fig. 11 dargestellte Exemplar).

2. Die hufeisenförmige Zone ist von der Glabella durch tief eingeschnittene Dorsalfurchen getrennt; sie ist zu beiden Seiten des vordersten Loben der Glabella am schmälsten, erweitert sich aber allmälig gegen den Thoraxrand, sowie auch nach vorne. An ihrer Oberfläche bemerkt man eine Anzahl radiär auslaufender Runzeln.

3. Der Randsaum ist an den beiden Ecken am breitesten, verschmälert sich aber einerseits längs der beiden Seitenränder, anderseits gegen die Mittellinie. Er besteht aus einem äusseren, erhabenen Randwulst und einer inneren, flachen, zwischen dem letzteren und der hufeisenförmigen Zone gelegenen Randfurche. Letztere ist in der Mitte blos auf einen sehr schmalen Streifen reducirt.

Die übrigen Körpertheile sind unbekannt.

Die Schale ist nicht erhalten.

Grösse: Das grössere in Fig. 10 dargestellte Schildchen ist 10 mm lang und 11 mm breit.

Es ist hiemit diese Art neben *Agnostus Dusli* der grösste, bis jetzt aus Böhmen bekannte Repräsentant der Gattung.

Vorkommen: Schiefer der Etage *D—d1* von Svatá Dobrotivá (Sta. Benigna) bei Hořovic.

Vergleichung: Das beschriebene Schildchen zeigt in Folge der Runzelung seiner Seitenloben etwas Aehnlichkeit mit dem Kopf von *Agnostus perrugatus Barr.* (Vol. I, Supplt. Pl. 14, Fig. 14—16). Doch sind bei dieser Art die Runzeln viel dichter gedrängt, regelmässiger vertheilt und am äusseren Ende mitunter gegabelt. Die Form der hufeisenförmigen Zone oder der Seitenlappen ist eine ganz verschiedene. Die Furche der Randausbreitung ist sehr schmal und im ganzen Verlaufe gleichmässig weit. Auch zeigt der vordere Querlobus der Glabella keine Längsfurche.

38. Agnostus Dusli Nov.

(Taf. VIII [I], Fig. 12 a—d.)

Da der innere Rand des Schildes nicht erhalten ist, so ist es schwer zu entscheiden, ob man es bei dem abgebildeten Exemplar mit einem Kopf oder einem Pygidium zu thun hat. Doch scheint das letztere wahrscheinlicher zu sein.

An der Oberfläche des inneren Lobus, oder der Axe, bemerkt man zwei ziemlich tief eingeschnittene Querfurchen und daher drei Loben. Sonst ist die Oberfläche der Axe nicht derart erhalten, dass man ausserdem noch andere Unebenheiten an derselben wahrzunehmen im Stande wäre.

Die die Seitenlappen repräsentirende, hufeisenförmige Zone ist gegen die Axe durch eine ziemlich tiefe Furche abgegrenzt. Sie ist hoch gewölbt und trägt ausserdem in der Medianlinie, einen hervorragenden, hinter dem letzten Querlobus der Axe angebrachten Höcker.

Die concave Randausbreitung ist nur theilweise erhalten und ist daher die Form des äusseren Umfanges des Schildchens unbekannt.

Die ganze Oberfläche der convexen, hufeisenförmigen Zone ist mit ziemlich groben, conischen Körnchen bedeckt, die sich gegenseitig nicht berühren.

Die Schale ist jedoch nicht erhalten.

Grösse: Das Schildchen ist 7 mm lang und etwa ebenso breit.

Vorkommen: Das einzige, mir bekannte Exemplar wurde in den Quarzconcretionen der Etage *D—d1* von Vosek entdeckt.

Vergleichung: Trotz der Seltenheit und des mangelhaften Erhaltungszustandes ist diese Art sehr leicht von ihren Verwandten zu unterscheiden. Die wichtigsten Unterscheidungsmerkmale wären: 1. Die hohe Wölbung, 2. die Beschaffenheit ihrer Oberfläche und 3. der Höcker der Randausbreitung.

39. Agnostus Tullbergi Nov.

(Taf. IX [II], Fig. 7—10.)

Der Kopf ist oval, stark gewölbt, etwas länger als breit. Die Glabella ist länglich, nach vorne an Breite abnehmend und in Form eines gothischen Bogens zugespitzt. Ihre Breite an der Basis gleicht etwa einem Drittel der ganzen Breite des Innenrandes des Kopfes. Ihre Länge beträgt etwas mehr als die Hälfte der Totallänge. Die Dorsalfurchen sind sehr schwach vertieft und kaum angedeutet. An ihrer Oberfläche bemerkt man keinerlei deutliche Querfurchen, dagegen aber etwa in der Mitte derselben ein sehr kleines, aber constant vorkommendes Körnchen. An der Basis, und zwar an den beiden Enden der Dorsalfurchen, sieht man je ein kleines dreieckiges Knötchen. Solche Knötchen werden, nach Analogie mit anderen Arten, von Barrande als Reste des rudimentär entwickelten Occipitalringes betrachtet. Die die Glabella umgebende Zone ist in der Medianlinie am breitesten und verschmälert sich von da an allmälig gegen die hintere Wangenfurche. Die Rand-ausbreitung ist etwas nach abwärts geneigt, vorne etwas breiter als an den beiden Seiten. Ihre Randfurche vertieft sich plötzlich an den beiden Hinterecken und geht in die ziemlich tiefe hintere Wangenfurche über. Der hintere Wangenwulst liegt unter dem Niveau der Seitenlappen und trägt einen kurzen Fortsatz, welcher bei vielen Agnosten beobachtet und von Barrande als Wangendorn aufgefasst wird.

An dem in Fig. 7a dargestellten Exemplare können noch die Reste der beiden Thorax-segmente beobachtet werden.

Auch am Pygidium sind alle Elemente deutlich entwickelt.

Die Axe oder der mittlere Lobus ist durch die sehr schwach vertieften Seitenfurchen von der die Seitenloben repräsentirenden Partie des Pygidiums getrennt. Die beiden Dorsalfurchen sind vorne deutlicher ausgeprägt als rückwärts. Sie sind daselbst offen und verschwinden am Ende des zweiten Drittels der ganzen Länge des Pygidiums, so zwar, dass die verschmälerte Hinterende des Mittellobus ohne deutliche Abgrenzung mit der Oberfläche der hufeisenförmigen Zone zusammenschmilzt.

An der Oberseite des Mittellappens können drei Segmente unterschieden werden. Das erste und zweite besteht aus je drei Knötchen, von welchen das mittlere das kleinste ist, aber am meisten hervorragt. Das mittlere Knötchen des ersten Segmentes hängt ausserdem mit jenem des zweiten zusammen und ragt am letzteren noch mehr hervor, als am ersteren, doch ist es an allen gezeichneten Exemplaren abgebrochen. Das dritte Segment ist viel länger als die beiden ersten zusammen, und zeigt keinerlei Loben. Da sein Hinterende mit einer gleichmässigen Rundung in die Oberfläche der hufeisenförmigen Zone übergeht, so ist die Abgrenzung desselben nach rückwärts undeutlich. Zwischen den beiden Enden der Dorsalfurchen bemerkt man ein kleines, doch stets deutlich ausgeprägtes Körnchen.

Der Randsaum des Pygidiums ist fast ebenso gestaltet wie die Randausbreitung des Kopfes, doch ist er etwas breiter als am letzteren. Vom Aussenrande wird er durch keine besondere Rand-furche getrennt. Die Gelenksfurche, sowie auch das Gelenk sind sehr deutlich. Die Ecken sind schräg zugestutzt und durch eine tiefe Furche von den Seitenlappen getrennt. Die Oberfläche der Schale konnte, da mir blos Steinkerne vorliegen, nicht beobachtet werden, doch erscheinen auch die Hohl-abdrücke vollkommen glatt.

Grösse. Die Länge des in Fig. 7a dargestellten Exemplares mag etwa 18 mm betragen haben. Die Breite misst 7·5 mm.

8*

Vorkommen: Die sämmtlichen Exemplare stammen aus den Quarzconcretionen von Vosek.
Etage *D—d1.*

Vergleichung: Die beschriebene Art wird häufig mit *Agnostus tardus* aus *D—d5,* mit welchem sie sehr nahe verwandt ist, verwechselt. Letztere Art unterscheidet sich von ersterer:

1. Durch den Mangel der Körnchen an den Mittelloben des Kopfes und des Pygidiums.

2. Durch die tief eingeschnittenen, die Mittelloben begrenzenden Dorsalfurchen.

3. Durch die ganz verschiedene Form des dritten Segmentes am Axenloben des Pygidiums.

4. Durch das Vorhandensein von tiefen Randfurchen am äusseren Umfange des Kopfes und des Pygidiums.

5. Durch die vorn abgerundete und nicht gothisch zugespitzte Glabella.

III. KURZE ZUSAMMENFASSUNG.

Die aus diesen Beiträgen sich ergebenden Resultate sind kurz gefasst folgende:

1. Von den in dieser Arbeit in Betracht gezogenen Trilobiten musste eine der Gruppe der Asaphiden angehörige Form, in Folge der eigenthümlichen Charaktere ihres Hypostomes, als eine neue Gattung aufgestellt werden. Dies ist die Gattung *Ptychocheilus Nov.* Es muss hervorgehoben werden, dass diese Gattung bereits durch zwei Arten, die sich auf zwei verschiedene Gegenden Europa's vertheilen, repräsentirt ist, und zwar durch *Pt. discretus Barr. sp.* in Böhmen und *Pt. peltatus Salt. sp.* in England.

Demgemäss wäre diese Gattung den beiden grossen silurischen Faunendistricten Europa's, nämlich der „grande zone centrale" und der „grande zone septentrionale", wie sie von Barrande unterschieden werden, gemeinsam.

2. Ausser den bekannten in Barr. Vol. I, Supplt. pag. 174 aufgezählten, bereits in eingerollten Exemplaren vorhanden gewesenen Trilobiten, konnte die Einrollungsfähigkeit auch noch bei 6 Arten, an welchen diese Eigenschaft noch nicht beobachtet war, sichergestellt werden. Diese letzteren sind folgende:

1. *Harpes Benignensis,*   4. *Asaphus alienus,*
2. *Remopleurides radians,*   5. *Ptychocheilus discretus,*
3. *Dionide formosa,*   6. *Aeglina armata.*

3. Bei 3 Arten konnte eine längere Dauer sichergestellt werden und ist nunmehr:

1. *Homalonotus medius* ausser aus *D—d4* auch noch aus *D—d5* bekannt.
2. *Acidaspis vesiculosa*   „   „   *F—f2*   „   „   „   *F—f1*   „
3. *Bronteus furcifer*   „   „   *G g1*   „   „   „   *G—g2*   „

4. Bei 8 Formen, nämlich bei:

1. *Remopleurides radians,*   5. *Homalonotus medius,*
2. *Phillipsia parabola,*   6. *Trinucleus Reussi,*
3. *Dalmanites atavus,*   7. *Ampyx Portlocki,*
4. *Calymene Arago,*   8. *Ampyx tenellus,*

wurde dagegen eine bedeutendere räumliche Verbreitung beobachtet, so zwar, dass das Vorkommen einiger derselben nicht nur am Süd-Ost-, sondern auch am Nord-West-Rande des Becken. nachgewiesen wurde.

5. Was die **Anzahl** der bis jetzt bekannten böhmischen Trilobiten betrifft, so unterscheidet **Barrande** (vergl. Vol. I, Supplt. pag. 290) 350 Arten, die durch 42 Gattungen vertreten sind. Rechnet man hiezu noch die Vol. VI, Introduction pag. XX aufgezählten 6 neuen Formen, nämlich:

1. Acidapsis abolescens Barr.,	*4. Cheirurus vittatus Barr.,*
2. Arethusina inexpectata ,	*5. Homalonotus micropleura Barr.* und
3. Bronteus parabolinus »	*6. Proctus anguliferus* »

so würde die Summe der bis jetzt von **Barrande** citirten böhmischen Trilobiten 356 verschiedene Arten betragen.

Doch erfährt diese Anzahl durch die in den vorliegenden Blättern dargestellten Beobachtungen eine kleine Aenderung, da einerseits einige von **Barrande** aufgestellte Arten zusammengezogen, anderseits aber andere als neu beschrieben werden.

In den nachstehenden Tabellen sind nun die von **Barrande** unter verschiedenen Speciesnamen angeführten Schalenelemente zusammengestellt, von denen in den vorliegenden Blättern zweifellos nachgewiesen wurde, welchen Trilobitenformen sie angehören.

Nach meinen Beobachtungen gehören zu der Art

I. Asaphus alienus Barr.

folgende Schalenelemente :

1. Die als *Asaphus quidam* Vol. I, Supplt. Pl. 8, Fig. 22 abgebildete Glabella.
2. Das „   „   *alienus*   „   „   „ 6,   „   21   „   Hypostom.
3. „ „   „   „   »   „ — „ 6,   „ 16—20   „   Pygidium.
4. Der „   „   „   »   „   „ 10, „   2   „   Thorax u. Pygidium.

Zu der von mir neu gegründeten Gattung

II. Ptychocheilus discretus Barr. sp.

gehören :

1. Die als *Asaphus alienus*, Vol. I. Supplt. { Pl. 6, Fig. 13—15 und | abgebildeten Köpfe.
   { „ 10, „ 1 |
2. Das „ *Trilobites contumax* „   „   „ 16, „ 3   abgebildete Hypostom.
3. „ „ *Ogygia discreta*   „   „   „ 7, „ 23   „   Pygidium.

Zu der nach meiner Auffassung modificirten Art

III. Bronteus viator Barr.

gehört :

1. Die als *Bronteus viator*, Vol. I, Pl. 47, Fig. 18—19 abgebildete Glabella.
2. Das „   „   *Kutorgai* „   „ „   „ 32—33   „   Pygidium.

Demgemäss wären die als *Asaphus quidam*, *Ogygia discreta* und *Bronteus Kutorgai* beschriebenen Formen aus dem Verzeichniss der böhmischen Trilobiten zu streichen, wodurch wir anstatt 356 blos 353 verschiedene Typen bekämen. Zu diesen treten jedoch noch die 10 von mir als neu beschriebenen Formen, so zwar, dass die Totalsumme der bis jetzt bekannten Trilobiten Böhmens 363 Arten betragen würde.

Diese Arten wären, da die Gattung *Ptychocheilus* als neu aufgestellt wurde, nunmehr in 43 Gattungen repräsentirt.

Doch muss bemerkt werden, dass bei einem Trilobiten, nämlich bei *Illaenus puer Barr.* die Bezeichnung der Gattung in Zweifel gezogen wurde, da die Form seines Hypostomes den die Gattung *Illaenus* charakterisirenden Merkmalen durchaus nicht entspricht. Es wird sich später herausstellen, ob man es hier überhaupt mit einem neuen, oder blos für die Trilobitenfauna Böhmens neuen Typus zu thun hat.

6. Die übrigen in dieser Arbeit dargelegten Beobachtungen beziehen sich lediglich auf Ergänzungen einzelner nach mehr oder minder erhaltenen Bruchstücken bekannten Formen. So waren z. B. von *Bronteus Richteri, Cromus transiens* und *Agnostus caducus* blos Pygidien bekannt, wogegen jetzt auch deren Köpfe einer näheren Betrachtung unterzogen werden konnten.

———

Zum Schlusse sei mir erlaubt, eine tabellarische Uebersicht der sämmtlichen in dieser Arbeit behandelten Trilobiten zusammenzustellen.

In den Colonnen links ist die zeitliche Aufeinanderfolge eines jeden Typen ersichtlich. In den beiden Colonnen rechts sind bei jeder Art nicht nur die Tafeln und die Seiten des Barrand'schen Werkes, sondern auch diejenigen der vorliegenden Abhandlung angegeben.

Uebersicht

der in den vorliegenden Blättern in Betracht gezogenen Trilobiten.

Gattungen und Arten	Etagen (C D E F G H: d1 d2 d3 d4 d5 e1 e2 f1 f2 g1 g2 g3)	dieser Abhandlung pag.	Tafel und Figur	Barrand's "Syst. Silur" Vol. I pag.	Planche	Supplement pag.	Planche
Harpes							
1. Benignensis Barr.		26 (4)	(ohne Abbildung)	.	.	4	2
Remopleurides							
2. radians Barr.		26 (4)	„	359	43	7	9
Phillipsia							
3. parabola Barr.		27 (5)	„	477	18	18	1
Dalmanites							
4. atavus Barr.		27 (5)	„			28	5,15
Calymene							
5. Arago Rouault		27 (5)	„			34	2,8
Homalonotus							
6. Draboviensis Nov.		27 (5)	VIII (I), 9				
7. medius Barr.		28 (6)	X (III), 4—5			39	9
Trinucleus							
8. Reussi Barr.		29 (7)	(ohne Abbildung)			47	5
Ampyx							
9. Portlocki Barr.		29 (7)	„	636	30	49	2,16
10. tenellus Barr.		30 (8)	„			50	2
Dionide							
11. formosa Barr.		30 (8)	VIII (I), 17	641	42	50	1
Asaphus							
12. alienus Barr.		30 (8)	IX (II), 5—6			51	6,10
Barrandia							
13. crassa Barr.		31 (9)	IX (II), 4			57	11
Ptychocheilus							
14. discretus Barr. sp.		31 (9)	VIII (I), 1—8			55	7
Aeglina							
15. armata Barr.		35 (13)	XII (V), 12			59	3,15
16. mitrata Nov.		35 (13)	XII (V), 13				
Illaenus?							
17. puer Barr.		36 (14)	IX (II), 1—3			73	14
Acidaspis							
18. fascina Nov.		37 (15)	X (III), 19				
19. Krejčii Nov.		38 (16)	X (III), 15—17				
20. optata Nov.		39 (17)	X (III), 6				
21. pigra Barr.		40 (18)	X (III), 18			80	15
22. Prévosti Barr.		41 (19)	X (III), 12—14	739	39	81	12
23. rara Barr.		42 (20)	X (III), 7—11			81	12
24. vesiculosa Beyr.		44 (22)	(ohne Abbildung)	715	38		
Cheirurus							
25. pater Barr.		44 (22)	X (III), 1—3			91	8,10,12
Placoparia							
26. grandis Cord.		45 (23)	(ohne Abbildung)			104	2,8
Cromus							
27. transiens Barr.		45 (23)	VIII (I), 13—16	828	43		
Bronteus							
28. furcifer Cord.		46 (24)	(ohne Abbildung)	838	48	126	11
29. linguatus Nov.		46 (24)	XII (V), 11				
30. palifer Beyr.		48 (26)	XII (V), 10	859	8,45	129	16
31. parabolinus Barr.		48 (26)	XI (IV), 1—14	Vol. II, p. II; nicht abgebildet			
32. Richteri Barr.		49 (27)	IX (II), 11	888	48		
33. Schöbli Nov.		50 (28)	XII (V), 1—2				
34. umbellifer Beyr.		52 (30)	IX (II), 12	879	44,48	137	16
35. viator Barr.		53 (31)	XI (IV), 15—28 / XII (V), 3—9	856	47		
Aguostus							
36. caducus Barr.		56 (34)	X (III), 20—23			142	14
37. fortis Nov.		57 (35)	VIII (I), 10—11				
38. Dusli Nov.		58 (36)	VIII (I), 12				
39. Tullbergi Nov.		59 (37)	IX (II), 7—10				

DIE JUNGTERTIÄRE FISCHFAUNA CROATIENS.

VON

Dr. DRAG. KRAMBERGER - GORJANOVIC

ADJUNCT AM MINERAL. GEOLOGISCHEN NATIONALMUSEUM IN AGRAM.

II. THEIL.[1]

(Mit Tafel XIII und XIV [VIII und IX].)

Ord. Anacanthini Müll. — Fam. Gadoidei.

Genus Morrhua.

Ausser der schon beschriebenen *Morrhua aeglefinoides* liegen noch zwei weitere Arten dieser Gattung vor; eine davon stammt aus Dolje, die andere aus Podsused. Beide unterscheiden sich von der genannten Art durch kleinere Schuppen, kürzere Wirbel u. s. w. Die übrigen Merkmale beider sollen im Laufe der Beschreibung angegeben werden.

1. Morrhua aeglefinoides Kner et Steind.

„Neue Beiträge etc." von Kner u. Steindachner. Im XXI. Bd. d. Denkschr. d. k. k. Ak. d. W. m. nat. Cl. Wien pag. 18 [34], Taf. V, Fig. 2.

Kopfhöhe beträgt $^3/_4$ der grössten Leibeshöhe. Wirbelsäule besteht aus 40—43 Wirbeln, wovon die hinteren $2^1/_2$mal, die vordersten kaum um die Hälfte länger als breit sind. Die Bogenschenkel der letzten 8—9 Wirbel stützen die Caudalstrahlen. Schuppen cycloid, körnig, rauh. Die Anzahl der Flossenstrahlen ist folgende:

1. D. 11—12;
2. D. 10 + x;   1. A. 24;   P. 17—18; V. 5; C. (?).
3. D. 16—18;   2. A. 18—20;

Fundort: Podsused. Im zoologischen Museum in Wien. Ein Exemplar davon besitzt auch das Agramer Museum.

2. Morrhua macropterygia Kramb.

(Taf. XIII [VIII], Fig. 6.)

Es ist dies ein schöner, vollständig erhaltener Fisch, der sich von *M. aeglefinoides Ku. et St.* durch seine kleinen zarten Schuppen, die kürzeren Wirbel und die fächerförmig ausgebreitete Pectorale, die aus sehr langen Strahlen besteht, genügend unterscheidet.

---

[1]) Vgl. Beiträge. Vol. II, pag. 86.

Beiträge zur Paläontologie Oesterreich-Ungarns. III, 2.

Beschreibung:

Da der Fisch am Rücken liegt, so sind leider die Längenverhältnisse seines Korpers nur theilweise angebbar. Nach den umgekippten Dornfortsätzen der Wirbel, sowie nach der Lage der Rücken- und Analflosse zu schliessen, musste der Körper breiter als hoch oder nur so hoch als breit gewesen sein. Die Kopflänge verhält sich zur totalen Länge wie 1 : 3·5. Der Kopf ist vollständig erhalten geblieben; von seinen Knochen sind deutlich erkennbar die beiden schlanken Unterkiefer, die mässig gebogenen Radii branchiostegi und die zwei elliptischen Gehörkapseln.

Die dünne Wirbelsäule besteht aus 42 Wirbeln, wovon 12 dem abdominalen und 30 dem caudalen Körperabschnitte angehören. Dieselbe wird allmälig gegen das Caudalende hin dünner, wobei jedoch die Wirbel ihre Grössendimensionen beibehalten. Bei keinem Wirbel gleicht die Länge der doppelten Breite (nur 1 : 1·5), wie es bei *M. aeglefinoides* der Fall ist, wo ausserdem die letzten Caudalwirbel über 2·5mal länger als breit sind. Wie bei allen Gadoiden, so sind auch hier die unteren Dornfortsätze der Abdominalwirbel kurz, stark und stehen auf der Axe der Wirbelsäule fast senkrecht. Die darauf folgenden Dornfortsätze der Caudalwirbel werden immer länger und dann gegen das Ende der Wirbelsäule hin wieder kurzer und zarter, dabei neigen sie sich immer mehr zur Axe der Wirbelsäule. Ihr Neigungswinkel beträgt ca. 45—35° und ihre Länge gleicht jener von 2·5 Caudalwirbel. Sowohl die oberen als auch die unteren, abdominalen Dornfortsätze sind kurz und stark; die ersteren schliessen mit der Axe der Wirbelsäule einen Winkel von 35—40° ein, während die unteren senkrecht auf der Seite stehen. Die folgenden nehmen an Länge zu, jedoch an Stärke ab; ihr Neigungswinkel wird grösser (ca. 50°) und gegen das Ende der Wirbelsäule hin wieder geringer (ca. 25—20°), wobei auch ihre Länge und Stärke immer mehr und mehr abnimmt (die längsten davon erreichen die Länge von 2·5 Wirbeln).

Die erste Dorsale beginnt ober der Mitte des sechsten Wirbels und besteht aus ca. acht Strahlen, die von sehr zarten Trägern unterstützt werden. Die längsten Strahlen davon kommen der Länge von ca. fünf abdominalen Wirbeln gleich. Die zweite Dorsale scheint nicht viel mehr als 11 Strahlen zu besitzen, welche von dünnen Trägern unterstützt werden. Die dritte Dorsale endlich mag ca. 14 Strahlen enthalten.

Die erste Anale beginnt unter der Mitte der zweiten Dorsale. Die Anzahl der Strahlen in dieser sowie auch in der ihr folgenden zweiten Anale anzugeben ist nicht möglich, da alle zurückgelegt sind; jedoch war sie eine geringere als bei *M. aeglefinoides*. Die fächerförmig ausgebreitete Pectorale besteht aus dünnen, sehr langen Strahlen, von welchen der erste 9 abdominale Wirbel misst, der siebente sogar 12; die kürzesten Strahlen davon scheinen länger gewesen zu sein, als die längsten Strahlen dieser Flosse bei *M. aeglefinoides*. Die Anzahl derselben beträgt 16. — Die Ventrale steht vor der Pectorale. Näheres über die Beschaffenheit dieser Flosse zu sagen ist nicht möglich. Die Strahlen der Caudale sind zusammen gedrängt; trotzdem aber scheint diese Flosse eingebuchtet gewesen zu sein. Die Anzahl ihrer Strahlen ist ca. 24 und jederseits vielleicht noch fünf Randstrahlen. Die letzten 11 oder 12 Wirbel stützen diese Flosse. — Die Schuppen sind sehr klein, dabei auch zarter als bei *M. aeglefinoides*.

Fundort: Dolje. — Wird in der geologischen Sammlung in Agram aufbewahrt.

3. *M. lanceolata Kramb.*

(Taf. XIII [VIII], Fig. 5.)

Abgesehen von der Kleinheit unterscheidet sich diese Art schon auf den ersten Anblick von den beiden vorangehenden durch die schöne, lanzettliche Gestalt ihres Körpers. Als weitere Unterscheidungsmerkmale sind noch zu bemerken: eine grössere Wirbelanzahl (46, bei *M. aeglef.* 40—43, bei *M. macropt.* 42), geringere Strahlenzahl in den Dorsalen, die Lage der ersten Anale unter der Mitte der ersten Dorsale (wie bei *M. aeglef.*), die gerade abgestutzte Caudale und die noch kleineren Schuppen.

Beschreibung:

Wie schon bemerkt, ist der Körper dieses Fisches von lanzettlicher Gestalt, die vorzüglich dadurch hervorgehoben wird, dass der Leib in der Mitte seine maximale Höhe erreicht und von da an (sowohl an der Rücken- wie an der Bauchseite) zwei concave Biegungen (eine nach vorne, eine nach rückwärts) beschreibt. Vor dem Ende der Wirbelsäule geht diese concave Linie beiderseits (oben und unten) in eine leicht convexe über, die dem Schwanzstiele die Form eines spitzen Bogens verleiht. — Der längliche Kopf ist $3^3/_4$mal in der totalen Körperlänge enthalten. Die Länge desselben verhält sich zu seiner Höhe wie $= 1^1/_4 : 1$. Die grösste Leibeshöhe in der Mitte des Körpers oder beim 28. Caudalwirbel (von rückwärts gezählt) verhält sich zur totalen Länge wie $1 : 5^1/_2$. Die Kopflänge übertrifft die grösste Leibeshöhe um ein wesentliches ($1 : 1^1/_2$), wie dies auch bei lebenden Arten der Fall ist. Das grosse ovale Auge mag so ziemlich $^1/_3$ der Kopflänge betragen. Der weitaufgesperrte Mund lässt an seinen Kiefern Eindrücke von kleinen spitzen Zähnen erkennen. Sehr gut ist noch erhalten die rechte Zungenbeinhälfte mit ihren sehr schwach gekrümmten Bögen, von denen sechs sichtbar sind.

Die fast geradlinig verlaufende und gegen das Schwanzstielende hin immer dünner werdende Wirbelsäule besteht aus 46 Wirbeln, wovon 30 dem caudalen und 16 dem abdominalen Körperabschnitte angehören. Die Grössenverhältnisse der Wirbel sind folgende: die Abdominal- sowie auch der 5.—10. Caudalwirbel (von rückwärts gezählt) sind fast quadratisch. Alle übrigen sind etwas länger als breit; niemals aber erreicht ihre Länge die doppelte Breite. — Was die Dornfortsätze der Wirbel anlangt, so zeigen sie die schon bei der vorigen Art geschilderten Eigenschaften, nur sind jene im caudalen Körperabschnitte befindlichen zarter, als es bei den beiden vorigen Arten der Fall ist.

Die erste Dorsale besteht aus 9—10 Strahlen, wovon der erste die Länge von 7 abdominalen Wirbeln besitzt; die folgenden werden immer dünner, so dass die letzten ihrer Feinheit halber kaum sichtbar sind. Die zweite Dorsale zählt 10 Strahlen, die dritte 14. Sämmtliche Strahlen dieser beiden Flossen sind von derselben Beschaffenheit, wie jene der ersten Dorsale.

Die erste Anale beginnt unter der Mitte der ersten Dorsale und besteht aus 19—20 Strahlen, von denen der 4.—7. der Länge von etwa 7 Abdominalwirbeln gleicht; die übrigen Strahlen werden immer kürzer und feiner. Die zweite Anale beginnt unter dem Anfange der dritten Dorsale, und wird von 18 Strahlen zusammengesetzt, wovon der dritte der längste gewesen zu sein scheint; die übrigen werden gegen das hintere Ende dieser Flosse immer zarter. Die Träger aller nun geschilderten Flossen sind durchgängig kurz und fein.

Die Pectoralen sind im unteren Drittel des Körpers angebracht. Die Strahlen derselben sind sehr dünn und ziemlich lang (9 abdominale Wirbel); ihre Anzahl beläuft sich auf 14—16.

9*

Die Ventralen sitzen vor den vorigen und werden von je 7—8 Strahlen gebildet, die sehr fein sind und wovon die längsten der Länge von 6 Wirbeln gleich kommen, während die kürzesten nur 2 Wirbellängen messen.

Die Caudale ist gerade abgestutzt und besitzt ausser 10 Randstrahlen (jederseits 5) noch 24 Hauptstrahlen. — Die Schuppen sind äusserst klein.

Fundort: Podsused. — Ein grösseres als das abgebildete Exemplar wurde nachträglich in Dolje aufgefunden. (Im Museum zu Agram.)

Genus Brosmius.

Eine einzige lange Dorsale und Anale, welche bis nahe zur Caudale zurückreichen, charakterisiren diese Gattung zur Genüge. — Den ersten aus Podsused herrührenden Brosmius veröffentlichte Kner unter dem Namen *Br. Susedanus.* Ein Exemplar derselben Art fand ich im Jahre 1875 in Dolje; es ist etwas kleiner, als das in Podsused aufgefundene und hat etwas längere Strahlen in den Flossen, stimmt in allem übrigen derartig mit *Br. Susedanus* überein, dass an eine Trennung von ihm gar nicht gedacht werden kann. Ein weiteres Exemplar, welches sich im Museum zu Agram befindet, repräsentirt eine neue Art, welche ich *Br. Fuchsianus* nannte.

1. *Brosmius Susedanus Kner.*

Sitzungsber. d. k. k. Ak. d. Wiss. Bd. XLVIII, pag. 145, Taf. III, Fig. 3.

Die von Kner gegebene, ziemlich vollständige Diagnose soll hier nochmals ganz in Kürze wiederholt werden. Nachher will ich ebenso auch eine kurze Notiz über das aus Dolje stammende Individuum machen.

Gesammtlänge 4", Kopflänge 10—11''', Kopfhöhe ca. 5—6'''. Die Wirbelsäule zählt 44—45 (12—13 + 32) Wirbel.

D. 50; A. 37—38; P. 17—18; V. 6; C. 20—21 + 5—6 Stützen. Schuppen sehr klein.

Exemplar aus Dolje:

Gesammtlänge 5 cm, Körperhöhe (beim Anfange der Anale) zur totalen Länge wie = 1 : 6, Kopflänge zur totalen Länge wie = 1 : 4¼. — Wirbelzahl 45 (13 + 32).

D. 50; A. 38; P. über 12; V. 6; C. 22 + 5 Randstrahlen (jederseits).

Die Caudale stützt sich auf die Apophysen der letzten 7 Wirbel.

Bemerkenswerth ist, dass sich noch die Haut, welche die verticalen Flossen überkleidete, als ein graublaues Colorit zu erkennen gibt

2. *Brosmius Fuchsianus Kramb.*

(Taf. XIII [VIII], Fig. 4.)

Diese Art unterscheidet sich von der vorigen auf den ersten Anblick durch den robusteren Körper, den breiteren Kopf, den im Verhältnisse zur Leibeshöhe sehr schmalen Schwanzstiel und die geringere Strahlenanzahl in der Caudale (im Ganzen 22 Strahlen, während *Br. Susedanus* deren bis 32 besitzt).

Fundort: Podsused. Wird in der geologischen Sammlung des Agramer Museums aufbewahrt.

3. *Brosmius elongatus Kramb.*

(Taf. XIV [IX], Fig. 2.)

Ist ein zierliches, kleines Fischchen, welches sich von den beschriebenen durch seinen schlankeren Körper und die geringere Strahlenanzahl in der Dorsale und Anale auszeichnet.

Beschreibung:

Der Körper des Fisches ist langgestreckt und spindelförmig. Die grösste Leibeshöhe beim Beginne der Dorsale ist 8mal und der Kopf beiläufig 5mal in der Gesammtlänge enthalten. Die Höhe des Schwanzstieles beträgt den dritten Theil der Leibeshöhe. — Von den Kopfknochen ist nichts Derartiges erhalten geblieben, dass man es einer näheren Beschreibung unterziehen könnte.

Die Wirbelsäule besteht aus 42—44 Gliedern, wovon 32 dem caudalen und die übrigen dem abdominalen Körpertheile angehören.

Die Neurapophysen und zwar die der abdominalen Wirbel sind zum grössten Theil kurz, kräftig und ziemlich stark nach rückwärts gewendet, die übrigen sind länger und dünner, verlieren jedoch an Länge, je mehr sie sich der Caudale nähern. Die Apophysen der letzten 7 Wirbel sind die Träger der Schwanzflosse und diese sind auch etwas stärker, als die ihnen vorangehenden. Die Haemapophysen sind gerade so beschaffen, wie die vorigen.

Die Dorsale beginnt ober dem 37. Wirbel (von rückwärts gezählt) und zieht sich bis nahe zur Caudale zurück. Sie besteht aus 46 gebogenen, weichen Strahlen, welche allmälig gegen die Mitte hin an Länge und Stärke gewinnen, um dann bald wieder feiner zu werden, ohne jedoch an Länge viel zu verlieren.

Die Anale beginnt 6 Wirbel hinter dem Anfange der Dorsale. Sie besteht aus ca. 26 bis 30 Strahlen. Die Träger dieser, sowie auch der vorigen Flosse sind kurz.

Die abgerundete Caudale besteht aus ca. 26 dünnen Strahlen, wovon die mittleren oder längsten der Leibeshöhe gleichen. Alle diese Strahlen werden, wie es schon erwähnt wurde, von den Apophysen der letzten 7 Wirbel unterstützt.

Von den Pectoralen sind nur einige Strahlen sichtbar.

Die Ventralen besitzen sehr dünne, ziemlich lange Strahlen, deren Anzahl kaum die Zahl 6 überschreiten dürfte. — Von Schuppen ist nichts zu bemerken.

Fundort: Dolje. Im geologischen Museum Agram's.

4. *Brosmius Strossmayeri Kramb.*

(Taf. XIV [IX], Fig. 1.)

Diese von Sr. Excellenz dem Herrn Bischof G. Strossmayer unserem Museum gespendete neue Art ist die grösste unter den bisher beschriebenen Brosmien. Sie misst 32 cm in der Länge und ist 8·3 cm hoch. Daraus ergibt sich das Verhältniss der Höhe zur totalen Länge wie 1 : etwas weniger als 4. Der Kopf ist nicht mehr ganz erhalten, weshalb es auch schwer ist, etwas über seine Grössenverhältnisse zu sagen. Von den bereits beschriebenen Arten unterscheidet sich diese hauptsächlich durch die grössere Strahlenanzahl in der Dorsale und Anale (= D. 60, A. 45; *Br. suscd.* et *Fuchsianus* = D. 50, A. 37—38; *Br. elong.* = D. 46, A. 26—30) und eine grössere Wirbelzahl (= 52; *Br. suscd., Fuchs.* [?] et *elong.* = 45). Die angegebenen Unterscheidungsmerkmale dürften genügen, um die Trennung dieser Art von den übrigen zu rechtfertigen.

Die Wirbelsäule ist an drei Stellen beschädigt, dessen ungeachtet konnte die Anzahl ihrer Glieder mit ziemlicher Genauigkeit als 52 (16 + 36) festgesetzt werden. Ausser den 6—7 letzten, etwas längeren als hohen Wirbeln sind alle übrigen beinahe quadratisch. An einigen besser erhaltenen Wirbeln gewahrt man drei Längsleisten. — Von den Neurapophysen sind die vordersten 8 an ihrer Basis (so viel sichtbar) sehr kräftig, spitzen sich jedoch bald zu und erreichen die Länge von 2·5 abdominalen Wirbeln. Ihr Neigungswinkel erreicht beiläufig 45°. Die ihnen folgenden sind länger, dünner (die längsten = 4 Wirbellängen) und ca. 60° zur Wirbelaxe geneigt. Sowohl die Länge, als auch die Stärke und Neigung dieser Apophysen nimmt gegen die Caudale hin allmälig ab; nur die Fortsätze der hintersten 7 Wirbel, welche die Caudale unterstützen, sind etwas kräftiger, als die ihnen vorangehenden. — Für die Haemapophysen gilt fast genau dasselbe, was für die übrigen gesagt wurde.

Die Rippen sind mässig stark, kurz und gebogen.

Die Dorsale beginnt ober dem ca. 45. Wirbel (von rückwärts gezählt) und erstreckt sich bis nahe zur Caudale zurück, von der sie durch einen kleinen Zwischenraum getrennt ist. Sie besteht aus 60 zumeist an der Basis gebogenen Strahlen, die sämmtlich getheilt und die hinteren davon überdies noch gegliedert sind. Die längsten Strahlen dieser Flosse (in der mittleren Körperpartie) erreichen bei 5 Wirbellängen. Ihre Träger sind schlank und an der Basis etwas abgeplattet. Ihre Länge nimmt von vorne gegen die Mitte hin allmälig bis auf 2·6 Wirbellängen zu und dann wieder ebenso gegen die Caudale hin ab.

Die Anale beginnt beiläufig unter dem 34. Wirbel und erstreckt sich ebenso weit zurück, wie die Dorsale. Die Anzahl ihrer Strahlen konnte nur nach ihren Trägern als ca. 45 festgesetzt werden, weil die ersteren zum grössten Theil beschädigt sind. Strahlen und Träger dieser Flosse sind ebenso gebaut wie jene der Dorsale. Zu bemerken wäre nur noch, dass sowohl die oberen, als auch die unteren Flossenträger zumeist so gestellt sind, dass auf zwei Apophysen drei Träger kommen, d. h. zwischen je zwei Apophysen liegt ein Träger, und überdies fällt in die Verlängerung je eines Fortsatzes noch ein Träger.

Die Pectoralen sind unter der Wirbelsäule und etwas vor der Dorsale angebracht. Die Anzahl ihrer Strahlen ist schwer genau anzugeben; doch glaube ich, dass sie kaum die Zahl 12 überschritten hat. Was die Beschaffenheit der Strahlen anlangt, so wäre blos zu bemerken, dass sie gegliedert sind und sich durch keine besondere Länge auszeichnen.

Die Ventralen stehen unter und vor den Pectoralen.

Die Caudale war wahrscheinlich abgerundet. Sie stutzt sich an die Fortsätze der 7 letzten Wirbel, von denen der hinterste in eine breitere Platte ausgeht. Die Anzahl ihrer getheilten und gegliederten Strahlen beläuft sich auf beiläufig 26.

Die Schuppen sind klein, oval (?), mässig stark und ihre Oberfläche concentrisch gestreift.

Dieser Fisch befindet sich auf einer weissen Kalkmergelplatte (sarmat. [?]) und soll aus Beočin herstammen, was indessen noch nicht gehörig begründet ist.

Fam. Pleuronectoidei.

Genus Rhombus.

Ueberreste dieser Gattung sind bisher aus den Localitäten Dolje, Vrabče und Podsused bekannt geworden. Im Ganzen sind es zwei Arten; beide kommen in Dolje vor, während die anderen zwei Fundorte je eine dieser Art lieferten.

Bemerkenswerth ist die sehr geringe Körpergrösse dieser Fische; der grösste davon misst 33 mm, während der kleinste kaum 14 mm beträgt. Die beiden Arten unterscheiden sich unter einander hauptsächlich durch die Gestalt ihres Körpers und die Länge des Kopfes.

1. Rhombus Bassanianus Kramb.

(Taf. XIII [VIII]. Fig. 1 u. 2.)

Unterscheidet sich von *Rhombus minimus Ag.*[1]) aus Mt. Bolca durch seine viel geringere Leibeshöhe und die grössere Wirbelzahl (*Rh. minimus* = 30 Wirbel, *Rh. Bassanianus* = 35).

Von *Rhombus Heckeli Kner*[2]) ausgenommen die geringere Grösse, noch durch die Gestalt des Körpers, die kleinere Leibeshöhe und die nach vorwärts gebogenen oberen Dornfortsätze der Abdominalwirbel.

Beschreibung:

Die Gestalt des Körpers ist die einer flach gedrückten Ellipse, deren kleine Axe, resp. die Leibeshöhe den $3\frac{1}{3}$—$3\frac{1}{2}$ Theil der grossen Axe, resp. der Gesammtlänge ausmacht. Der längliche Kopf nimmt den $4\frac{2}{5}$ Theil der Totallänge ein. Die ovalen Augen treten sehr deutlich hervor und liegen nahe bei einander. Die Leiste des Praeoperculums ist stumpfwinkelig gebogen; sein hinterer Rand steht vertical und ist breiter als die untere, welcher etwas schräg nach vor- und abwärts gerichtet ist. Das Operculum ist ziemlich breit, doch kann ich über seine Gestalt nichts Bestimmtes sagen, weil sich an seinen hinteren Rand gleich der Schultergürtel anschliesst. Unter dem Vordeckelrand gewahrt man 5—6 kurze, mässig gebogene Kiemenbögen. Auch das Os quadratum ist noch deutlich überliefert; es ist dreieckig und sein vorderer, gegen die Schnauze gerichteter Theil zieht sich bis zu den Suborbitalien herauf. Die Mundspalte ist klein, etwas schräg aufwärts gerichtet und reicht bis zum vorderen Augenrande zurück. Der Unterkiefer ist dreieckig und ziemlich hoch, der Ober- und Zwischenkiefer sind schwächer entwickelt als der vorige Knochen, immerhin aber ist noch der Zwischenkiefer kräftiger als der dünne Oberkiefer. Am Unter- und Zwischenkiefer bemerkt man bei günstiger Beleuchtung und guter Vergrösserung feine Bürstenzähne.

Die schlanke Wirbelsäule zählt 35 Glieder, von denen 10 an den abdominalen und 25 an den caudalen Körperabschnitt entfallen. Der kräftigste Theil der Wirbelsäule ist der mittlere; diese verjüngt sich dann gegen den Kopf, sowie gegen die Caudale hin. Was die Gestalt der Wirbel anlangt, so wäre zu bemerken, dass die abdominalen und ein Theil der caudalen quadratisch sind, während die übrigen etwas länger als hoch sind.

---

[1]) Agassiz: „Les poissons . . ." Tom 5, Taf. XXXIV.
[2]) „Neue Beiträge . . ." In Denkschriften d. k. k. Ak. d. W. in Wien, Bd. XIX. pag. 75, Taf. X, Fig. 12.

Der kräftige untere Dornfortsatz des ersten Caudalwirbels bildet die Grenze zwischen den nach vorne und jenen nach rückwärts gerichteten Neurapophysen. Die vorderen zehn Fortsätze nämlich krümmen und verkürzen sich immer mehr, je näher sie dem Kopfe rücken. Der erwähnte 10. sowie der 11. Dornfortsatz stehen an der Wirbelsäule senkrecht, die übrigen aber neigen sich ganz allmälig gegen die Säule. Der längste obere Dornfortsatz ist der 14. (von vorne gezählt), er misst nicht weniger als 6 Wirbellängen. Die Haemapophysen nehmen von den erwähnten kräftigen ersten an Länge und Neigung gegen rückwärts allmälig ab. Die unteren abdominalen Fortsätze repräsentiren blos sehr kurze, vorwärts gebogene Stummel. Jedenfalls muss noch erwähnt werden, dass alle Dornfortsätze, sowohl die oberen als auch die unteren, die ursprüngliche Krümmung nach vorne hin bis zur Caudale beibehalten, nur wird der Bogen immer flacher, je mehr sich die einzelnen Apophysen vom Kopfe entfernen.

Die Dorsale beginnt wahrscheinlich schon vor den Augen, weil aber unglücklicher Weise die Platten gerade an jener Stelle etwas verletzt sind, konnte der Beginn der Flosse nicht genau eruirt werden. Dieselbe zieht sich bis nahe an die Caudale zurück und besteht aus 62—64 einfachen Strahlen, die sich vom Kopfe an gegen die Körpermitte hin allmälig verlängern, um sich dann wieder gegen die Schwanzflosse zu verkürzen. Die Träger der Strahlen dieser Flosse sind schlank und grösstentheils so angeordnet, dass zwischen je zwei Dornfortsätzen ein Träger zu stehen kommt und überdies noch in der Verlängerung der einzelnen Dornfortsätze ein Träger sich befindet.

Die Anale ist genau wie die Dorsale beschaffen. Sie zählt bei 52 Strahlen, die sich auf eben so viele Träger stützen, welche gerade so angeordnet sind, wie dies bei der vorigen Flosse der Fall ist. Nur der erste Träger macht eine Ausnahme hievon; er ist viel kräftiger als die übrigen, und ist stark zurückgebogen.

Die Caudale ist abgerundet und besteht aus 17 Strahlen, welche sich auf die Fortsätze der 2—3 letzten Wirbel stützen.

Die Pectorale ist etwas unter der Körpermitte angebracht und besteht aus sehr zarten Strahlen. — Die Ventralen endlich liegen unter der vorigen und dürften 5—6 Strahlen enthalten.

Fundort: Dolje, Vrabče.

In der geologischen Sammlung Agram's.

2. *Rhombus parvulus Kramb.*
(Taf. XIII [VIII]. Fig. 3.)

Diese Art liegt in mehreren Exemplaren vor; drei stammen aus Dolje und zwei aus Podsused her. Sie ist wohl die kleinste aller bisher bekannten Arten dieser Gattung und unterscheidet sich von der vorigen durch die Gestalt des Körpers, die Dornfortsätze der Wirbel und den kurzen hohen Kopf.

Beschreibung:

Das grösste Exemplar dieser Art misst 25 mm, das kleinste blos 14½ mm. Die Leibeshöhe erreicht ihr Maximum beim Beginne der Anale, woselbst sie den $2\frac{2}{3}$—3. Theil der Gesammtlänge ausmacht. Die obere Profillinie beschreibt einen schönen regelmässigen Bogen, und zwar von der Mundspitze an bis zur Caudale. Die untere Linie ist unter einem stumpfen Winkel gebrochen. Dieser Winkel liegt beim Anfange der Anale; der eine seiner Schenkel steigt steil gegen die Mundspitze an, der andere zieht sich fast geradlinig bis zur Caudale hin. Der Kopf ist höher als lang und bei 5mal in der Gesammtlänge enthalten. Die Mundspalte ist sehr klein, das Praeoperculum stumpfwinkelig gebogen.

Die Wirbelsäule dürfte 35 Wirbel (10 + 25) enthalten. Die abdominalen und ein Theil der caudalen Wirbel sind quadratisch, die übrigen verjüngen sich allmälig gegen die Caudale hin und werden dabei etwas länger als hoch. — Alle Neurapophysen, mit Ausnahme der vordersten 5 abdominalen, welche etwas nach vorne gebogen sind (jedoch bei Weitem nicht so stark als bei der vorigen Art), sind geradlinig. Der 10. und längste, sowie auch die 4 ihm vorangehenden Fortsätze stehen an der Wirbelsäule senkrecht, die folgenden nehmen allmälig an Länge und Stärke ab und neigen sich immer mehr gegen die Wirbelsäule. Von den Haemapophysen zeichnet sich insbesondere diejenige, welche aus dem ersten Caudalwirbel entspringt, durch ihre Länge und Stärke aus. Sie übertrifft diesbezüglich den ihr gegenüber stehenden 10. Fortsatz und reicht bis nahe zur unteren Profillinie herab. Die übrigen Fortsätze entsprechen ganz den oberen, ihnen gegenüber stehenden, nur sind sie etwas länger (wenigstens die vordere Partie davon).

Die Flossen sind leider nicht derartig erhalten, dass man sie einer genaueren Beschreibung unterziehen könnte. Da indessen bezüglich ihres Baues und ihrer Lage (nach dem erhalten gebliebenen Theil zu urtheilen) dasselbe gilt, was bei der vorigen Art gesagt wurde, so können wir wohl von der Strahlenanzahl absehen, da ja die übrigen Merkmale hinreichen, um sie von *Rh. Bassanianus m.* gehörig unterscheiden zu können.

Das abgebildete Exemplar rührt aus Dolje her; ausserdem fand ich auch zwei andere in Podsused. Wird im Museum zu Agram aufbewahrt.

Ord. Lophobranchii Cuv. — Fam. Syngnathoidei.

Genus Syngnathus.

Syngnathus Helmsii Steindachner.

„Beiträge zur Kenntniss der foss. Fische Oesterr." (3. Folge.) In: Sitzungsber. d. k. k. Ak. d. W. m,-n. Cl. Wien 1860, Bd. 40, pag. 571—572, Taf. III.

Fundort: Radoboj. — In der Sammlung der k. k. geolog. Reichsanstalt in Wien und im geolog. Museum in Agram.

Von diesem interessanten Fische wurde ein Abdruck auch in Podsused aufgefunden.

Ord. Malacoptera. — Fam. Cyprinoidei.

Genus (?).

Vor einigen Jahren glückte es mir, in St. Nedelja bei Samobor ein Fragment eines grossen Cyprinoiden aufzufinden, den ich aber seines misslichen Erhaltungszustandes halber nicht näher zu bestimmen vermag. Es ist dies ein Rumpfstück mit der Dorsale, den Pectoralen, den Ventralen und einem Stücke der Wirbelsäule mit 31 quadratischen, eingeschnürten Wirbeln.

In den Flossen fand ich: D. c. 12; P. c. 14; V. 6.

Die Rippen sind lang und gebogen; ich zählte ihrer 16—18 Paare auf. Auch eine Menge von Muskelgräten ist noch sichtbar.

Die Länge des Fragmentes = 31 cm, die Körperhöhe = 15 cm.

Fam. Clupeoidei.

Nur zwei Gattungen dieser Familie, nämlich *Meletta* und *Clupea*, scheinen unser sarmatisches Meer bewohnt zu haben, und zwar in einer so grossen Menge, dass man die Vertreter der übrigen Familien beinahe als zufällige Funde bezeichnen könnte. Das Vorkommen der Clupeoiden-Gattung *Chatoessus*, welches Herr Dr. F. Steindachner nach 3 aus Podsused herrührenden Platten constatirte, bezweifle ich aus mehreren Gründen, welche ich später bei der Besprechung meiner Art *Clupea (Meletta) Doljeana* hervorheben werde.

Bei einigen Arten habe ich beide Gattungsnamen voran gesetzt und dies that ich, um die wahrscheinlich richtige generische Stellung des betreffenden Fisches zu bezeichnen. — Dass die Familie der Clupeoiden eine derjenigen ist, welche der generischen Bestimmung die grössten Schwierigkeiten entgegensetzt, bezweifelt wohl Niemand. Dies gilt für recente Individuen; bei fossilen ist man überhaupt selten im Stande, genaue Determinationen durchzuführen, weil sich die feinen, oft minutiösen Unterscheidungsmerkmale gewisser Gattungen auf einige Organe beziehen, die man äusserst selten oder auch gar nicht erhalten findet. Ich habe gewiss schon einige Hunderte von Häringen untersucht, und doch ist es mir kein einziges Mal gelungen, z. B. in den Kiefern Zähne vorzufinden. Die generischen Bestimmungen fossiler Clupeaceen können daher häufig nur auf Grund der Körpergestalt und der Flossenstellung vorgenommen werden, wodurch man dann oft nur annähernd richtige Resultate erzielt.

Von den 11 hier besprochenen Arten sind 7 bereits beschrieben, 4 dagegen neu. Ich will zuerst die schon bekannten Arten kurz anführen und dann erst die neuen beschreiben.

1. Clupea elongata Steind.

Sitzungsberichte d. math.-nat. Cl. d. k. k. Ak. d. W. Bd. XL, pag. 556, Taf. I, Fig. 1.

Körper sehr gestreckt und compress. Kopflänge 5· und die Leibeshöhe über 7mal in der totalen Länge enthalten. Längendurchmesser des Auges 3mal in der Kopflänge. Wirbelsäule besteht aus mindestens 50 Gliedern. — Die Strahlenanzahl der einzelnen Flossen ist folgende:

$$D. \ 9 + x; \ P. \ 12; \ V. \ 8—9; \ A. \ (?); \ C. \ 3 \ oder \ 4 \mid 9, \ 9 \mid 3 \ oder \ 4.$$

Schuppen zart, rund, am Rande gekerbt. Schuppenfläche mit zarten radienartigen Linien und transversalen Streifen bedeckt.

Fundort: Tegel von Hernals (sarmatisch).

Von dieser Art besitzt auch die geologische Sammlung von Agram 2 Individuen, welche aus den sarmatischen Ablagerungen von Dolje herstammen.

2. Clupea melettaeformis Steind.

(Taf. XIII [VIII], Fig. 12.)

Ibid. pag. 558.

Körpergestalt spindelförmig und weniger gestreckt als bei voriger Art. Kopflänge 4· Leibeshöhe $5\frac{1}{2}$mal in der Gesammtlänge; Kopfhöhe $\frac{3}{6}$ der Kopflänge. Wirbelsäule besteht aus 50 Gliedern. Ventrale (mit wahrscheinlich 8 Strahlen) in der vorderen Körperhälfte. Caudale kürzer als bei der vorigen Art.

Fundort: Tegel von Hernals (sarmatisch).

Einen derselben Art angehörigen, aus Dolje stammenden Rest besitzt die geologische Sammlung zu Agram. Da diese Art noch nicht abgebildet ist, so liess ich sie auf der Taf. XIII [VIII], Fig. 12, anbringen.

3. Clupea arcuata Kner.

Sitzungsberichte d. math.-nat. Cl. d. k. k. Ak. d. W. Bd. XLVIII, pag. 143, Taf. III. Fig. 2 und 2a.

Kopflänge fast ¼ der Totallänge. Leibeshöhe beinahe der Kopflänge gleich. Auge $3^1/_2$ bis 4mal in der Kopflänge. Wirbelzahl unter 40. Kielrippen 21—22.

D. 14—15; A. 15—16; P. 15; V. 7. — Caudale gleicht ⅓ der Kopflänge. Schuppen ziemlich derb und an den Seiten des Rumpfes grösser als am Rücken.

Fundort: Podsused. (Auch im geologischen Museum von Agram ein recht schönes Exemplar.)

Die Verwandtschaft dieser Art mit den Sagorer Clupeen (*Clupea alta* und *sagorensis Steind.*) ist in der That so gross, dass ich der Ansicht des Herrn Prof. Dr. Bassani[1]) vollkommen beipflichte. Nach ihm ist eben die *Cl. arcuata Kner.* blos eine Varietät der Sagorer Häringe.

4. Clupea inflata Vukotinović.

(Taf. XIV [IX], Fig. 3.)

„Rad" der südslav. Akademie der Wiss. und Künste in Agram 1870. Bd. XII, pag. 38.

Ueber diese Art sagt Herr v. Vukotinović weiter nichts, als dass sie der *Clupea ventricosa Quenst.* sehr ähnelt, und dass der Unterschied zwischen beiden in der bedeutenderen Körpergrösse und der bauchigeren, aufgedunsenen Gestalt besteht.

Aber auch an *Cl. brevissima Blainv.* (vom Libanon) erinnert diese Art, und zwar zu Folge ihrer bedeutenden Körperhöhe, unterscheidet sich jedoch von ihr durch die grössere Anzahl von Wirbeln (42—44, *Cl. brev.* etwa 30), die kürzere Dorsale u. s. w.

Die *Clupea alta Steind.* aus Sagor ist auch durch bedeutende Leibeshöhe ausgezeichnet, doch sind die anderweitigen Eigenthümlichkeiten unserer *Cl. inflata* derartig, dass man wohl nur von einer Aehnlichkeit beider Arten sprechen kann.

Beschreibung:

Der Körper hat die Gestalt einer Ellipse, deren kleine Axe, resp. die Leibeshöhe den dritten Theil der grossen Axe, resp. der Gesammtlänge ausmacht. Der breite, nach vorne hin sich rasch zuspitzende Kopf verhält sich zur totalen Länge wie fast 1 : 5.

Von den Kopfknochen wäre blos der mit feinen radienartigen Streifen versehenen Praeoperculums und des kräftigen hohen Unterkiefer zu erwähnen.

Die Wirbelsäule zeichnet sich durch keine besondere Stärke aus. Ihre Glieder, 42—44 an der Zahl, sind fast quadratisch und werden nur ganz allmälig gegen den Kopf sowie gegen die Caudale hin etwas kleiner. — Die Dornfortsätze der Wirbel sind im Allgemeinen schwach zu nennen. Der Neigungswinkel der Neurapophysen zur Wirbelaxe beträgt mit Ausnahme der vordersten und hintersten, welche einen Winkel von ca. 40—45° einschliessen, ca. 60—50°. Die Haemapophysen ent-

---

[1]) „Appunti su alcuni pesci fossili d'Austria e di Wurtemberg." (Atti della Società Veneto-Trentina di Scienze Naturali, Anno 1880.) pag. 18.

10*

sprechen so ziemlich den ihnen gegenüber stehenden, nur sind die vorderen davon viel weniger (ca. 80—70°) zur Wirbelaxe geneigt, als die oberen, denselben Wirbeln entspringenden. Die Länge eines Dornfortsatzes aus der mittleren Körperpartie gleicht 4 Wirbellängen. Die Rippen sind dünn, aber von ansehnlicher Länge. Die Kielrippen (ca. 20 an der Zahl) sind kräftig und die längsten davon 3 mittlere Wirbel lang.

Die leider schlecht erhaltene Dorsale beginnt beiläufig ober dem 27. Wirbel und mag höchstens 16 Strahlen besessen haben, die von mässig langen Trägern unterstützt werden. Vor dieser Flosse gewahrt man noch einige keilförmige, sogenannte blinde Träger, welche bedeutend stärker sind, als die eigentlichen Flossenträger. Die Anale lässt nur mehr einige ihrer Strahlenträger erkennen. Sie beginnt unter dem 11. Wirbel (von rückwärts gezählt) und ziemlich weit vom hinteren Ende der Dorsale entfernt (bei *Clup. brevissima Bl.* beginnt sie unter dem hinteren Ende der Dorsale).

Von der Ventrale ist leider auch nichts weiter zu sagen möglich, als dass sie unter dem Anfange der Dorsale oder 3—3½ Wirbel vor der Mitte des Abstandes zwischen der Anale und Pectorale liegt. Ihre Strahlen scheinen verhältnissmässig kurz gewesen zu sein. Die Pectorale lässt etwa 12 ziemlich dünne Strahlen erkennen, deren längste fast 6 Wirbellängen erreichen. Die tief eingebuchtete Caudale stützt sich auf die Apophysen der 3 letzten Wirbel. Sie dürfte kaum mehr als ca. 22 Strahlen besitzen, von denen der längste etwa 11 Wirbel misst.

Die Schuppen sind rund, gross und stark; ihre Oberfläche zeigt ausser der feinen, dichten Streifung auch ca. 4—5 Paar paralleler Radien.

Fundort: Podsused. Die eine Platte befindet sich in der Sammlung der k. k. geologischen Reichsanstalt in Wien, der Abdruck davon in der geologischen Sammlung zu Agram. Ein 22 cm langes und 7·3 cm hohes Exemplar derselben Art, jedoch aus St. Helena (zwischen Neudegg und Nassenfuss) in Unterkrain herrührend, befindet sich in der Sammlung der k. k. geologischen Reichsanstalt.

5. *Clupea humilis H. v. Myr.*

(Paläontogr. Bd. II, pag. 88 und 92, Taf. XIV, Fig. 3 und Taf. XVI, Fig. 12.)

Ich ziehe zu dieser Art einige aus Podsused und einen aus St. Nedelja bei Samobor stammenden Rest, welche, obwohl einige ganz geringe Abweichungen von der ziemlich oberflächlich beschriebenen obigen Art zeigt, dennoch im Grossen und Ganzen derartig mit derselben übereinstimmen, dass eine Trennung von den Unterkirchberger Resten nicht unternommen werden kann.

6. *Clupea lanceolata H. v. Myr.*

(Palaontogr. Bd. II, pag. 93, Taf. XIV, Fig. 2, 6.)

Ein Exemplar dieser Art besitzt die geologische Sammlung in Agram; dasselbe rührt von St. Nedelja her.

7. *Clupea (Meletta) sardinites Heckel.*

(Denkschriften der k. k. Ak. d. Wiss. math. nat. Classe. Wien 1850, Bd. I, pag. 227—230, Taf. XXIII und XXIV.)

Die Leibeshöhe sechs-, der Kopf 4mal in der Gesammtlänge. Die Wirbelsäule enthält 46 (32 + 14) Wirbel. Die Anzahl der Flossenstrahlen ist folgende:

$$D. 13; A. 14; P. 15; V. 1/8; C. 6|14|6.$$

Fundort: Radoboj. In den Sammlungen von Wien, Agram, Graz etc.

8. Clupea (Meletta) doljeana Kramb.

(Taf. XIV [IX]. Fig. 4, a, b, c, d, e.)

Repräsentirt eine der *Meletta sardinites Heckel* sehr nahe stehende Art, welche sich von ihr hauptsächlich nur dadurch unterscheidet, dass sie in der Dorsale, Anale und Pectorale eine grössere Strahlenanzahl vorweist und überdies stehen die Ventralen hinter der Mitte des Körpers. Der letzte Dorsalstrahl ist verlängert, was ich nach einer Anzahl von recht gut erhaltenen Exemplaren zu constatiren im Stande war. Diese letztere Eigenthümlichkeit würde für die Gattung *Chatoessus* sprechen, doch sind die anderweitigen osteologischen Details derart mit jenen der *Mel. sardinites* übereinstimmend, dass der Gedanke an *Chatoessus* wohl von selbst abfällt. Aus eben diesem Grunde möchte ich das Vorhandensein dieser Gattung in Podsused bezweifeln und glaube, dass jene von Dr. Steindachner als *Chatoessus humilis*, *brevis* und *tenuis*[1]) bezeichneten Fische mit meiner *Clupea (Meletta) doljeana* ident seien, umsomehr, als ich das Vorkommen dieser Art in Podsused nach einer Anzahl von Exemplaren festsetzen konnte. Ich halte den verlängerten letzten Strahl der Dorsale nur für ein specifisches Merkmal dieser Art.

Beschreibung:

Die Leibeshöhe beim Beginne der Dorsale ist 6—6$\frac{1}{2}$mal in der totalen Länge enthalten, oder sie gleicht beinahe 10 mittleren Wirbellängen. Die Kopflänge verhält sich zur Gesammtlänge wie 1:4, dieselbe zur Kopfhöhe wie 1·5:1. Der Längendurchmesser des Auges gleicht dem 3·5. Theil der Kopflänge.

Die Gestalt der Kopfknochen ist an einzelnen Exemplaren zum grössten Theil unkenntlich geworden, weil sie derart bröckelig sind, dass sie bei der leisesten Berührung zerfallen. Nur eine Anzahl von Individuen liess ausser dem hohen Unterkiefer (Fig. 4 e), welcher an fast allen Ueberresten sichtbar ist, noch andere Knochen deutlicher hervortreten. Der Oberkiefer (Fig. d) erinnert sehr an jenen von *Meletta sardinites Heck.*; er ist ein länglicher, flacher und etwas gebogener, mit einem ziemlich langen Stiele versehener Knochen, durch dessen Mitte sich eine Längsfurche fortzieht, welche sich nach rückwärts zu allmälig verflacht. Die Oberfläche dieses Knochens ist der Länge nach gestreift. Der kleinere, im lebenden Zustande ihm anliegende Knochen besteht aus einem langen, dünnen, etwas gebogenen Stiel, dessen unterer Theil löffelförmig ausgebreitet ist (Fig. c). Das Präoperculum ist stumpfwinkelig gekrümmt (Fig. a); seine nach vorne gerichtete Hälfte ist schmal, während die hintere Hälfte viel breiter ist. Noch wäre zu erwähnen, dass aus dem Winkel der Leiste drei faltenartige Vertiefungen ausgehen, von denen die mittlere die längste ist, jedoch den Vordeckelrand nicht erreicht. Das Operculum ist leider nirgends mehr derartig erhalten, dass man ein genaues Bild davon entwerfen könnte. Die Kiemenbögen sind anfänglich dünn, etwas gebogen, verlängern sich aber nach rückwärts zu immer mehr, wobei sie auch an Breite gewinnen.

Die Wirbelsäule besteht aus 46 Gliedern, von welchen 32 an den abdominalen, und die übrigen 14 an den caudalen Körpertheil entfallen.

---

[1]) „Beiträge zur Kenntniss der fossilen Fische etc." Wien, Sitzungsber. d. k. k. Ak. d. W. math. n. Cl. 1860, Bd. 38, pag. 782—788, Taf. III, Fig. 1, 2 u. 3.

Die oberen Dornfortsätze des ersten Drittels der Wirbelsäule sind mehr zur Wirbelaxe geneigt, als die ihnen folgenden etwa 45° geneigten Fortsätze des zweiten Drittels, die sich dann allmälig gegen das Schwanzende hin zur Wirbelaxe neigen. Die unteren Dornfortsätze sind anfänglich sehr kurz und nehmen gegen den Schwanzabschnitt hin nur ganz langsam an Länge zu, um sich dann gegen die Caudale hin wieder zu verkürzen, wobei sie jedoch niemals so kurz werden, wie dies bei den vorderen Apophysen der Fall ist. Diese Fortsätze sind auch nicht so stark zur Wirbelaxe geneigt, wie die ihnen gegenüberstehenden (blos die hintersten machen davon eine Ausnahme). Alle Apophysen sind dünn, gebogen und entsprechend lang. Die Rippen sind sehr dünn und lang, insbesondere die vorderen, welche bis zur Bauchkante herabreichen. Die übrigen verkürzen sich allmälig und werden dabei auch immer zarter. Die Kielrippen sind weder stark noch irgendwie auffallend.

Die Dorsale beginnt etwas vor der Mitte des Körpers (ohne die Caudale) oder ober dem 29. Wirbel (von rückwärts gezählt) und besteht aus 16 Strahlen, welche von zarten Trägern unterstützt werden. Der erste Strahl ist der kürzeste, der 4. und 5. die längsten; sie gleichen dem $^4/_6$ Theil der Leibeshöhe oder der Länge von 8 mittleren Wirbeln. Der verlängerte letzte Strahl ist bandartig, jedoch dünner als die übrigen (Fig. b).

Die Anale beginnt senkrecht unter dem 11. Wirbel und besitzt, nach der Anzahl der zarten Träger zu schliessen, 16 Strahlen, wovon der längste kaum mehr als zwei Wirbellängen beträgt.

Die mit den schlanken Beckenknochen noch in Verbindung stehenden Ventralen bestehen aus je 8 feinen Strahlen, von denen die längsten beiläufig 4 Wirbel messen. Was die Lage der Ventralen anbelangt, so stehen sie knapp vor dem hinteren Ende der Dorsale, senkrecht unter dem 24. Wirbel (von rückwärts gezählt), oder zwei Wirbellängen hinter der Mitte des Abstandes zwischen der Pectorale und Anale.

Die Pectoralen zählen je 18 am Ende mehrfach getheilte Strahlen, wovon der dritte und längste 8 Wirbellängen misst.

Die gegabelte Caudale wird von den Apophysen der zwei letzten Wirbel unterstützt. Sie besitzt jederseits ca. 4 Rand- und 17—18 mehrfach getheilte und gegliederte Hauptstrahlen. Der längste Strahl dieser Flosse gleicht 10 Wirbellängen.

Die Schuppen sind dünn und glänzend.

Fundort: Dolje (hauptsächlich), Podsused und Vrabce.

Zumeist in der geologischen Sammlung in Agram.

9. *Clupea Vukotinovici Kramb.*

(Taf. XIII [VIII], Fig. 7 u. 8.)

Diese Art rührt von den Fundorten Dolje und Vrabce her. Sie steht der *Clupea elongata Steind.* (aus dem Hernalser Tegel) sehr nahe, muss jedoch von derselben getrennt werden, da sie eine Reihe von Eigenthümlichkeiten vorweist, auf Grund deren sie von der genannten Art gesondert werden muss. Während die Leibeshöhe bei *Clupea elongata* 7—8mal in der Gesammtlänge enthalten ist, beträgt sie bei dieser Art den neunten Theil der Körperlänge. Wichtiger jedoch ist es, dass sie einen sehr zugespitzten und langen Kopf besitzt, dessen Höhe fast zweimal in seiner Länge enthalten ist. Auch ist die Anzahl der Strahlen in den Pectoralen eine grössere als bei *Clupea elongata* (diese hat nur 12, unsere 16).

Beschreibung:

Der Körper dieses schönen Fisches ist sehr gestreckt. Die maximale Leibeshöhe beim Beginne der Dorsale verhält sich zur totalen Länge wie 1 : 9 oder sie gleicht 8 mittleren Wirbellängen. Der lange, zugespitzte Kopf ist $4^2/_3$mal in der Gesammtlänge enthalten; seine Höhe verhält sich zu seiner Länge wie 1 : $1^1/_6$. Der schmale, lange Unterkiefer hat die Form eines Dreieckes, dessen untere Seite nicht weniger als sechs mittlere Wirbellängen misst. Der hintere Rand des Präoperculums ist breiter als der vordere, und lässt keine Spur einer Streifung wahrnehmen. Der Längendurchmesser des Auges kann ca. $3^1/_3$mal auf die Kopflänge übertragen werden.

Die ziemlich dünne Wirbelsäule zählt beiläufig 52 quadratische Wirbel, wovon ca. 15 dem caudalen, die übrigen dem abdominalen Körperabschnitt angehören. Von den Dornfortsätzen der Wirbel ist zu bemerken, dass die oberen den Bauchwirbeln entspringenden stark zur Wirbelaxe geneigt sind, während sich die ihnen folgenden allmälig erheben und einen Winkel von ca. 50° bilden, welcher sich sowohl als auch die Länge gegen das Schwanzende hin langsam vermindert. Die unteren Apophysen entsprechen so ziemlich den ihnen gegenüber liegenden oberen, nur sind sie etwas kürzer. Alle Dornfortsätze sind mässig nach rückwärts gebogen und nehmen von der Basis gegen ihr Ende zu an Stärke ab. Die Rippen sind lang und dünn.

Die Muskelgräten sind zart und nicht gerade zahlreich vorhanden. Was die Kielrippen endlich anbelangt, so müssen sie als schwach bezeichnet werden.

Senkrecht ober dem 33. Wirbel (von rückwärts gezählt) beginnt die Dorsale. Die Anzahl ihrer Strahlen beläuft sich auf 13. Der längste davon (der zweite) gleicht der Länge von $8^1/_2$ Wirbeln.

Die Anale nimmt unter dem vorderen Ende des 12. Wirbels ihren Anfang; ihre Strahlenanzahl kann ich nicht angeben. Die Träger beider Flossen sind zart.

Sehr gut sind die beiden Ventralen erhalten; sie liegen unter dem 28. Wirbel und 2 Wirbellängen vor dem Ende der Dorsale und stützen sich an ihre zugespitzten Beckenknochen. Die Strahlen (8 in jeder Flosse) dieser Flosse sind ziemlich lang, da sie $6^1/_2$ Wirbel messen.

Die Pectoralen stehen genau unter und in der Verlängerung des hinteren Operculumrandes. Sie bestehen aus je 16 Strahlen, von denen jeder an der Spitze mehrmals getheilt ist. Die längsten Strahlen messen bei 7 Wirbel.

Die ausgerandete Caudale stützt sich auf die Fortsätze der drei letzten Wirbel. Die Anzahl ihrer mehrfach getheilten und gegliederten Strahlen dürfte 16 Haupt- und jederseits noch einige Randstrahlen betragen.

Die zarten, glänzenden Schuppen lassen blos die eine fein gestreifte Fläche wahrnehmen.

Fundort: Dolje. Ein Exemplar dieser Art fand ich auch in Vrabce. Eigenthum der geologischen Sammlung in Agram.

10. *Clupea Maceki Kramb.*

(Taf. XIII [VIII], Fig. 10 u. 11.)

Der kürzere Körper, die kräftigeren Kielrippen und die Lage der Dorsale unterscheiden diese Art von der ihr sonst nahe stehenden *Clupea Vukotinovici m.* Durch die letztere Eigenthümlichkeit unterscheidet sie sich aber auch von den übrigen Arten, weshalb ich auch auf weitere Vergleichungen verzichte.

Beschreibung:

Der Körper dieses Fisches ist gestreckt, indem die Leibeshöhe $5\frac{1}{3}$mal in der Gesammtlänge enthalten ist. Der ziemlich lange, nach vorne zugespitzte Kopf beträgt beiläufig den vierten Theil der totalen Länge. Von den Kopfknochen sind Eindrücke des ziemlich hohen Unterkiefers, dann des einen Oberkiefers, des Präoperculums u. s. w. sichtbar, jedoch sind all diese Knochen nicht genügend gut erhalten, um sie beschreiben zu können.

Die mässig starke Wirbelsäule besteht aus ca. 50 quadratischen, fast durchgehends gleich grossen Wirbeln. Die aus ihnen entspringenden Dornfortsätze, und zwar die oberen, sind in der mittleren Körperpartie am wenigsten zur Wirbelaxe geneigt; daselbst schliessen sie mit derselben einen Winkel von ca. 55—60° ein, welcher sich indessen, je mehr sie sich der Caudale nähern, vermindert. Die vorhandenen Fortsätze der unteren Seite entsprechen so ziemlich den ihnen gegenüber liegenden oberen. Die Rippen, sowie Muskelgräten sind zahlreich. Die Kielrippen sind stark und über 20 an der Zahl vorhanden.

Die Dorsale beginnt weit vor der Mitte des Körpers oder ober dem 35. Wirbel (von rückwärts gezählt). Die Anzahl der feinen, von sehr kurzen und zarten Trägern unterstützten Strahlen, beläuft sich auf ca. 16. Vor dieser Flosse steht noch eine Reihe von kräftigeren blinden Trägern.

Von der unter dem 13. Wirbel stehenden Anale sind nur 10 Strahlen mit eben so vielen Trägern noch wahrnehmbar; sie scheint jedoch kaum mehr als 12 oder höchstens 14 Strahlen besessen zu haben.

Die Ventralen liegen knapp vor dem hinteren Ende der Dorsale oder unter dem 27. Wirbel. Ihre Strahlen (8?) sind zart.

Die Pectoralen enthalten je ca. 15 feine Strahlen.

Die Caudale stützt sich auf die Apophysen der 2—3 letzten Wirbel. Sie besteht aus ca. 18 Haupt- und jederseits ca. 4 Randstrahlen. Der längste Strahl misst 11—12 Wirbellängen.

Die Schuppen sind sehr zart.

Fundort: Vrabce, Dolje (?). Im geologischen Museum von Agram.

11. Clupea heterocerca Kramb.

(Taf. XIII [VIII], Fig. 9.)

Unterscheidet sich von den bisher geschilderten Arten durch die gedrungene Gestalt ihres Körpers, welche durch die allmälige Abnahme der Leibeshöhe nach vorne, sowie auch nach rückwärts hervorgerufen wird, die kurzen, höheren als langen Wirbel, den langen, schräg nach aufwärts gerichteten Fortsatz des letzten Wirbels, welcher, wie es scheint, allein einen Schwanzflossenlappen trägt u. s. w.

Beschreibung:

Die Leibeshöhe beim Anfange der Dorsale verhält sich zur totalen Länge wie 1 : 4·5, oder sie gleicht der Länge von 16 Wirbeln; sie bleibt eine Strecke weit gleich, vermindert sich nachher nach beiden Körperenden hin. Die Kopflänge mag den vierten Theil der Gesammtlänge ausmachen Die Kopfknochen sind leider schlecht erhalten und lassen daher keine Beschreibung zu.

Die Wirbelsäule hinterliess der ganzen Länge nach einen sehr deutlichen Abdruck von etwa 40 Gliedern. Die einzelnen Glieder sind mit Ausnahme der vorderen quadratischen Abdominalwirbel, höher als lang und ziemlich stark.

Die Apophysen sind wie gewöhnlich vorne und rückwärts kürzer und mehr zur Wirbelaxe geneigt, als die der mittleren Körperpartie.

Die Rippen und Muskelgräten sind dünn, die Kielrippen kräftig und 20—22 an der Zahl vorhanden. Die längsten davon messen 2¼ Wirbel.

Die Dorsale beginnt ober dem 26. Wirbel (von rückwärts gezählt) und dürfte 12 oder 14 feine Strahlen besitzen. Die Anale hinterliess nur geringe Spuren.

Die Insertionsstelle der Ventralen liegt unter dem 24. Wirbel. Die Pectoralen lassen einige sehr zarte und beträchtlich lange (9 Wirbellängen) Strahlen wahrnehmen.

Die Caudale ist ziemlich lang und tief eingeschnitten. Der eine Flossenlappen scheint sich auf den erwähnten, am Ende gegabelten (?) Fortsatz des letzten Wirbels zu stützen, während der andere Lappen von den Apophysen der zwei vorangehenden Wirbel getragen wird. Die Anzahl der Strahlen dieser Flosse beträgt 16—18 und überdies noch einige Randstrahlen. Der längste Strahl erreicht die Länge von 14 Wirbeln.

Die Schuppen sind dünn und waren wahrscheinlich ziemlich gross.

Fundort: Podsused. In der Sammlung der k. k. geologischen Reichsanstalt in Wien.

Subcl. Selachii Arist.

Ord. Plagiostomata Müll. -- Subord. Squalidea. -- Fam. Lamnoidei.

1. Genus Lamna.

Lamna cf. Hopei Ag.

Schöne Zähne theils aus Kostajnica (leg. M. Sabljak), theils aus dem Leithakalke von Podsused herrührend.

2. Genus Oxyrhina.

Oxyrhina hastalis Ag.

Zähne aus der Umgebung von Kostajnica (Sabljak) und zwei aus dem mediterranen Mergel von Klanjec (leg. Kramb. et J. Medved).

Fam. Nictitantos.

Genus Carcharias.

1. Carcharias megalodon Ag.

Sehr schöne Zähne aus der Umgebung von Kostajnica, Klanjec und Radoboj. Ein von ersterem Fundorte herrührender Zahn dieser Art ist 12·5 cm. lang und bei 11·5 cm. breit.

2. Carcharias cf. polygyrus Ag.

Aus der Umgebung von Kostajnica.

Subcl. Ganoidea. — Ord. Holostei.   Fam. Pycnodontoidei.

Genus Sphaerodus.

Sphaerodus cf. discus Ag.

Aus den Leithakalken von Podsused und Vrabče; geolog. Sammlung in Agram.

SCHLUSS.

Tabellarische Uebersicht der beschriebenen Fische.

Familie	Gattung	Radoboj	Dolje	Vrabče	Podsused	Sv. Nedelja
Percoidei	*Labrax*	—	*Neumayri m.*	*Neumayri (?)*	—	—
	—	*intermedius m.*	—	—	*multipinnatus m.*	*multipinnatus m.*
	Serranus	—	—	—	*dubius m.*	—
Berycoidei	*Metoponichtys*	—	*longirostris m.*	—	—	—
			actucanthus m.	—	—	—
Sparoidei	*Chrysophrys*	—	—	—	*Brusinai m.*	—
Trigloidei	*Scorpaena*	*Pilari m.*	—	—	—	—
			minima m.	—	—	—
Trachinoidei	*Trachinus*	*dracunculus Heck.*	—	—	—	—
Sphyraenoidei	*Sphyraena*	—	—	—	*croatica m.*	—
Mugiloidei	*Mugil*	*Radobojanus m.*	—	*Radobojanus m.*	—	—
Scomberoidei	*Scomber*	*Steindachneri m.*	—	—	—	—
			—	—	*priscus m.*	—
	Auxis	*minor m.*	—	—	—	—
	—	*croaticus m.*	*croaticus (?)*	—	—	—
	—	—	—	—	*thynnoides m.*	—
				Vrabceensis m.		
	Caranx	*gracilis m.*	*gracilis (?)*	*(?) gracilis m.*	*gracilis m.*	—
				—	*Haueri m.*	—
			—	—	*longipinnatus m.*	—
	Proantigonia m.	*Steindachneri m.*	—	—	—	—
	—	*Radobojana m.*	—	—	—	—
Gobioidei	*Gobius*	—	*pullus m.*	—	*pullus m.*	—
	Callionymus	*macrocephalus m.*	—	—	—	—
Gadoidei	*Morrhua*	—	—	—	*aeglefinoides St*	—
			—	—	*lanceolata m.*	—
			macropterygia m.	—	—	—
	Brosmius	—	*susedanus Kn.*	—	*Susedanus Kn.*	—
			—	—	*Fuchsianus m.*	—
			elongatus m.	—	—	—
Pleuronectoidei	*Rhombus*	—	*Bassanianus m.*	*Bassanianus m.*	—	—
			parvulus m.	—	*parvulus m.*	—
Cyprinoidei	(?)	—	—	—	—	*gen. (?)*
Clupeoidei	*Clupea*	—	*elongata St.*	*elongata St.*	—	—
			melettueformis St	—	—	—
			—	—	*arcuata Kn.*	—
			—	—	*inflata Vuk.*	—
			—	—	*lanceolata H. v. M.*	*lanceolata H. v. M.*
			—	—	*humilis H. v. M.*	*humilis H. v. M.*
		sardinites Heck.	—	—	*sardinites Heck.*	—
			doljeana m.	—	*doljeana m.*	—
		—	*Vukotinovici m.*	*Vukotinovici m.*	—	—
		—	*Maecki (?)*	*Maecki m.*	—	—
			—	—	*heterocerca m*	—
Syngnathoidei	*Syngnathus*	*Helmsii St.*	—	—	*Helmsii St.*	—

90

(Aus dieser Tabelle habe ich diejenigen in dieser Arbeit beschriebenen Fische weggelassen, welche an einigen Orten blos vereinzelt aufgefunden wurden.)

Alle den Fundorten R a d o b o j , D o l j e und V r a b č e entstammenden Fische gehören der s a r m a t i s c h e n S t u f e an. Dass aber ein grosser Theil der aus Podsused herrührenden Fische ebenso der genannten Stufe angehört, habe ich bereits im Vorworte hervorgehoben, woselbst ich auch die Gründe angab, die mich bewogen, die Podsuseder Fische von denen der drei erstgenannten Fundorte zu trennen. Immerhin bleibt aber Podsused einer der interessantesten Fundorte, indem man eben da von den tieferen, mediterranen Schichten an eine continuirliche Schichtenreihe verfolgen kann, in der sich der Einfluss von süssem Wasser durch das allmälige Zurücktreten und Verschwinden mancher Typen bemerkbar macht. In den oberen Schichten nämlich finden wir eine Menge von Muschelabdrücken, welche nur einer einzigen Gattung (*Ervillia?*) anzugehören scheinen, ausserdem eine Menge von Häringen und überdies blos nur wenige andere Fischformen. Die tieferen Schichten führen dagegen Foraminiferen, Bryozoen, Seeigel und eine mannigfaltigere Fischfauna.

Kehren wir zu unseren erstgenannten drei Localitäten zurück. Bei der Betrachtung der Tabelle fällt uns vor Allem die ansehnliche Menge der C l u p e a c e e n auf; sie bilden an allen drei Fundorten das gewöhnlichste Vorkommen. Um das Gesagte doch einigermassen zu illustriren, genügt es des Fundortes Dolje zu erwähnen, an welchem ich selbst Ausgrabungen vorgenommen habe und unter ca. 230 ausgegrabenen Individuen ca. 200 blos auf Häringe, die übrigen 30 aber auf 9 Gattungen mit 17 Arten entfallen. An allen genannten Fundorten wird die Gattung *Clupea* nur durch wenige sich nahe stehende Arten vertreten, von denen dann gewöhnlich blos eine vorherrscht, z. B.: in R a d o b o j *Meletta sardinites Heck.*, in D o l j e *Clupea (Meletta) doljeana m.* u. s. w.

Auch an anderen Fundorten wurden in sarmatischen Ablagerungen grösstentheils Clupeaceen aufgefunden. Ich erwähne nur Szakadát's bei Thalheim in Siebenbürgen, wo *Meletta sardinites Heck.* der häufigste Fisch ist [1]. Man kann wohl, obzwar das bisher bekannt gewordene und beschriebene Material aus den sarmatischen Ablagerungen bei weitem noch nicht ausreicht, annehmen, dass das häufige Vorkommen von Clupeaceen in den sarmatischen Ablagerungen charakteristisch ist.

Erwähnenswerth sind auch die beiden Gadoiden-Gattungen *Morrhua* und *Brosmius*. Ueberreste von diesen Gattungen liegen vor aus Dolje und Podsused, jedoch sind diejenigen der ersteren Gattung zahlreicher als die der anderen, von welcher im Ganzen nur 5 Exemplare mit 3 Arten (3 aus Podsused und 2 aus Dolje) vorliegen, während wir von ersterer, der Gattung *Morrhua* nämlich, obwohl auch nur 3 Arten, aber in mehreren Exemplaren besitzen (Dolje, alle drei in 7, Podsused, zwei davon in 5 Stücken). [2] In R a d o b o j wurde bisher meines Wissens blos ein einziger kleiner *Gadoid (Brosmius?)* aufgefunden.

Aus Szakadát sind bis jetzt zwei Gattungen der Familie *Gadoidei* bekannt geworden und zwar: *Strinsia* und *Morrhua* mit je einer Art. Von letzterer Gattung besitzt die k. k. geologische Reichsanstalt eine neue Art, welche ich gelegentlich publiciren werde.

Auch die Familie *Gadoidei* kann ihres häufigeren Vorkommens wegen als bezeichnend für die Ablagerungen der sarmatischen Stufe gelten.

Es sollen nur noch die Gattungen *Rhombus*, *Gobius* und *Callionymus* erwähnt werden. Von ersterer, der Gattung *Rhombus* nämlich, wurden Abdrücke in Dolje, Vrabče und Podsused aufge-

---

[1] Hauer und Stache: „Geologie Siebenbürgens", pag. 570.

[2] Hier wurden auch die in den Wiener Museen aufbewahrten Exemplare in Rechnung gezogen.

11*

finden. Im Ganzen 2 Arten, in 12 Exemplaren, wovon 9 auf Dolje, 1 auf Vrabče und 2 auf Podsused entfallen. Die Gattung *Gobius* (mit einer Art) ist nur aus Dolje und Podsused bekannt. Dolje lieferte 3, Podsused 1 Exemplar. *Callionymus* liegt nur aus Radoboj in 12 Exemplaren vor.

Sehr bemerkenswerth ist das Fehlen oder wenigstens das sporadische Auftreten mancher Gattungen unserer Fundorte. In Radoboj sind z. B. die G a d o i d e n äusserst seltene Funde, dagegen sind sie in Dolje ziemlich häufig. *Rhombus* kommt in Radoboj gar nicht, in Vrabče und Podsused vereinzelt, am häufigsten aber in Dolje vor. Aus der Familie *Gobioidei* finden wir die bisher in fossilem Zustande noch nicht bekannt gewesene Gattung *Callionymus* in einer ansehnlichen Anzahl (12) auftreten, welche, wie es scheint, blos auf Radoboj beschränkt ist. *Gobius* ist nur in Dolje und Podsused aufgefunden. Dieses Mangeln einzelner Gattungen kann man mit Sicherheit als durch verschiedene Lebensbedingungen hervorgerufen betrachten. So lässt sich für Dolje z. B. ganz ungezwungen annehmen, dass zahlreichere Zuflüsse von süssem Wasser stattgefunden haben. Man kann dies einmal nach dem Vorhandensein von *Gobius* annehmen, sowie nach der Beschaffenheit des fischführenden Gesteins. Dieses besteht nämlich fast ausschliesslich aus winzigen Diatomeen. Da sich aber bekanntlich sowohl Diatomeen als auch Gobien am häufigsten dort aufhalten, wo süsse Wasser in's Meer munden, also im Brackwasser, so gewinnt die obige Annahme an Wahrscheinlichkeit. Ganz anders ist der graugrüne Mergelschiefer von Vrabče beschaffen; er enthält keine Spur von Diatomeen und wie es scheint, überhaupt keine organischen Formen. Er ist stark bituminös (siehe Anhang zum geologischen Theil), überdies bildet er im nassen Zustande einen feinen, dunklen Schlamm. Alles dies erinnert an Absätze tieferer, ruhigerer Buchten, die auf Art stagnirender Sümpfe von der Wassercirculation ausgeschlossen sind [1].

Die bisherigen Erörterungen lassen bezüglich des Charakters der Fischfauna der sarmatischen Stufe nur weniges als bestimmt feststellen. Der Grund davon liegt eben in der zu geringen Kenntniss der Fischfauna dieser Stufe; denn um den Charakterzug einer Fischfauna zu erforschen, muss vor Allem eine Anzahl von Localfaunen studirt werden und erst die Summe dieser liefert ein Bild der Fauna irgend einer Stufe. Dasselbe gilt auch für recente Faunen. Ich will blos eines der interessanteren Beispiele Erwähnung thun, welches wir in „B e h m's g e o g r a p h i s c h e m J a h r b u c h e" [2] auf Seite 246 verzeichnet finden. Es fand nämlich Agassiz während seiner ichtyologischen Reise in Süd-Amerika „eine ausserordentliche Zahl von neuen Formen in den Wasserlachen der Urwälder, die auch in der heissen Jahreszeit nicht vertrocknen. Solche Wasserbehälter von oft nur 150 Quadratmetern Oberfläche schwärmen von Fischen und beherbergen fast von Schritt zu Schritt andere Faunen". Dann weiter: „Wanderungen kommen nicht vor, so dass sich die Gesammtfauna aus einer Menge kleiner Gebiete zusammensetzt".

Es darf uns wohl nicht befremden, wenn wir an zwei Localitäten, deren Gleichalterigkeit auf Grund stratigraphischer Verhältnisse genau ermittelt wurde, mitunter nur eine sehr geringe, ja selbst auch keine specifische Uebereinstimmung finden. Den Grund hiefür haben wir uns bereits durch verschiedene Lebensbedingungen zu erklären gesucht, was auch zweifelsohne der Fall sein wird, denn dass eine grössere oder geringere Entfernung vom Ufer, seichtes odes tiefes Wasser, das Vorhandensein von Wasserpflanzen, grössere oder geringere Zuflüsse von süssem Wasser einen bedeutenden Einfluss auf die Menge und Mannigfaltigkeit der Fische ausüben wird, kann wohl nicht

---

[1] Fuchs: „Ueber die Natur d. sarmat. Stufe und deren Analoga etc." Im LXXIV. Bd. d. Sitzungsber. d. Ak. d. Wiss. in d. II. Abth Jahrg. 1877.

[2] Jahrg. 1868, II. Bd.

bezweifelt werden. Trotz dieses geringen Auftretens übereinstimmender Formen aber, ist der Geologe doch nicht berechtigt, den Werth fossiler Fische bei Altersbestimmungen, wie man dies gewöhnlich thut, in Abrede zu stellen. Dass wir bisher noch keine vollständigeren Fischlisten der einzelnen Formationsstufen besitzen, rührt daher, dass sich nur selten ein Paläontologe findet, welcher ein grösseres Interesse für das Studium fossiler Fische bekundet. So lange aber die fossilen Fischfaunen unberücksichtigt bleiben, müssen wir wohl auch verzichten auf so manche gewichtige Schlüsse, die sich aus der Lebensweise und der Art des Auftretens der einzelnen Fische ableiten und auf die Genesis der fischführenden Sedimente übertragen liessen.

THE SHAPTER?

BEITRÄGE ZUR KENNTNISS DER FAUNA DER SLAVONISCHEN PALUDINENSCHICHTEN.

VON

KARL ALPHONS PENECKE.

(Mit Tafel XV—XIX.)

I. Unio Philipson.

Bei der grossen Aufsammlung aus den Paludinenschichten Slavoniens, die Herr Professor Dr. Rudolf Hörnes veranstaltete und die er mir zur Bearbeitung freundlichst überliess, wofür ich ihm, sowie für die namhafte Unterstützung während der Arbeit meinen tiefstgefühlten Dank ausspreche, wurde sorgfältig nach den einzelnen Horizonten vorgegangen, wie sie von Prof. Neumayr und Bergrath Paul aufgestellt und beschrieben wurden[1] und die durch die Aufsammlung selbst sich bestätigten. Unter all' den Formen dieser Fauna beanspruchen die Angehörigen der Gattung *Unio* das grösste Interesse. Es gelang durch die grosse Reichhaltigkeit des Materials auch für diese Gattung das phylogenetische Verhältniss der meisten Formen zu einander festzustellen, dem Beispiel folgend, das Herr Prof. Neumayr bei der Bearbeitung der Fauna dieser Schichten, insbesondere der Gattung Vivipara, gegeben hat. In dieser Arbeit[2] vereinigt Prof. Neumayr „die Unionen der höheren Abtheilungen in vier Gruppen oder Formenreihen", die ich auch nach einiger Modification und Ergänzung, namentlich mit Hinzuziehung der Formen aus den unteren Paludinenschichten, dem Folgenden zu Grunde lege.

Aus den unteren Paludinenschichten kann ich zu den zwei bereits bekannten Formen: *U. maximus* Fuchs (Tab. IV, 1—3) und *U. atavus* Neumayr (non Partsch) = *U. Partschi* nov. form. (Tab. III, 6—8) noch zwei neue hinzufügen: *U. Neumayri* (Tab. I, 1—3) und *U. Hörnesi* (Tab II. 7—10). Diese vier Typen betrachte ich als Ausgangspunkte von Formengruppen, die im Wesentlichen mit Prof. Neumayr's Formenreihe zusammenfallen; und zwar stellt sich mir dar: *U. Neumayri* als Ahne der Formenreihe des *U. Sandbergeri*, *U. Hörnesi* als jener der Formenreihe des *U. Nicolaianus*, *U. Partschi* als der der Gruppe des *U. Hochstetteri*. Zu der Formenreihe des *U. Stachei* fehlt auch mir die Stammform aus den unteren Paludinenschichten oder verbindende Formen mit

---

[1] Die Congerien- und Paludinenschichten Slavoniens und deren Fauna. Ein Beitrag zur Descendenztheorie von Dr. M. Neumayr, a. ö. Universitätsprofessor und C. M. Paul, Bergrath an der k. k. geologischen Reichsanstalt. Abhandlungen der k. k. geologischen Reichsanstalt. Band VII, Heft 3. Wien, 1875.

[2] Wo es nicht ausdrücklich bemerkt wird, beziehe ich mich hier wie im Folgenden auf die oben citirte Arbeit von Neumayr und Paul.

einer der drei vorerwähnten Formengruppen. Zu _U. maximus_ kann ich zwei sehr nahe stehende Formen aus den oberen Paludinenschichten und zwar eine aus dem Horizont der _Vivipara Sturi_ (_U. aff. maximus_, Tab. IV, 4), und eine andere aus jenem der _Vivipara Zelebori_ (_U. Fuchsi_, Tab. IV, 5—7) hinzufügen.

Auch die isolirten Typen sind von allgemeinem Interesse dadurch, dass sie mit Ausnahme von einer (_U. Haeckeli_, Tab. V, 7)[1]) Formen sind, die dem obersten Horizont der ganzen Schichtfolge angehören und somit jene exceptionelle Stellung, die die Fauna der Vivipara-VucotinovićSchichten gegenüber jener der sie unterlagernden charakterisirt, mitbezeugen helfen (vergl. hierüber das bei _U. recurrens_ Puk. Gesagte).

Wie bei den verschiedenen, zeitlich nebeneinander herlaufenden Formenreihen der Gattung _Vivipara_ eine gleiche Art des Entwicklungsganges zu beobachten ist, so auch bei jenen der Gattung _Unio_: dort das Hervorgehen von geknoteten Formen durch die Zwischenformen der gekielten aus glatten Stammtypen, hier das Nachvorwärtsrücken des Schlosses und Wirbels und in vielen Zweigen das Auftreten von stark sculptirten Formen an ihren oberen (jüngsten) Enden.

Nachfolgende graphische Darstellung soll die Lagerungsverhältnisse und genetischen Beziehungen der einzelnen bis jetzt bekannten Formen der verschiedenen Entwickelungsreihen der Unionen aus den slavonischen Paludinenschichten darstellen, wobei jedoch jene wenigen Formen, deren Lager nicht genau bekannt ist, nicht einbezogen wurden.

A. Formengruppe des Unio Neumayri.

1. _Unio Neumayri_ nov. form.

(Tab. XV [1], fig. 1, 2, 3. Aus den unteren Paludinenschichten von Malino.)

Das Gehäuse ist dreiseitig abgerundet, stark gewölbt, aussen glatt, mit Zuwachsstreifen bedeckt. Der Wirbel hoch, stark eingerollt, von ihm zieht nach rückwärts ein schwach entwickelter (oft nur angedeuteter) Kiel. Das Schloss ist kräftig und besteht an der rechten Klappe aus einem dreiseitigen Cardinalzahn und einem scharfen, bogig verlaufenden, kurzen Lateralzahn; an der linken Klappe aus zwei starken, gekerbten Cardinalzähnen, die die Grube für den der rechten Klappe seitlich und oben umschliessen, und zwei, eine rinnenförmige Grube zwischen sich einschliessenden, scharfen und schmalen Lateralzähnen. Der vordere Muskeleindruck ist tief, genetzt, der hintere deutlich, aber seicht.

U. Neumayri steht sehr nahe dem _U. Zelebori_, _Horn._ und ist als dessen Stammform zu betrachten, er unterscheidet sich von ihm durch eine dünnere Schale und einen schwächeren Kiel.

Unsere Form stammt von Malino aus den unteren Paludinenschichten (27 Klappen), wo sie mit _U. maximus_ und _Partschi_ und mit _Vivipara Neumayri_ und _Fuchsi_ vorkömmt.

U. Neumayri ist die Stammform einer grossen Formengruppe, die sich in mehrere Formenreihen verästelt. Die gemeinsamen Charaktere der Angehörigen dieser Gruppe sind neben dem gleichen Grundtypus im Schlossbau die gerundete Gestalt und der hohe, stark eingerollte Wirbel.

Von recenten Formen erinnern am meisten an unsere Form jene nordamerikanischen, die Lea in seine Gruppe der _Unionides nonsymphonites smooth subrotund_ vereinigt, namentlich an _U. circulus_, doch ist hier der Kiel starker und das Schloss kräftiger.

---

[1]) _U. cyamopsis Brus._, die Prof. Neumayr als isolirte Form anführt, dürfte wohl, so weit die Beschreibung und Abbildung Brusina's ein Urtheil gestattet, in die Formengruppe des _U. Neumayri_ gehören.

2. Unio Zelebori M. Hörnes.

(Tab. XV [I], fig. 5, 6, 7, aus dem Bifarcinata-Horizont von Malino.)

1855. *U. Zelebori*, M. Hörnes, Wienerbecken pag. 291, tab. 2 f., fig. 8.

Die Form, die ich mit jener von Hörnes beschriebenen Form identificire, liegt in dem untersten Horizont der mittleren Paludinenschichten von Malino (29 Klappen). Sie schliesst sich unmittelbar an *U. Neumayri* an und unterscheidet sich von ihm durch dickere Schale und kräftigeres Schloss.

Von *U. Zelebori* stammen zwei Formen des mittleren Horizontes der mittleren Paludinenschichten, mit denen er durch Uebergänge verbunden ist. Es stammt von ihm einerseits *U. Sibinensis*, der sich zu ihm verhält wie er selbst zu *U. Neumayri* (d. h. die jüngere Form ist kräftiger und flacher), andererseits *U. pannonicus*, der aus ihm durch stärkere Entwickelung des Kieles hervorgegangen ist. Beide sind die Stammformen je einer Formenreihe, von denen die erste zu sculptirten und gerundeten Formen, die zweite zu gewölbten und stark gekielten führt.

α) Formenreihe des Unio Sibinensis

3. Unio Sibinensis nov. form.

(Tab. XV [I], fig. 8, 9. Aus dem Stricturata-Horizont von Sibin.)

1875. *U. Sandbergeri*, Neumayr (pars) Paludinenschichten pag. 29, tab. 10, fig. 3 (non fig. 1, 2).

Das Gehäuse ist dreiseitig abgerundet, gewölbt, dickwandig, aussen glatt, oder mehr minder concentrisch gewulstet und schwach gekielt, das Schloss sehr kräftig, vom Typus des *U. Neumayri*. Der Wirbel hoch, eingerollt.

Auf Grund eines grossen Materials trenne ich diese Form, die Prof. Neumayr mit seinem *U. Sandbergeri* vereinigte, ab. Sie unterscheidet sich von *U. Sandbergeri* durch eine gewölbtere Schale und dadurch, dass der Wirbel bei *U. Sandbergeri* viel weiter nach vorne liegt, ein Unterschied, den auch Prof. Neumayr zwischen den Figuren 1 und 2 einerseits und Fig. 3 andererseits hervorhebt, den er aber für einen Altersunterschied hält. *U. Sandbergeri* (Fig. 1 und 2) hat auch in der Jugend den Wirbel weiter nach vorne gerückt, was schon aus dem Verlauf der Anwachsstreifen an den Neumayr'schen Figuren 1 und 2 zu ersehen ist.

U. Sibinensis stammt aus dem Horizont der *Vivipara stricturata* von Sibin (57 Klappen) und Malino (3 Kl.) und dem der *Viv. notha* von Sibin (21 Klappen) und Malino (11 Klappen).

U. Sibinensis ist die Stammform des *U. Sandbergeri* und *U. slavonicus*. Uebergangsformen zum ersteren finden sich schon im *Stricturata*-Horizont. Sie sind flacher und excentrischer als der typische *U. Sibinensis*. Die Zwischenformen zu *U. slavonicus* und *Mojsvari* treten erst im *Notha*-Horizont auf, indem sich hier Formen mit einer mehr minder stark concentrisch gewulsteten Oberfläche finden.

4. Unio slavonicus M. Hörn.

(Tab. XV [I], fig. 11, 12, 13, aus dem Sturi-Horizont von Sibin.)

1855. *U. slavonicus*, M. Hörnes, Wienerbecken pag. 293, sig. 37, fig. 7.

U. slavonicus liegt im Horizont der *Vivipara Sturi* von Malino (9 Kl.), Sibin (14 Kl.) und Novska (1 Kl.). Er schliesst sich durch schwach oder nicht geknotete Exemplare an die gewulsteten Formen obiger Art an.

12*

5. *Unio aff. slavonicus nov. form.*

Aus dem Horizont der *Vivipara Zelebori* stammt eine rechte Klappe eines anscheinend jungen Exemplares (Tab. I. Fig. 14), das sich eng an *C. slavonicus* anschliesst, doch stehen die viel stärkeren Querwülste weiter von einander ab, sind daher in geringerer Anzahl vorhanden, als bei *C. slavonicus.*

6. *Unio Mojsvari nov. form.*

(Tab. XV [I], fig. 15, 16, 17 Tab. XVI [II], fig. 1, aus dem Sturi-Horizont von Malino.)

Das Gehäuse ist gerundet, dreieckig, gewölbt, dickschalig, fast gleichseitig; der Wirbel hoch und eingerollt; das Schloss kräftig, vom Typus des *U. Neumayri* Die Oberfläche ist concentrisch gerunzelt, das Mittelfeld trägt auf den Wülsten Knoten, die durch schräg verlaufende, im Zickzack gestellte Furchen getrennt werden. Auf dem Felde nach rückwärts treten auf den schwächer werdenden Wülsten radialgestellte, feine, erhabene Längsrippen auf. Die Wulste am vorderen Theile der Schale sind glatt.

U. Mojsvari stammt aus dem Horizont der *Vivipara Sturi* von Sibin (14 Kl.) und Malino (25 Kl.), und zwar von letzterem Fundort aus dem obersten Theil dieses Horizontes, während in den unteren und mittleren Theilen nur schwächer sculptirte Formen liegen, die sich an die gewulsteten Exemplare von *U. Sibinensis* vollständig anschliessen. Sehr nahe verwandt mit ihm ist *U. Coudai, Porumbaru*[1], von Leamna, mit dem er in der Sculptur sehr übereinstimmt, von dem er jedoch durch viel breiteren Umriss sich unterscheidet. Gleichfalls nahe steht *U. Moldavicusis, M. Hörn.* Auch die recenten amerikanischen Formen der Lea'schen Gruppe der *Uniodes nonsymphynotes nodulous subrotund* ähnelt unserer Form mehr minder, namentlich *U. pernodosus* und *U. irroratus Lea.*

7. *Unio Novskaensis nov. form.*

(Tab. XVI [II], fig. 2, 3, aus dem Hornesi-Horizont von Novska.)

Das Gehäuse ist dreieckig gerundet, gewölbt, auffallend dick und plump, besonders die vordere Hälfte. Das Schloss vom Typus des *U. Neumayri* ist unverhältnissmässig kräftig und massig. Die Oberfläche ist mit mehr minder erhabenen, concentrischen Querwülsten verziert; der Wirbel sehr hoch und eingerollt.

Diese Riesenform stammt aus dem Horizont der *Vivipara Hörnesi* von Novska (10 Kl.). Sie schliesst sich eng an *U. slavonicus* an, unterscheidet sich jedoch in den extremen Exemplaren von ihm schon auf den ersten Blick durch die Grösse und Plumpheit der Schale und des Schlosses. Sehr nahe steht *U. Pilari, Brus.*, aus demselben Horizont des Capla-Graben.

8. *Unio Pilari Brus.*

1874, *U. Pilari*, Brusina, Binnenmolusken pag. 109, tab. III, fig. 1.[2]

Diese von Brusina beschriebene und von Prof. Neumayr bestätigte Form aus dem Capla-Graben liegt mir nicht vor.

---

[1] Etude geologique des environs de Craiova, parcours Bucovatza-Cretzesca par R. C. Porumbaru, ingenieur des mines, licencié ès sciences. Première partie, Paris 1881, pag. III, fig. 6—14.

[2] Fossile Binnenmolusken aus Dalmatien, Kroatien und Slavonien, nebst einem Anhange von Spiridion Brusina, Agram, 1874.

ß) Formenreihe des Unio Sandbergeri.

9. *Unio Sandbergeri* Neum.

1875. *U. Sandbergeri*, Neumayr (pars , Paludinenschichten pag. 29. tab. III, fig. 1 und 2 (non fig. 3 .

U. Sandbergeri liegt mir vor aus dem Horizont der *Vivipara notha* von Malino (11 Kl.). Er zweigt von *U. Sibinensis* ab, indem der Wirbel weiter nach vorne rückt und die Schale flacher, dabei dickwandiger, das Schloss plumper wird. (Vergl. das unter *U. Sibinensis* Gesagte.)

10. *Unio Barrandei* Neum.

1875. *U. Barrandei*, Neumayr, Paludinenschichten pag. 29. tab. III, fig. 4. 5.

Diese Form liegt mir nur in wenigen Exemplaren aus dem Schachte von Sibin (Horizont der *Vivipara Sturi*) vor. Sie ist noch ungleichseitiger als ihre Stammform, der *U. Sandbergeri*, an den sie sich innig anschliesst.

γ) Formenreihe des Unio pannonicus.

11. *Unio pannonicus* Neum.

1875. *U. pannonicus*, Neumayr, Paludinenschichten pag. 29, tab. III. fig. 10.

U. pannonicus liegt im Horizont der *Vivipara stricturata* von Cigelnik (19 Kl.). Prof. Neumayr beschreibt ihn von Sibin. Er geht aus *U. Zelebori* durch stärkere Entwickelung des Kiels hervor. Mit ihm zweigt eine Formenreihe ab, die sich durch einen starken Kiel und hohen Wirbel von den vorigen unterscheidet.

12. *Unio altecarinatus* nov. form.

(Tab. XVI [II], fig. 2, aus dem Sturi-Horizont von Malino.)

Das Gehäuse ist gerundet dreieckig, stark gewölbt, mit hohem, eingerolltem Wirbel versehen; die Oberseite ist mit Zuwachsstreifen und feinen fadenförmigen Radialrippen geziert. Vom Wirbel ziehen etwas hinter der Mitte zwei kräftige, durch eine tiefe und breite Rinne von einander getrennte Kiele nach unten und rückwärts. Das Schloss ist kräftig, vom Typus des *U. Neumayri*.

Diese extrem gekielte Form stammt aus dem obersten Theil des Horizontes der *Viv. Sturi* von Malino (2 Kl.). In den tieferen Theilen liegen daselbst Zwischenglieder zwischen ihr und dem *U. pannonicus* mit schwächeren Kielen.

13. *Unio Ottiliae* nov. form.

(Tab. XVI [II], fig. 5. 6, aus dem Hörnesi-Horizont von Repusnica.)

Das dickwandige Gehäuse ist gerundet, dreieckig, hoch gewölbt, mit kräftigem, hohem Wirbel versehen; das Schloss ist kräftig, vom Typus des *U. Neumayri*. Die Oberfläche trägt starke, gewulstete Anwachsstreifen, die mit flachen, durch winkelig gestellte Furche getrennten Höckern geziert sind, die besonders am Mittelfeld der Schale auftreten. Vom Wirbel zieht über die Mitte der Schale ein deutlicher Kiel, hinter dem, in beiläufig gleichem Abstand von ihm und dem Hinterrande, sich ein zweiter erhebt.

Diese schöne Form stellt das sculptirte Endglied der *Pannonicus*-Reihe dar und stammt aus dem Horizont der *Vivipara Hörnesi* von Repusnica (9 Kl.)

δ) Formenreihe des Unio aff. Pauli.

14. *Unio aff. Pauli Neum.*

1875. *U. nov. form. (aff. Pauli).* Neumayr, Paludinenschichten pag. 30.

Prof. Neumayr erwähnt l. c. das Fragment einer Schale der Stammform von *U. Pauli* und *ptychodes* aus den Schichten der *Vivipara notha*. Mir liegen die Wirbel eines Schalenpaares aus dem Horizont der *Vivipara Sturi* von Malino vor, die auch hierher gehören und die auf einen Anschluss dieser Reihe an *U. pannonicus* hindeuten. Leider sind die Reste so schlecht erhalten, dass auf eine nähere Beschreibung dieser Stammform vorläufig verzichtet werden muss.

15. *Unio Pauli Neum.*

1875. *U. Pauli,* Neumayr, Paludinenschichten pag. 31, tab. II, fig. 1—4.

Diese und die nächstfolgende Form sind sehr nahe verwandt und unterscheiden sich nur durch die Wülste der Oberfläche, die bei den einzelnen Exemplaren in sehr verschiedenem Grade der Entwickelung auftreten. Doch halte ich den glatten *U. Pauli* für die ältere Form, weil jene fragmentäre Stammform glatt ist und andererseits der gewulstete *U. ptychodes* noch im nächst jüngeren Horizonte der *Vivipara Zelebori* auftritt, während *U. Pauli* auf den Horizont der *Vivipara Hörnesi* beschränkt bleibt.

Unio Pauli und *ptychodes* liegen mir vor aus Podwin (2 Kl. und 2 Doppelkl.) und dem Capla-Graben (20 Kl.) aus dem Horizonte der *Vivipara Hörnesi.*

16. *Unio ptychodes Brus.*

1874. *U. ptychodes,* Brusina, Binnenmolusken pag. 108, tab. V, fig. 1, 2.

Er liegt mir vor aus dem Capla-Graben aus dem Horizont der *Vivipara Hörnesi* und von Repusnica aus dem Horizont der *Vivipara Zelebori* (6 Kl.). Ueber seine genetische Stellung vergleiche das bei *U. Pauli* Gesagte.

Brusina beschreibt noch zwei Formen aus den Paludinenschichten, die wohl in die Formengruppe des *U. Neumayri* gehören: *Unio Vucasovicianus,* der dem *Unio Pilari* nahe stehen soll, und *Unio cyamopsis,* der, soweit sich nach der mangelhaften Abbildungsweise Brusina's und nach der Beschreibung urtheilen lässt, auch hierher gehört. Da mir beide Formen fehlen und über ihr Lager nichts Näheres bekannt ist, so kann ich über ihre genetische Stellung nichts Näheres sagen und erwähne sie hier nur anhangsweise.

B. Formengruppe des Unio Hörnesi.

17. *Unio Hörnesi nov. form.*

(Tab. XVI [II]. fig. 7—10. Aus den unteren Paludinenschichten des Capla-Grabens.)

Das Gehäuse ist quereiförmig, gewölbt, vorne steil abgerundet, nach rückwärts verlängert; der Wirbel hoch, stark eingerollt und weit nach vorne gerückt. Von ihm zieht ein Kiel nach unten und rückwärts; auf dem von diesem nach rückwärts gelegenen Theil der Schale treten feine, faden-förmige, erhabene Radialrippen auf, die hie und da bogignetzförmig verbunden sind. Das Schloss ist kräftig und besteht auf der rechten Klappe aus einem dreiseitigen, verbreiterten Cardinalzahn und einem ziemlich langen, leistenförmigen Lateralzahn, auf der linken Klappe aus zwei an den Kanten gekerbten Cardinalzähnen, die bogenförmig die Grube für den Zahn der rechten Klappe seitlich und oben umziehen, und zwei leistenförmigen Lateralzähnen, die zwischen sich die rinnenförmige Grube für den Seitenzahn der rechten Klappe einschliessen. Der vordere Muskeleindruck ist tief und durch zwei kleine, nach innen gelegene, accessorische verstärkt, der hintere ist deutlich aber viel seichter.

Unio Hörnesi stammt aus dem Capla-Graben aus den untern Paludinenschichten mit *Vivipara Suessi* (23 Kl.). Er ist mit *Unio Neumayri*, mit dem er im Schlossbau fast vollständig übereinstimmt, verwandt. Es liegt mir auch vom Fundorte des letzteren eine linke Klappe vor, die stark nach rückwärts verlängert ist, so dass sie eine Zwischenform beider Typen darstellt. Da jedoch eine stratigraphische Gliederung der unteren Paludinenschichten noch nicht durchgeführt ist, so ist es zweifelhaft, welche als die Stammform anzusehen sei, doch halte ich aus morphologischen Gründen *Unio Neumayri* dafür.

Von *Unio Hörnesi* stammt eine Gruppe von Formen ab, die durch das Weitnachvorwärts-rücken der Wirbel ausgezeichnet ist. dabei wird dieser bei der jüngern Form sehr nieder. Die jüngsten Formen dieser Gruppe erhalten eine sculptirte Oberfläche.

z) Formenreihe des Unio Bittneri.

18. Unio Bittneri nov. form.

(Tab. XVi [II], fig. 11, 12. Aus dem Bifarcinata-Horizont von Sibin.

Das Gehäuse ist quereiförmig, gewölbt, vorne steil abgerundet, nach rückwärts verlängert; der Wirbel hoch, eingerollt, weit nach vorwärts gerückt. Die Oberseite ist glatt, gekielt. Das Schloss zeigt den Typus des *Unio Hörnesi.*

U. Bittneri schliesst sich unmittelbar an *U. Hörnesi* an; er ist nur kräftiger und dickschaliger als dieser und der Wirbel niedriger. Er liegt im Horizont der *Vivipara bifarcinata* von Sibin (11 Kl.) und der *V. stricturata* von Cigelnik (4 Kl.).

Von ihm stammen zwei Formen, der *U. Stolitzkai* und *Nicolaianus*. Ersterer schliesst sich direct an ihn an, letzterer ist durch Zwischenform mit niedrigem Wirbel mit ihm verbunden (solche liegen im Bifarcinata-Horizont von Sibin).

19. Unio Stolitzkai Neum.

1873. *U. Stolitzkai.* Neumayr. Paludinenschichten pag. 29, tab. II, fig. 9.

Diese Form liegt in ziemlicher Anzahl aus dem Horizont der *Vivipara notha* von Malino (22 Kl.) und Sibin (12 Kl.) vor. Der Professor Neumayr'schen Beschreibung habe ich hinzuzufügen, dass auf dem vom Kiele nach rückwärts gelegenen Schalentheil an guterhaltenen Exemplaren eine Sculptur von fadenförmigen, erhabenen Radialrippen, die durch ebensolche bogig verlaufende Quer-rippen netzartig verbunden sind, zu sehen ist, eine Sculptur, die schon bei *U. Hörnesi* und *Bittneri* angedeutet, hier aber stärker zur Entwicklung gekommen ist. Dass *U. Stolitzkai* mit *U. Barrandei* ,sehr nahe verwandt ist', halte ich für unrichtig. Von recenten Formen, die dieser Formenreihe nahe stehen, scheint es sehr wenige zu geben. *U. incrassatus Lea* erinnert durch die Sculptur des Feldes hinter dem Kiele und den allgemeinen Umriss namentlich an *U. Stolitzkai.*

β) Formenreihe des Unio Nicolaianus.

20. *Unio Nicolaianus Brus.*

1874. *U. Nicolaianus*, Brusina, Binnenmolusken, pag. 116, tab. VI, fig. 1, 2.

U. Nicolaianus ist durch Formen, deren Wirbelentwicklung zwischen seiner und jener von *U. Bittneri* steht, mit letzterem verbunden. Solche Uebergangsformen finden sich mit *U. Bittneri* in den Bifarcinata-Schichten von Sibin, und mit ihm selbst in demselben Horizont von Malino.

U. Nicolaianus liegt mir vor aus dem Horizont der *Vivipara bifarciuata* von Malino (7 Kl.). Professor Neumayr erwähnt ihn aus den Horizonten der *Vivipara stricturata* und *notha* von Malino und Sibin.

21. *Unio Brusinai nov. form.*

(Tab. XVII [III], fig. 1, 2. Aus dem Sturi-Horizont von Sibin.)

Das Gehäuse ist quereiformig, vorne abgerundet, nach rückwärts verlangert; die Oberfläche glatt, mit Zuwachsstreifen versehen; der Wirbel sehr nieder, ganz nach vorne gerückt. Das Schloss ist kräftig, die Muskeleindrucke sind tief.

U. Brusinai stammt aus dem Horizont der *Vivipara Sturi* von Sibin (24 Kl.). Er schliesst sich eng an *U. Nicolaianus* an, von dem er sich durch noch niedrigeren und noch weiter nach vorne gerückten Wirbel unterscheidet.

22. *Unio Beyrichi Neum.*

1875. *U. Beyrichi*, Neumayr, Paludinenschichten pag. 28, tab. III, fig. 11.

Diese von Prof. Neumayr vom Ausbiss von Sibin beschriebene Form liegt mir nicht vor, wohl aber eine aus dem nächst höhern Horizont, dem der *Vivipara Sturi*, die sich an *U. Beyrichi* vollständig anschliesst und zu ihm verhalt, wie *U. Brusinai* zu *U. Nicolaianus*, nämlich:

23. *Unio Zitteli nov. form.*

(Tab. XVII [III], fig. 3, 4, 5. Aus dem Sturi-Horizont von Sibin.)

Das Gehäuse ist quereiformig, vorne abgerundet, nach rückwarts verlängert, der Wirbel sehr nieder, ganz nach vorne gerückt; das Schloss ist kräftig. Die Oberfläche zeigt die gleiche Sculptur wie *U. Beyrichi*.

Ueber das genetische Verhältniss dieser Form siehe das bei *U. Beyrichi* Gesagte.

U. Zitteli stammt aus dem Horizont der *Vivipara Sturi* von Sibin (26 Kl.), wo er mit *U. Brusinai* und *clivosus* häufig vorkommt.

24. *Unio Haueri Neum.*

1875. *U. Haueri*, Neumayr, Paludinenschichten pag. 28, tab. II, fig. 5, 6.

Diese Form wurde von Professor Neumayr aus dem Unionensand von Podwin (Horizont der *Vivipara Hörnesi*) beschrieben. Mir fehlt sie, doch glaube ich sie richtig an *U. Zitteli* anzuschliessen.

25. Unio sculptus Brus.

1874. *U. sculptus*, Brusina, Binnenmolusken pag. 112, tab. III, fig. 3, 4 (non tab. VII, fig. 2).

Auch diese Form fehlt mir, doch dürfte sie sich ebenfalls an *U. Beyrichi* oder *U. Zitteli* anreihen [1]).

C. Formengruppe des Unio Partschi.

26. Unio Partschi nov. form.

(Tab. XVII [III], fig. 6, 7, 8. Aus den untern Paludinenschichten von Malino.)

1875. *U. atavus*, Neumayr, Paludinenschichten pag. 27.

Das Gehäuse ist verlängert quereiförmig, nach hinten erweitert, bauchig; der Schlossrand gerade, der Bauchrand bogenförmig; der Wirbel eingerollt. Das Schloss der rechten Klappe besteht aus einem fast dreieckigen, an der Oberkante gekerbten Cardinalzahn, und einem langen geraden Lateralzahn; das der linken aus zwei, zu einem langen, schmalen Hauptzahn verschmolzenen Hauptzähnen, die die Grube für den Zahn der rechten Klappe seitlich und oben umgrenzen, und zwei langen geraden Lateralzähnen, die zwischen sich die rinnenförmige Grube für den Seitenzahn der rechten Klappe einschliessen. Der vordere Muskeleindruck ist tief, durch zwei accessorische verstärkt. Die Oberseite ist mit Ausnahme des Wirbels glatt, mit feinen Zuwachsstreifen versehen. Den Wirbel zieren winkelig gebogene Runzeln.

Der *U. Partschi* liegt in den untern Paludinenschichten von Malino (44 Kl.) mit U. *Neumayri* und *U. maximus*, und *Vivipara Neumayri* und *V. Fuchsi*. Er steht dem *U. atavus Partsch* sehr nahe, unterscheidet sich jedoch von ihm durch gestrecktere Gestalt, niedrigeren Wirbel und hauptsächlich durch die welligrunzelige Sculptur seines Wirbels, wodurch er dem *U. tumidus* sehr nahe steht, doch hat unsere Form einen höheren Wirbel, der weiter vorne steht, und das Schloss ist, wenn auch von gleichem Typus, doch schwächer.

Von *U. Partschi* stammt der grösste Theil jener Formen, die Professor Neumayr als Formenreihe des *U. Hochstetteri* vereinigt hat.

z) Formenreihe des Unio subthalassinus.

27. Unio subthalassinus nov. form.

(Tab. XVII [III], fig. 9 aus dem Bifarcinata-Horizont von Malino und fig. 10, 11 aus dem Stricturata-Horizont von Sibin.)

Das Gehäuse ist verlängert quereiförmig, nach rückwärts verschmälert, der Schlossrand gerade, der Bauchrand bogenförmig, der Wirbel eingerollt. Das Schloss vom Typus des *U. Partschi*. Die Oberseite glatt, mit feinen Zuwachsstreifen versehen. Der Wirbel ist mit winkelig gebogenen Runzeln geziert.

U. subthalassinus stammt aus dem Horizont der *Vivipara bifarcinata* von Malino (4 Kl.) und dem der *Vivipara stricturata* von Sibin (2 Kl.). Er steht zwischen *U. Partschi* und *U. thalassinus*, indem die Verschmälerung des Hintertheiles und die Sculptur des Wirbels stärker als bei jenem, aber schwächer als bei diesem entwickelt ist.

---

[1]) In Heude, Conchiologie fluviatile de la province de Nanking etc. (3. Heft) ist auch eine Form *U. sculptus Deshayes* genannt. Sie steht dem *U. tumidus* nahe, ist jedoch mit etwas stärkeren Runzeln versehen.

28. Unio thalassinus Brus.

1874. U. thalassinus, Brusina, Binnenmolusken pag. 114, tab. V. fig. 7, 8.

Diese von Brusina beschriebene Form schliesst sich eng an die vorhergehende an und tritt schon im Horizont der *Vivipara notha* von Malino auf (8 Kl.), wenn auch diese älteren Exemplare die Sculptur mehr auf den Wirbel und dessen nächste Umgebung beschränkt haben als die jüngeren, aus den oberen Horizonten. Ferner findet er sich häufig im Horizont der *Vivipara Sturi* von Malino 36 Kl.) und nach Brusina im Unionensand der Capla (— Horizont der *Vivipara Hörnesi*).

29. Unio Petersi nov. form.

Aus dem Horizont der *Vivipara Hörnesi* und dem der *Vivipara Zelebori* von Repusnica liegen Fragmente vor von einer Form, die wohl als Endglied unserer Reihe zu betrachten ist. Leider sind die Fragmente so mangelhaft, dass eine nähere Beschreibung der Form dermalen nicht gegeben werden kann. Sie war dickwandiger als *U. thalassinus*, scheint auch grösser geworden zu sein, und wie ein aus dem Zelebori-Horizont erhaltener Wirbel zeigt, war jene Runzelsculptur desselben, die für die ganze Reihe charakteristisch ist, noch kräftiger entwickelt.

ε) Formenreihe des Unio Hilberi.

30. Unio Hilberi nov. form.

(Tab. XVII [III], fig. 12 aus dem Stricturata-Horizont von Sibin.)

Das Gehäuse ist dick, verlängert eiförmig, vorne abgerundet, nach rückwärts verschmälert, der Wirbel nach vorwärts gerückt, der Schlossrand gerade, der Bauchrand bogenförmig. Das Schloss kräftig, vom Typus des *U. Partschi*.

Die Oberfläche zeigt deutliche Anwachsstreifen und feine, quer über letztere verlaufende, eingegrabene Furchen und feine, fadenförmige, erhabene Linien.

U. Hilberi liegt im Horizont der *Vivipara stricturata* (2 Kl.) und *notha* (1 Kl.) von Sibin. Er schliesst sich einerseits an *U. subthalassinus* an, andererseits trägt er den Beginn jener Sculptur, die bei *U. Porumbarui* bereits viel stärker entwickelt ist, und bei *V. Vucotinovici* so auffallend in den Vordergrund tritt

31. Unio Porumbarui nov. form.

(Tab. XVII [III], 14, 15. Aus dem Sturi-Horizont von Malino.)

Das Gehäuse ist dick, verlängert eiförmig, ungleichseitig, vorne abgerundet, nach hinten verschmälert. Der Wirbel liegt ganz vorne, ist eingerollt. Das Schloss ist kräftig. Die Oberfläche gekielt und mit concentrischen Wülsten bedeckt, die durch theilweise bogig verbundene Rinnen, namentlich am hintern Theil der Schale quer durchfurcht werden.

U. Porumbarui liegt im obersten Theil des Horizontes der *Vivipara Sturi* von Malino (5 Kl.). Er ist durch Uebergangsformen, die aus dem untern und mittleren Theil desselben Horizontes stammen, mit *U. Hilberi* auf das Engste verbunden, und unterscheidet sich von ihm durch stärkere Sculptur und durch das Weiternachvornetreten des Wirbels.

32. Unio Vucotinovici Hörn.

1855. U. Vucotinovici. M. Hörnes, Wienerbecken pag. 293, tab. 37. fig. 10.

U. Vucotinovici liegt mir vor aus dem Horizont der Vivipara Hörnesi von Repusnica (12 Kl.) und aus dem der Vivipara Zelebori von Repusnica (11 Kl.), Kovacevac (6 Kl.) und aus dem Capla-Graben (20 Kl.). Schwach geknotete Exemplare vermitteln den Uebergang von ihm zu U. Porumbarui, von dem er sich nur durch stärkere Sculptur und grössere Ungleichseitigkeit unterscheidet.

33. Unio Strossmayrjanus Brus.

1874. U. Strossmayrjanus, Brusina, Binnenmolusken pag. 113, tab. VII. fig. 5.

Mir fehlt diese Form, die nach der Darstellung Prof. Neumayr's durch noch stärkere Entwicklung der Sculptur aus U. Vucotinovici hervorgegangen ist. Sie wurde aus dem Unionensand der Capla (= Horizont der Vivipara Hörnesi) beschrieben.

γ) Formenreihe der Unio Hochstetteri.

34. Unio Hochstetteri Neum.

1875. U. Hochstetteri, Neumayr, Paludinenschichten pag. 32, tab. IX, fig. 1.

Obwohl mir diese Form nicht vorliegt, bin ich nach Prof. Neumayr's Beschreibung und Abbildung nicht zweifelhaft über ihre phylogenetische Stellung als Zwischenglied zwischen U. subthalassinus, mit dem sie das verschmälerte Hinterende gemeinsam hat, und U. Oriovacensis. Sie stammt aus dem Ausbiss von Sibin, also aus dem Horizont der Vivipara stricturata, oder jenem der Vivipara notha.

35. Unio Oriovacensis M. Hörn.

1855. U. Oriovacensis, M. Hörnes, Wienerbecken pag. 292, tab. 37, fig. 9.

U. Oriovacensis liegt mir vor aus dem Horizont der Vivipara notha von Malino (3 Kl.). Er ist als Stammform des U. excentricus zu betrachten, dem er sehr nahe steht, und den er mit U. Hochstetteri verbindet.

36. Unio excentricus Brus.

1874. U. excentricus, Brusina, Binnenmolusken pag. 117, tab. VI, fig. 3, 4.

Diese Form liegt mir vor aus dem Horizont der Vivipara Sturi von Malino (4 Kl.). Sie schliesst sich eng an U. Oriovacensis an, von dem sie sich neben der bedeutenderen Grösse dadurch unterscheidet, dass der Wirbel noch weiter nach vorne, fast über den Vorderrand der Schale hinaus, vorgerückt ist.

In die Formengruppe des U. Partschi dürfte noch U. Kakovcianus Brus. gehören. Auch Prof. Neumayr, der ebenfalls nie ein Exemplar gesehen, stellt ihn „in Folge einer allgemeinen Aehnlichkeit" zu den Angehörigen dieser Formengruppe.

13*

D. Formenreihe des Unio Stachei.

37. *Unio Stachei* Neum.

1873. *U. Stachei*, Neumayr, Paludinenschichten pag. 33, tab. II, fig. 7, 8.

Er liegt mir aus dem Horizont der *Vivipara stricturata* von Malino (2 Kl.) und der *Vivipara notha* von Sibin (1 Kl.) vor. Ueber seine Stammform weiss ich nichts zu sagen.

38. *Unio clivosus* Brus.

(Tab. XIX [V], fig. 1, 2. Aus dem Sturi-Horizont von Sibin, fig. 3 von Malino.)

1874. *U. clivosus*, Brusina, Binnenmolusken pag. 111, tab. V, Fig. 1, 2

U. clivosus liegt mir in ziemlicher Anzahl (31 Kl.) aus dem Horizont der *Vivipara Sturi* von Sibin und in 2 Exemplaren aus demselben Horizont von Malino vor. Er schliesst sich eng an seine Stammform, den *U. Stachei*, an, von dem er sich durch kräftiger entwickelte Sculptur und niedrigeren, ganz nach vorne gerückten Wirbel unterscheidet.

39. *Unio cymatoides* Brus.

1874. *U. cymatoides*, Brusina, Binnenmolusken pag. 113, tab. IV, fig. 3, 4.

Mir fehlt diese aus dem Unionensand der Capla (= Horizont der *Vivipara Hörnesi*) beschriebene Form. Doch bin ich über ihre phylogenetische Stellung als Endglied der Unio-Stachei-Reihe nicht zweifelhaft.

E. Formenreihe der Unio maximus.

40. *Unio maximus* Fuchs.

(Tab. XVIII [IV], fig. 1, 2, 3. Aus den untern Paludinenschichten von Malino.)

1870. *U. maximus*, Fuchs, Jahrbuch der geol. Reichsanstalt, Bd. XX, pag. 256.

Mir liegen Bruchstücke dieser Riesenform aus den untern Paludinenschichten von Malino vor, die theilweise das Schloss erhalten zeigen. Das Schloss der rechten Klappe zeigt einen Cardinalzahn, der eine niedrige, parallel zum Schlossrand verbreiterte dreiseitige Pyramide darstellt und einen langen und hohen, leistenförmigen Lateralzahn von dreieckigem Querschnitt, der nach rückwärts weit vom Rande der Klappe abgerückt ist. Ein Fragment der linken Klappe zeigt zwei dreiseitig-pyramidale Hauptzähne, die zwischen sich die Grube für den Zahn der rechten Klappe einschliessen. Der vordere Muskeleindruck liegt unter den Hauptzähnen, ist tief und an seiner obern rückwärtigen Ecke durch zwei accessorische verstärkt. Der Wirbel ist sehr nieder, nicht eingerollt. Die Oberseite ist concentrisch gewulstet.

41. *Unio aff. maximus.*

(Tab. XVIII [IV], fig. 4. Aus dem Sturi-Horizont von Malino.)

Aus dem Horizont der *Vivipara Sturi* von Malino liegt ein Fragment einer linken Klappe mit den Lateralzähnen vor, das nur auf eine dem *U. maximus* sehr nahe stehende Form bezogen werden kann. Der Lateralzahn ist vorne einfach, von dreieckigem Querschnitt, nach rückwärts theilt er sich in zwei schmälere Leisten, die zwischen sich eine rinnenförmige Grube einschliessen. So mangelhaft dieses Fragment auch ist, ist es doch von grossem Interesse dadurch, dass es das Mittelglied einer Reihe darstellt, die mit *U. maximus* in den untern Paludinenschichten beginnt und zu *U. Fuchsi* des Zelebori-Horizontes führt.

42. Unio Fuchsi nov. form.

(Tab. XVIII [IV], fig. 5. Aus dem Zelebori-Horizont von Repusnica, fig. 6, 7 von dem Capla-Graben.)

Aus dem Horizont der *Vivipara Zelebori* stammen von Repusnica und aus dem Capla-Graben Abdrücke und Fragmente einer Form, die sehr nahe dem *U. maximus* der untern Paludinenschichten steht, jedoch, soweit die mangelhaften Fragmente ein Urtheil erlauben, Unterschiede aufweist, die eine Trennung dieser beiden Formen rechtfertigen.

U. Fuchsi scheint etwas kleiner zu sein, ferner zeigt ein Abdruck von Repusnica eine stärkere, concentrische Wulstung und ein Schalenfragment der rechten Klappe aus dem Capla-Graben, das den Lateralzahn trägt, zeigt, dass dieser schmäler und höher und noch weiter vom Rande abgerückt ist als bei *U. maximus*.

Auf eine nahere Beschreibung dieser interessanten Form muss wohl bis zur Auffindung besser erhaltener Exemplare gewartet werden.

Vom Fundort in dem Capla-Graben liegt auch eine sehr grosse Perle vor, die sich in Folge ihrer Grösse nur auf *U. Fuchsi* beziehen lässt. Sie ist fast halbkugelig und zeigt auf der flachen Seite sehr deutlich concentrisch-schalige Anwachsschichten (ihre Grösse ist folgende: Länge 30 mm, Breite 25 mm, Dicke 17 mm).

F. Isolirte Formen.

43. Unio Haeckeli nov. form.

(Tab. XIX [V], 7. Aus dem Notha-Horizont von Sibin.)

Das Gehäuse ist niedrig-dreieckig, abgerundet, stark querverlängert, gewölbt, der Wirbel hoch, eingerollt, fast mittelständig. Das kräftige Schloss besteht auf der rechten Klappe aus einem langen und schmalen, dreieckigen, am Rücken gekerbten Cardinalzahn, und einem langen, leistenförmigen Lateralzahn, auf der linken Klappe aus zwei langen dreieckigen Hauptzähnen, von denen der hintere bedeutend kleiner ist als der vordere. Die Grube für den Hauptzahn der rechten Klappe liegt unter- und innerhalb vom grösseren Hauptzahn der linken. Die Muskeleindrücke sind tief, der vordere stärker als der hintere, und durch einen accessorischen an der untern hintern Ecke verstärkt. Diese grosse, isolirt dastehende Form liegt mir in zwei zusammengehörigen Klappen aus dem Horizont der *Vivipara notha* von Sibin vor.

44. Unio Sturi M. Hörn.

(Tab. XIX [V], 4—6. Aus dem Vucotinovici-Horizont von Novska.)

1855. *U. Sturi*, M. Hörnes, Wienerbecken, pag. 289, tab. 37, fig. 5.

Diese Form stammt aus dem Horizont der *Vivipara Vucotinovici* von Novska (7 Kl.) und steht vollständig isolirt da. Da mir sehr schöne Exemplare vorliegen, so bringe ich sie nochmals in Abbildung.

45. Unio Wilhelmi nov. form.

(Tab. XVIII [IV], 9. Aus dem Vucotinovici-Horizont von Novska.)

Das Gehäuse ist dick, verlängert eiförmig, vorne abgerundet, nach rückwärts verlängert, der Schlossrand ziemlich gerade, der Bauchrand bogig, der Wirbel nieder. Die Oberseite mit concentrischen scharfen Falten geziert. Das Schloss der linken Klappe besteht aus zwei kräftigen, dreieckigen, am Rücken gekerbten Cardinalzähnen, von denen der rückwärtige der grössere ist, und die zwischen sich eine dreieckige Grube einschliessen, und zwei langen leistenförmigen Lateralzähnen mit einer rinnenförmigen Grube zwischen sich.

Die Sculptur dieser isolirten Form ähnelt sehr jener des *U. clivosus*, der allgemeine Umriss jenem von *U. Nicolaianus*, doch tritt der Vorderrand weiter vor, der Wirbel zurück.

46. Unio recurrens nov. form.

(Tab. XVIII [IV], fig. 8. Aus dem Vucotinovici-Horizont von Novska.)

Das sehr dickschalige, flache Gehäuse ist verlängert eiförmig, vorne abgerundet, nach rückwärts verbreitert, der Wirbel niedrig, mit winkeligen Runzeln geziert. Die übrige Oberfläche glatt. Das Schloss ist kräftig, der vordere Muskeleindruck tief. Der Mantelrand sehr deutlich bezeichnet und in der Mitte des Bauchrandes bogig eingezogen.

Diese Form ist ebenso isolirt, wie die übrigen Unionen des Horizontes der *Vivipara Vucotinovici*. Sie erinnert jedoch viel mehr an die Formen der untern Paludinenschichten, als an jene der mittlern und obern, namentlich durch den vortretenden Vorderrand und das Zurücktreten des Wirbels.

Ueberhaupt zeigt die Fauna des Horizontes der *Vivipara Vucotinovici* eine Sonderstellung gegenüber den Faunen der übrigen Horizonte der obern Paludinenschichten, die sich in den Vertretern der drei herrschenden Moluskengattungen der Paludinenschichten: *Vivipara*, *Melanopsis* und *Unio* charakterisirt.

Die *Vivipara Vucotinovici* schliesst sich an keine Form der mittleren und obern Paludinenschichten an, sondern an die im folgenden zu beschreibende neue Art *Vivipara Rudolphi*, die von der *Vivipara Fuchsi* abzweigt, mit der sie in den untern Paludinenschichten von Malino mit *Vivipara Neumayri*, *U. maximus*, *U. Neumayri*, *U. Partschi* etc. vorkömmt.

Die *Melanopsis Esperi* des *Vucotinovici*-Horizontes zeigt gleichfalls keine Vorläufer in den mittlern und obern Paludinenschichten, sondern steht der *Melanopsis decollata* der untern Paludinenschichten am nächsten. Und endlich die Unionen dieses Horizontes stehen ganz isolirt, doch tragen sie entschieden die Charaktere der älteren Formen, besonders die zwei oben neu beschriebenen Arten.

Dieses interessante Verhältniss hat wohl seinen Grund in einer Veränderung der chorologischen Verhältnisse zu oder vor Beginn der Ablagerungen der Schichten mit *Vivipara Vucotinovici*, ein Verhältniss, das sich wohl erst durch das genaue Studium der gleichalterigen Ablagerungen der benachbarten Länder klar erkennen lassen wird, doch kann man schon jetzt die Fauna dieses obersten Horizontes der gesammten Paludinenschichten als eine heterotopische bezeichnen.

ÜBER DIE MUNDÖFFNUNG VON LYTOCERAS IMMANE OPP.

VON

M. N E U M A Y R

(Mit Tafel XX.)

Während bei manchen Ammonitengattungen ganz erhaltene Mundränder durchaus nicht selten auftreten, findet bei anderen das Gegentheil statt, so dass Exemplare, an welchen dieser wichtige Theil zu sehen ist, zu den grössten Ausnahmen gehören; in den Juraablagerungen fallen namentlich *Phylloceras* und *Lytoceras* in die letztere Kategorie, und es scheint mir daher gerechtfertigt, hier eine Mittheilung über ein sehr grosses *Lytoceras* aus den obertithonischen Kalken von Stramberg in Mähren zu geben, bei welchem die Mündung vorhanden ist und ganz aussergewöhnliche Verhältnisse zeigt. Dieses wunderbare Stück befindet sich in der Sammlung der geologischen Reichsanstalt in Wien, welche dasselbe von Herrn Pfarrer Prorok in Neu-Titschein zum Geschenke erhielt; Herr Oberbergrath Stur hatte die Güte, mir dasselbe zur Beschreibung zu übergeben, wofür ich ihm hier meinen besten Dank ausspreche.

Die nächste Aufgabe, welche vorliegt, ist die Art zu bestimmen, mit welcher wir es zu thun haben; durch den Windungsquerschnitt, welcher im Alter bedeutend breiter als hoch ist, durch die Art des Anwachsens der Umgänge. die Form des Nabels und die Sculptur stimmt das Exemplar sehr gut mit der von Oppel als *Ammonites immanis*[1] beschriebenen Form, welche von Zittel als *Lytoceras Liebigi var. Strambergensis* bezeichnet wird[2]. Allerdings kennen wir die Entwicklung der Mündung bei dieser Form nicht, nachdem aber die stärkeren Rippen von *Lytoceras immane Opp.* im Verlaufe mit den alten Mundrändern des hier zu schildernden Exemplares durchaus übereinstimmen, so glaube ich unbedenklich identificiren zu können. Aus der unten folgenden Beschreibung dieser Ränder geht dann unzweifelhaft hervor, dass jenen isolirten vorspringenden Rippen, durch welche sich *Lytoceras immane* von *L. Liebigi* unterscheidet, eine andere und weit höhere morphologische Bedeutung zukömmt, als man bisher gedacht hatte, und ich glaube daher auch, dass die Verwandtschaft zwischen den beiderlei Typen weit weniger eng ist, als man früher annahm.

Die Beschreibung bei Zittel ist so genau, dass ich derselben nur insoferne etwas hinzuzufügen habe, als es der exceptionelle Erhaltungszustand meines Exemplares mit sich bringt; die Wohnkammer misst etwa $^2/_3$ eines Umganges, ist demnach ziemlich kurz; die Mündung ist zwar nicht vollständig

[1] Oppel, die tithonische Etage. Zeitschrift der deutschen geologischen Gesellschaft 1865, pag. 551.
[2] Zittel, die Cephalopoden der Stramberger Schichten, pag. 74, Taf. XI.

erhalten und ebensowenig einer der alten Mundränder, allein aus der Combination der einzelnen Theile kann man sich ein ziemlich vollständiges Bild von derselben machen; an der Naht beginnt das Peristom als ein stark nach rückwärts gerichteter Wulst; auf den Flanken verliert dasselbe die Neigung nach rückwärts, es entwickelt sich zu einer sehr hohen, dünnen, trompetenförmig ausgebreiteten Lamelle, die dann auf der Externseite wieder ganz schmal zu werden scheint.

Ebensolche höchst eigenthümliche Mundränder werden im Verlaufe des Wachsthums in grösserer Anzahl entwickelt, und bleiben unresorbirt stehen, zwölf derselben sind auf dem letzten Umgange des vorliegenden Exemplares mehr oder weniger deutlich constatirbar, doch muss sich deren Zahl, nach den Distanzen zwischen je zweien auf etwa 14 erhoben haben.

Auf dem letzten Umgange stehen die Ränder in sehr regelmässigen Intervallen, und es findet dabei das sehr merkwürdige Verhältniss statt, dass auf dem gekammerten Theile dieser Windung Kammerscheidewände und alte Mundränder sich nach Zahl und Lage genau entsprechen. Wie sich die Sache auf den inneren Umgängen verhält, ist an dem vorliegenden Exemplare nicht sichtbar, nachdem aber auf kleinen Individuen (vgl. z. B. Zittel, loco citato Taf. XI, Fig. 1) die kräftigeren Rippen, welche abgebrochenen Mundrändern entsprechen, weniger zahlreich werden und endlich im Inneren ganz zurücktreten, so scheint sich die grosse Menge der Wulste erst auf dem letzten Umgange zu entwickeln, und auch das Verhältniss zwischen Kammerscheidewänden und alten Mundrändern kann sich erst im späteren Wachsthumsstadium herausbilden.

Besondere Beachtung verdient noch die Beziehung zwischen den Rändern und den Wülsten, welche bei deren Zerstörung auf Schale oder Steinkern zurückbleiben, indem bei ungenügender Beachtung der thatsächlichen Verhältnisse falsche Schlüsse naheliegend scheinen. Diese Wülste entsprechen nämlich in ihrem Verlaufe durchaus nicht genau der Form der Mündung; dieselben sind um den Nabel sehr stark rückläufig, gegen die Externseite sehr stark nach vorne gerichtet, während in der Mitte der Flanken eine mächtige Einbuchtung nach rückwärts vorhanden ist; diese letztere fehlt der vollständigen Mündung und entspricht nur der trompetenförmigen Ausbreitung; indem nämlich beim Weiterwachsen der Schale die Röhre verlängert wird, kann diese natürlich nicht an den äusseren Rand der erweiterten Mündung anschliessen, sondern es muss nun die normale Röhre von dem Punkte aus nachgebaut werden, wo die Erweiterung begonnen hat; da nun diese nur auf den Flanken, nicht an der Naht und auf der Externseite vorhanden ist, so wird nur auf den letzteren das Zurückbauen stattfinden, da nun die betreffenden Wülste der Linie entsprechen, wo die neugebildete Schale an die alte Mündung anschliesst, so wird deren Ausbuchtung nur durch dieses Verhältniss, nicht aber durch ein wirkliches Zurückweichen der Mündung auf den Seitentheilen der Schale hervorgerufen.

Durch dieses Resultat wird uns die Beantwortung einer anderen Frage wesentlich erleichtert, welche sich von selbst aufdrängt und bei der eminenten Bedeutung der Mundöffnung für die Kenntniss der Ammoniten von grosser Wichtigkeit ist; es handelt sich nämlich darum, wie weit bei der Gattung *Lytoceras* derartige Bildungen verbreitet vorkommen; wohl sind in der Literatur schon einzelne Arten dieses Genus mit erhaltenem Mundrande abgebildet, allein es sind dies lauter kleine Exemplare, von denen wir nicht wissen, welche Gestalt sie im erwachsenen Zustande annehmen. Aus dem oben Gesagten können wir nun aber mit Sicherheit folgern, dass eine Gestalt des Peristoms, wie wir es bei *Lytoceras immane* kennen gelernt haben, nur bei Arten mit stark geschwungenen und auf den Flanken ausgebuchteten Wülsten vorhanden gewesen sein kann; dadurch ist aber die Zahl der Arten, welche in Betracht kommen können, sehr reducirt, sie beschränkt sich auf *Lytoceras Honoratianum Orb.* aus dem Neocom und *municipale Opp.* aus dem Tithon; eine nicht ganz übereinstimmende, aber doch sehr verwandte Entwicklung scheinen die Wülste auf der letzten Windung von *Lytoceras Agassizianum* Piet. (*centrocinctum Qu*) aus dem Grünsande der Perte du Rhône zu verrathen.

Ueber die anderen Lytoceraten liegen noch viele Zweifel vor; die z. B. bei *Lytoceras sepositum* von Meneghini abgebildete Ausbildung, welche eine einfache Einschnürung aufweist, ist nur am Steinkerne beobachtet, und man weiss also durchaus nicht, ob am Schalenexemplare nicht eine Erweiterung stattfindet. Für solche Arten, welche vereinzelte, fast oder ganz gerade Rippen auf den Windungen zeigen, wie das so sehr häufig der Fall ist, scheint eine über die ganze Ausbreitung der Windung, auf Flanken, wie auf der Externseite, senkrecht abstehende Lamelle die Normalform der Mündung darzustellen, wie, die Richtigkeit der Zeichnungen vorausgesetzt, aus d'Orbigny's Abbildungen von *Lytoceras fimbriatum Sow.* und *lepidum d'Orb.* hervorzugehen scheint. Für Formen mit ziemlich schwachen und gleichmässigen Radiallinien haben wir vorläufig noch keinen hinreichenden Anhaltspunkt. Jedenfalls aber scheint soviel sicher, dass eine so auffallende und starke trompetenartige Erweiterung, wie wir sie bei *Lytoceras immane* hier kennen gelernt haben, zu den seltenen Ausnahmsfällen gehört; es geht aber daraus auch hervor, dass bei *Lytoceras* die Form der Mündung sehr schwankend ist, und dass der Gestalt und dem Verlaufe der Schalenwülste eine sehr hohe Bedeutung für das richtige Verständniss der Arten zukömmt.

Das vorliegende Stück bietet jedoch noch nach einer anderen Richtung grosses Interesse; vor dem letzten wohlerhaltenen Mundrand, den man auf den ersten Blick als einen definitiven zu betrachten geneigt sein möchte, findet sich noch eine weitere Verlängerung der Röhre und Spuren noch einer Trompetenmündung, in ganz normaler Entfernung von der vorhergehenden. Während jedoch sonst das Exemplar nirgends Spuren eines erlittenen Druckes zeigt, ist diese vorderste Partie vollständig zusammengequetscht und in unregelmässiger Weise zerknittert; gleichzeitig bemerkt man, dass die Schale hier eine viel weniger dicke und consistente ist, als an den übrigen Theilen des Gehäuses. Offenbar war hier die Verkalkung der Rohre keine vollkommene, und wir können diesen Abschnitt mit jenem unvollkommen verkalkten, hornigen Abschnitte an dem Gehäuse im Wachsen begriffener Helix-Arten vergleichen.

Ich kann mich nicht erinnern irgendwo in der Literatur einen derartigen Fall bei einem Ammoniten beschrieben gesehen zu haben; es ist hier vor allem merkwürdig, dass die unfertige Strecke genau den Raum vom Ende der Röhre bis zur vorletzten Trompetenmündung umfasst; es wurde oben gezeigt, dass die Abstände zwischen je zwei solchen Trompeten und zwei Kammerscheidewänden im Innern sich genau entsprechen, es geht also daraus hervor, dass an dem vorliegenden Exemplar genau der Raum unvollständig verkalkt ist, um welchen das Vorderende des Thieres sich nach vorne schiebt, wenn das Hinterende um den Betrag der letzten Luftkammer vorrückt; der Betrag an Schalenzunahme am Mundrand, welcher der Vorschiebung um eine Luftkammer entspricht, wird also nicht allmälig sondern gleichzeitig verkalkt; ob auch die gesammte erste Anlage dieses Schalentheiles gleichzeitig resp. in sehr kurzer Zeit geschieht, möchte ich heute nicht entscheiden und noch weniger möchte ich nach dem vereinzelten Exemplar, das mir vorliegt, ein Urtheil darüber abgeben, ob die Vorschiebung des Thieres in der Röhre ruckweise vor sich geht. Derartige wichtige Fragen über das Wachsthum der Ammonitiden werden hoffentlich beantwortet werden können, wenn man einmal eine grössere Anzahl ähnlich erhaltener Exemplare, wie das hier beschriebene, kennen wird; sie sind sicher nicht häufig, aber doch kann ich mich der Vermuthung nicht verschliessen, dass solche Reste unvollkommen verkalkter Vorderenden von Röhren mehrfach vorkommen, bisher aber nur der Aufmerksamkeit entgangen sind; vielleicht trägt die vorliegende Notiz dazu bei, dass der Sache mehr Beachtung geschenkt wird.

BEITRÄGE ZUR KENNTNISS DER TIEFEREN ZONEN DES UNTEREN LIAS IN DEN NORDÖSTLICHEN ALPEN

VON

D^R. FRANZ WÄHNER.

(Zweiter Theil mit Tafel XXI[IX]—XXVI[XIV].)

Aegoceras Rahana n. f.

(Taf. XXI [IX], Fig. 1—4.)

	Fig. 2	Fig. 3	Fig. 4
Durchmesser	56 mm (= 1)	... 42 mm (= 1)	... 17·8 mm (= 1)
Nabelweite	26 , (= 0·46)	... 18·5 „ (= 0·44)	... 6·5 „ (= 0·37)
Höhe des letzten Umganges	17 „ (= 0·30)	... 14 „ (= 0·33)	... 6·5 „ (= 0·37)
Dicke	12 „ (= 0.21)	... 10 „ (= 0·24)	... 4·6 „ (= 0·26)

Das in Fig. 1 abgebildete Exemplar besteht aus sieben sichtbaren Umgängen von länglich ovalem Querschnitte, mit stark plattgedrückten Flanken und schwach ausgesprochener Nabelkante Da ein Theil der äusseren Windung fehlt und die Schale nach einer Richtung durch den Gebirgsdruck verzerrt ist, so wurden keine Dimensionen angegeben. Der äussere Umgang ist etwa $^3/_{10}$-involut.

Die Flanken sind mit ziemlich kräftigen geraden Rippen bedeckt, welche von der Naht an schief nach rückwärts verlaufen, in der Nähe der Externseite aber deutlich nach vorwärts gebogen sind. Von der Beugungsstelle an werden die Rippen niedriger und breiter, und in der Mitte der Externseite vereinigen sie sich als schwach erhabene, breite Falten in einem nach vorne convexen Bogen. An gut erhaltenen Stellen zeigt die Schale ausser den Rippen mit diesen parallele, feine Anwachsstreifen. Wenn an der Externseite auf einer der breiten Falten zwei deutlich hervortretende Anwachsstreifen aufsitzen, erhält man den Eindruck, als würden sich die Rippen in feine Streifen zu theilen beginnen. Eine wirkliche Spaltung der Rippen tritt aber nirgends auf, auch nicht am Schlusse des äusseren Umganges (bei einem Durchmesser von etwas mehr als 100 mm). Die Rippen sind auf der äusseren Windung minder kräftig als auf den vorhergehenden, insbesondere am Schlusse, wo sie uerst nach rückwärts, dann erst nach vorne sich biegen, und die Vereinigung in der Mitte der Externseite nur bei guter Beleuchtung sichtbar ist. Die besprochene S-förmige Beugung veranlasst hier bei zwei Falten (aber nur auf einer Flanke) eine ganz abnorme Knickung, welche in der Abbildung bedeutend abgeschwächt wiedergegeben ist. Das Exemplar trägt auf jenem Umgange, welcher dem Durchmesser von 75 mm entspricht, 40, auf der nach innen anschliessenden Windung 33 und auf der nächst inneren Windung 27 einfache Rippen. Der sechste Umgang (von aussen gezählt)

115

trägt statt der Rippen einige in weiten Abständen stehende wulstige Knoten, der innerste sichtbare Umgang erscheint hingegen ganz glatt.

Die Lobenlinie ist unsymmetrisch, ziemlich stark zerschnitten und hat einen gut entwickelten Nahtlobus, welcher so tief herabreicht als der erste Lateral. Es wurde die ganze Suturlinie abgebildet, um zu zeigen, dass auf jener Seite, von welcher der Sipho sich entfernt hat, nicht nur die eine Hälfte des Siphonallobus und der Externsattel, sondern alle Loben und Sättel viel kräftiger ausgebildet sind, als auf jener Seite, auf welche der Sipho verschoben erscheint. Beiderseits finden sich vier Auxiliaren und noch ein unbedeutender Zacken unmittelbar an der Naht.

Da an dem in Fig. 2 abgebildeten Exemplare die Externseite am Schlusse des äusseren Umganges verletzt ist, so wurden die oben angegebenen Dimensionen an einer eine kurze Strecke weiter rückwärts gelegenen Stelle abgenommen. Bei einem Durchmesser von 56 mm trägt der äussere Umgang 39, der vorletzte 32 und der nächst innere 26 einfache Rippen. Das in Fig. 3 abgebildete Exemplar hat auf dem letzten Umgange 38, auf dem vorletzten 30 Rippen. Das kleinste der abgebildeten Exemplare (Fig. 4) hat 27 Rippen auf dem äusseren Umgange.

Aegoceras Rahana schliesst sich unter den bisher besprochenen Formen am nächsten an *Aeg. haploptychum* und *Aeg. anisophyllum*; es ist von beiden durch die geringere Dicke der Windungen und minder kräftige Sculptur sehr leicht zu unterscheiden. *Aeg. anisophyllum* unterscheidet sich ausserdem durch bedeutend engeren Nabel und grössere Windungshöhe. Das in Fig. 3 abgebildete Exemplar (vom Lämmerbach) nähert sich durch etwas grössere Dicke dem *Aeg. haploptychum.*

Vorkommen: In dem gelbgrauen Kalke mit *Aeg. megastoma* von Schreinbach.

Aus dem gleichen Niveau dieser Localität stammt eine in Taf. XXI [IX], Fig. 5 dargestellte Form, welche, wie aus den nachstehend angeführten Dimensionen ersichtlich, in den Windungsverhältnissen mit *Aeg. Rahana* vollkommen übereinstimmt. Durchmesser 67 mm (= 1); Nabelweite 31 mm (= 0·46); Höhe des letzten Umganges 20 mm (= 0·30); Dicke 13 mm (= 0·19). Das Exemplar trägt jedoch vom Beginn der zweiten Hälfte des äusseren Umganges an nebst den über die ganze Flanke verlaufenden Falten kürzere secundäre Rippen. Der äussere Umgang ist mit 35 Hauptfalten besetzt; an der Externseite desselben sind 42 Falten sichtbar. Die Lobenlinie konnte nicht dargestellt werden; sie weist eine bedeutende Asymmetrie auf und gleicht, soviel erkennbar, genau jener von *Aeg. Rahana.*

Aegoceras Frigga n. f.

(Taf. XXIII [XI], Fig. 1—3.)

	Fig. 1.	Fig. 2.	Fig. 3.
Durchmesser	47 mm (= 1)	35 mm (= 1)	27·5 mm (= 1)
Nabelweite	22 „ (= 0·47)	13 „ (= 0·37)	10·3 „ (= 0·37)
Höhe des letzten Umganges	15 „ (= 0·32)	13 „ (= 0·37)	10 „ (= 0·36)
Dicke	9·5 „ (= 0·20)	8 „ (= 0·23)	7 „ (= 0·25)

Diese Form stimmt in den Dimensionen und der Gestalt der Umgänge mit *Aeg. Rahana* überein; die Flanken sind noch ein wenig stärker plattgedrückt, und auch die Externseite scheint etwas abgeflacht. Die durchaus einfachen Rippen sind jedoch sehr hoch und schmal und die Zwischenräume sehr breit, so dass die Sculptur ungemein scharf hervortritt. Die Rippen verlaufen schief nach rückwärts über die Flanken, krümmen sich in der Nähe der Externseite nach vorwärts und vereinigen sich in der Mitte derselben in einem nach vorne convexen Bogen. An der Vereinigungsstelle sind die Rippen an Höhe nur wenig abgeschwächt und bleiben durch die tiefen Zwischenräume sehr deutlich markirt; sie fallen hier nur langsamer gegen die Zwischenräume ab und erscheinen daher breiter und weniger scharf. Der äussere Umgang des in Fig. 1 abgebildeten Exemplares trägt 36, der vorletzte 29, der folgende 24 Rippen. An den Flanken sind an Stellen, wo die Schale erhalten, engstehende feine Anwachsstreifen, welche den Rippen parallel verlaufen, sichtbar.

Die Suturlinie ist schwächer verzweigt als bei *Aeg. Rahana.* Die Asymmetrie ist sehr bedeutend. Beide Zweige des Siphonallobus liegen auf derselben Flanke, wobei gewöhnlich der innere Zweig schief nach innen, der äussere schief nach aussen verläuft, so dass also die Zweige schwach divergiren. Bei einer der beiden abgebildeten Suturen findet sich noch die besondere Abnormität, dass der äussere Zweig des Siphonallobus schief nach innen verläuft und doppelt so lang wird als der innere Zweig. Die an die äusseren Zweige der Siphonalloben sich anschliessenden Externsättel erreichen eine viel bedeutendere Höhe als die Externsättel der anderen Flanke. Es sind drei Auxiliaren vorhanden.

Das in Fig. 2 abgebildete Exemplar hat einen engeren Nabel und grössere Windungshöhe, stimmt im Uebrigen aber gut überein. Der äussere Umgang ist mit 33, der vorletzte mit 26 Rippen besetzt. Die Asymmetrie der Lobenlinie ist noch bedeutender. Die Externsättel sind indessen auf beiden Seiten gleich hoch. Dagegen sind Externsattel, erster Laterallobus und Lateralsattel auf der einen Seite weit breiter als auf der anderen.

Das in Fig. 3 dargestellte Exemplar stimmt in den Windungsverhältnissen so ziemlich mit dem letzterwähnten, ist aber etwas dicker und mit enger stehenden, minder scharfen Rippen besetzt. Es trägt auf der äusseren Windung 34, auf der vorletzten 26 Rippen.

Aeg. Frigga erinnert durch das Verhalten der Sculptur sehr an *Aeg. curviornatum* und verwandte Formen, von denen es sich jedoch schon durch die geringere Dicke leicht unterscheiden lässt.

Vorkommen: In dem gelbgrauen Kalke mit *Aeg. megastoma* vom Schreinbach und in dem rothen Kalke mit Brauneisenconcretionen von der gleichen Localität.

Aegoceras n. f. ind. cf. Frigga.
(Taf. XXIII [XI], Fig. 4.)

Durchmesser 25·5 mm (= 1); Nabelweite 8·5 mm (= 0·33); Höhe des letzten Umganges 9·5 mm (= 0·37); Dicke 5·5 mm (= 0·22).

Es liegt ein gut erhaltenes, kleines Exemplar vor, welches in dem Verhalten der Sculptur mit *Aegoceras Frigga* übereinstimmt, von diesem aber durch grössere Windungshöhe, stärkere Involubilität und engeren Nabel, sowie durch geringere Dicke unterschieden ist. Der äussere Umgang trägt 30 durchaus einfache Rippen.

Die Lobenlinie ist etwas schwächer verzweigt als bei *Aeg. Frigga*. Der Nahtlobus erreicht nicht die Tiefe des ersten Laterals. Bis zur Nabelkante, welche bei der geringen Dicke der Windung sehr nahe der Nahtlinie liegt, sind drei Auxiliaren vorhanden. An der oberen der beiden abgebildeten Lobenlinien liegt der Sipho rechts von der Medianlinie, an der unteren links davon; an den diesen vorhergehenden Suturen ist er, soweit es zu beobachten ist, immer nach rechts verschoben, und zwar um einen merklicheren Betrag.

Vorkommen: In dem gelbgrauen Kalke mit *Aeg. megastoma* vom Schreinbach.

15*

117

Aegoceras n. f. ind.

(Taf. XXIII [XI], Fig. 5).

Durchmesser 35 mm (= 1); Nabelweite 13 mm (= 0·37); Höhe des letzten Umganges 12·5 mm (= 0·36); Dicke 8 mm (= 0·23).

Diese nur in einem schön erhaltenen Exemplare vorliegende Form stimmt in den Windungsverhältnissen mit dem in Taf. XXIII [XI], Fig. 2 abgebildeten Exemplare von *Aeg. Frigga* überein, unterscheidet sich aber durch seine schwächer markirten, viel zahlreicheren Falten. Die Flanken sind auffallend plattgedrückt, die Nabelkante ist gut ausgebildet, auch die Externseite ist plattgedrückt. Der äussere Umgang trägt 42 (der vorletzte 37) sehr zierlich geschwungene, einfache Rippen, welche bis zur Mitte der Externseite kräftig bleiben und sich dort mit einer geringen Abschwächung vereinigen. Die beiden letzten der gezählten Rippen, insbesondere die vorletzte, sind schwächer markirt (minder stark erhaben) und sind einander mehr genähert, als die vorhergehenden. Nach diesen sind noch einige sehr schwache, dicht gedrängte Streifen auf dem inneren Theile der Flanke an Stelle der Rippen sichtbar. Zugleich mit dieser Abschwächung der Rippen dürfte hier (an dem nicht mehr vorhandenen Umgange) ihre Spaltung begonnen haben. Die Rippen vollführen eine ungefähr S-förmige Biegung, indem sie zuerst schwach nach rückwärts, hierauf sehr stark nach vorwärts gekrümmt sind.

An der einen Suturlinie, welche dargestellt werden konnte, ist keine Asymmetrie zu bemerken. Der Lateralsattel überragt beträchtlich den Externsattel. Der Nahtlobus, in welchem der zweite Lateral stark gegen den ersten zurücktritt, hängt nicht so tief herab als der erste Lateral. Es sind nur zwei Auxiliaren vorhanden.

Vorkommen: In dem gelbgrauen Kalke mit *Aeg. megastoma* vom Schreinbach.

Aegoceras polystreptum n. f.

(Taf. XXII [X], Fig. 1.)

Durchmesser 125 mm (= 1); Nabelweite 77 mm (= 0·62); Höhe des letzten Umganges 27 mm (= 0·22); Dicke 19 mm (= 0·15).

Diese Form zeichnet sich unter allen bisher besprochenen durch das langsame Anwachsen der Windungen (geringe Windungshöhe) und durch weiten Nabel aus. Sie liegt nur in einem gut erhaltenen Exemplare vor, welches aus mindestens sieben schwach involuten Umgängen mit plattgedrückten Flanken und gerundeter Externseite besteht. Der Betrag der Involubilität konnte nicht bestimmt werden, weil das Ende des letzten Umganges eine Strecke über den vorletzten Umgang hinübergeschoben ist. Dies sowie der Umstand, dass die ganze Schale in dieser Richtung etwas verdrückt ist, bewirken eine kleine Ungenauigkeit in den oben angegebenen Dimensionen, welche bei der Grösse des Exemplars nicht schwer ins Gewicht fällt.

Die kräftigen Rippen verlaufen auf den inneren Umgängen in radialer Richtung oder schwach schief nach rückwärts über die Flanken und biegen sich da sehr bald nach vorwärts; auf den äusseren Umgängen (etwa von der zweiten Hälfte des drittletzten Umganges an) verlaufen sie jedoch auf den Flanken deutlich schief nach **vorwärts** (in gerader Linie) und krümmen sich hierauf in der Nähe der Externseite nach vorwärts, um sich in der Mitte der letzteren in einem nach vorne convexen Bogen zu vereinigen, wobei sie etwas an Breite zunehmen, an Höhe aber nur eine geringe Abschwächung erfahren. Der äussere Umgang trägt 52, der vorletzte 50, der drittletzte 39 durchaus einfache Rippen. Es ist bis zum Schlusse nie eine Andeutung einer Einschaltung secundärer Rippen vorhanden.

Die Suturlinie ist schwach unsymmetrisch, ziemlich reich verzweigt, mit gut ausgebildetem Nahtlobus. Es sind vier Auxiliaren vorhanden, von denen der vorletzte noch etwas tiefer herabreicht als der erste Lateral. Die einzelnen Scheidewandlinien stehen enge an einander und berühren sich an vielen Punkten. Einzelne Lobenäste sind daher öfter in ihrer Ausbildung durch die Sattelblätter der vorhergehenden Sutur behindert. Das erste Fünftel des letzten Umganges ist gekammert, die übrigen vier Fünftel gehören der Wohnkammer an.

Vorkommen: In dem gelbgrauen Kalke mit *Aeg. megastoma* vom Schreinbach.

Aegoceras loxoptychum n. f.

(Taf. XXII [X], Fig. 2.)

Durchmesser 111 mm (= 1); Nabelweite 62 mm (= 0·56); Höhe des letzten Umganges 27 mm (= 0·24); Dicke 17 mm (= 0·15).

Diese Form, welche mir ebenfalls nur in einem ziemlich gut erhaltenen Exemplare bekannt ist, unterscheidet sich von der soeben besprochenen durch schnellere Höhen- und Dickenzunahme, sowie dadurch, dass die Rippen auf den Flanken sehr stark nach rückwärts geneigt verlaufen und an der Umbiegungsstelle sehr rasch undeutlich werden, so dass ihre Vereinigung in der Mitte der Externseite nicht mehr erkennbar ist. Auf den Flanken selbst sind die Rippen sehr hoch und kräftig. Die Externseite der äusseren Windung ist ein wenig zugeschärft. Der letzte Umgang trägt 38, der vorletzte 39 durchaus einfache Rippen.

Die Lobenlinie ist stark unsymmetrisch. Von den drei kräftigen Auxiliaren reichen die beiden letzten tiefer herab als der erste Lateral. Die einzelnen Suturen folgen nicht so dicht gedrängt aufeinander als bei *Aegoceras polystreptum*. Der Lateralsattel überragt nicht so bedeutend den Externsattel, und der innere Hauptast des ersten Laterals erreicht fast die Tiefe des mittleren Hauptastes. Dennoch ist die Höhe der Lobenkörper mit Rücksicht auf die Windungshöhe eine beträchtliche, und die ganze Lobenzeichnung erscheint daher äusserst kräftig.

Vorkommen: In dem gelbgrauen Kalke mit *Aeg. megastoma* vom Schreinbach.

Aegoceras toxophorum n. f.

(Taf. XXIV [XII], Fig. 5—7.)

	Fig. 5.		Fig. 6.		Fig. 7.	
Durchmesser	59·5 mm (= 1)	. .	42·5 mm (= 1)	. . .	27 mm (= 1)	
Nabelweite	21·5 , (= 0·36)	. . .	14 , (= 0·33)	. . .	9 , (= 0·33)	
Höhe des letzten Umganges	22 , (= 0·37)	. . .	17 , (= 0·40)	. . .	10·5 , (= 0·39)	
Dicke	12·5 , (= 0·21)	. . .	9·5 , (= 0·22)	. . .	6 , (= 0·22)	

Das in Fig. 5 abgebildete Exemplar besteht aus fünf ¹/₅-involuten Umgängen von länglich-ovalem Querschnitt, mit plattgedrückten Flanken und deutlicher Nabelkante. In der ersten Hälfte des äusseren Umganges ist die Externseite noch gleichmässig gerundet, in der zweiten schärft sie sich ein wenig zu, d. h. die Dicke nimmt hier gegen die Externseite etwas schneller ab. Die Umgänge sind mit zahlreichen kräftig markirten Falten bedeckt, welche in ungefähr radialer Richtung über die Flanken verlaufen, in der Nähe der Externseite sich stark nach vorwärts biegen, bis sie, ganz nahe der Mitte der letzteren, rasch an Höhe abnehmen und sich dann vereinigen. Der äussere Umgang trägt 40 über die ganze Flanke verlaufende Rippen, der vorletzte 37. Ausserdem finden sich in der zweiten Hälfte des äusseren Umganges drei kürzere, eingeschobene (secundäre) Falten, die eine zu Beginn dieser Hälfte, die beiden anderen gegen Ende des Umganges; auf der dazwischen liegenden Strecke findet sich ferner zweimal eine Falte, welche etwas schwächer als die anderen markirt ist. Einer der innersten Umgänge (der vierte von aussen) ist an Stelle der Rippen mit wulstigen Knoten besetzt.

Die Lobenlinie ist stark unsymmetrisch und schwach verzweigt. Die Lobenkörper sind gegenüber der Windungshöhe sehr niedrig. Der schwach ausgebildete Nahtlobus hängt nicht so tief herab als der erste Lateral. Bis zur Nabelkante sind zwei, bis zur Naht vier Auxiliaren entwickelt. Die einzelnen Suturen folgen nahe aufeinander und berühren sich.

An dem in Fig. 6 abgebildeten Exemplare nimmt die Dicke gegen die Externseite etwas schneller ab, die letztere erscheint daher ein wenig zugeschärft. Der aussere Umgang trägt 37 Rippen. Dieselben erscheinen alle einfach. Nur an einer Stelle, welche beschädigt ist,'so dass das Verhältniss nicht genau constatirbar ist, scheinen drei Rippen auf der Flanke schwächer markirt zu sein als die andern.

Das in Fig. 7 abgebildete kleinste Exemplar hat die Externseite gleichmässig gerundet, und seine Involubilität ist etwas stärker als $^1/_3$. Der aussere Umgang trägt 40, der vorletzte 34 Rippen. Gegen Ende des äusseren Umganges folgen einigemale je eine gut markirte Rippe und je eine schwach erhabene aufeinander, welche sich gegen die Naht zu einander mehr zu nähern pflegen, während zwischen je zwei Paaren solcher Rippen ein etwas grösserer Zwischenraum nahe der Naht vorhanden ist. ein Verhältniss, das häufig bei Formen eintritt, deren Rippen sich bald zu spalten beginnen. Es scheinen also bei diesem Individuum, welches auch zahlreichere Rippen hat als die beiden vorerwähnten, etwas früher kürzere, secundäre Falten sich eingeschoben, beziehungsweise die Spaltung der Rippen eher begonnen zu haben.

Diese Form ist durch geringe Dicke, grosse Windungshöhe und engen Nabel, durch zahlreiche deutlich markirte, auf den innern Windungen sehr schmale Rippen gut charakterisirt und von den anderen hier besprochenen Formen leicht zu unterscheiden. Sie steht dem *Aeg. Guidonii Sow. (Canav.)*[1]) sehr nahe, welches sich durch engeren Nabel, durch die schon bei jungen Exemplaren gespaltenen Rippen und durch die stärker verzweigte Lobenlinie unterscheidet.

Vorkommen: In dem gelbgrauen Kalke mit *Aeg. megastoma* vom Schreinbach und in dem rothen Kalke mit Brauneisenconcretionen vom Lämmerbach.

Aegoceras pleuronotum Cocchi.

(Taf. XXV, [XIII], Fig. 3)

1882. *Aegoceras pleuronotum Cocchi, in Canavari*, Unt. Lias von Spezia., Palaeontographica, Bd. XXIX, S. 169, Taf. XIX, Fig. 2, 4. 5 non Fig. 3.

Diese kürzlich von Canavari unter einem Manuscriptnamen Cocchi's beschriebene Form aus dem unteren Lias von Spezia ist auch in den Alpen vertreten. Canavari betrachtet „die im paläontologischen Museum zu München befindlichen, mit »*Aegoceras*, Gruppe des *Aeg. Roberti Hauer*" etiquettirten Ammoniten aus dem unteren Lias (Angulatenschichten) der Alpen' als hieher gehörig und bildet einen derselben (vom Schreinbach) in Fig. 4 ab. Der grösste Theil dieser Exemplare ist

---

[1]) Canavari, Unt. Lias von Spezia, Palaeontographica XXIX, S. 167, Taf. XVIII, Fig. 14 und 15, non Fig. 16. Canavari hat irrthümlich *Aeg. Emmrichi Guemb* mit *Aeg. Guidonii Sow.* identificirt. Näheres hierüber bei Besprechung des *Aeg. Emmrichi.*

jedoch, wie in den folgenden Seiten dargelegt werden soll, zu anderen Formen zu stellen. Auch das in Fig. 3 abgebildete Bruchstück eines ausnahmsweise grösseren Ammoniten von Spezia kann nach meinem Dafürhalten nicht mit den in Fig. 2, 4, 5 dargestellten Exemplaren vereinigt werden; es besitzt eine beträchtlich grössere Windungshöhe als diese. (Vgl. S. [21—22]) Der obige Name wird daher auf die letzteren, welche den von Canavari angegebenen Dimensionen entsprechen, zu beschränken sein.

Es sind überdies einige Ungenauigkeiten in der Beschreibung Canavari's zu berichtigen. „Die Seiten sind leicht gewölbt und ohne Nabelkante", heisst es in der Beschreibung; in der in Fig. 2c dargestellten Suturlinie hingegen ist die Lage der Nabelkante bezeichnet. In der That besitzt diese Form eine, wenngleich nicht sehr scharf ausgeprägte Nabelkante. Die Zahl der Rippen ist mit „12—14" angegeben, während das in Fig. 2 dargestellte Exemplar, nach welchem die Beschreibung entworfen sein dürfte, 19 über die ganze Flanke verlaufende Rippen erkennen lässt. Das daselbst in Fig. 4 abgebildete Exemplar vom Schreinbach trägt 22 Hauptfalten. Dass sich jede Rippe in zwei Aeste theilt, trifft wohl nicht ausnahmslos zu, und dass bei älteren Individuen die Rippen einfach erscheinen, rührt daher, dass in Folge der mit dem Wachsthume zunehmenden Tendenz der Rippen, gegen die Externseite hin sich abzuschwächen, die feinen, nach vorwärts gekrümmten Streifen nur bei sehr gutem Erhaltungszustande der Externseite sichtbar sind.

Das abgebildete Exemplar (Taf. [XIII], Fig. 3) hat folgende Dimensionen:

Durchmesser 69 mm (= 1); Nabelweite 27 mm (= 0·39); Höhe des letzten Umganges 25 mm (= 0·36), Dicke 16 mm (= 0·23).

Die äussere Windung ist $^2/_6$-involut; die Zunahme der Windungshöhe beträgt $\dfrac{25\ mm}{14\ mm} = 1·79$.

Vergleicht man die Dimensionen unseres Exemplares mit denen der Exemplare von Spezia und des von Canavari abgebildeten Exemplares vom Schreinbach (Nabelweite des letzteren = 0·33), so fällt besonders der grosse Unterschied in der Nabelweite in die Augen. Letzterer rührt hauptsächlich daher, dass der letzte Umgang unseres Exemplares eine geringere Zunahme der Windungshöhe aufweist, als die vorhergehenden Umgänge.

Der letzte Umgang trägt 24 Hauptfalten, welche nicht genau radial, sondern schief nach rückwärts verlaufen Ihre Biegung nach vorne in der Nähe der Externseite und die Spaltung in Rippen zweiter Ordnung sind zu Beginn des Umganges noch deutlich sichtbar. In der zweiten Hälfte des äusseren Umganges hingegen sind die Hauptrippen sehr kräftig und wulstig und scheinen bald, nachdem sie die Mitte der Flanke überschritten, zu verschwinden; ihre Biegung und feine eingeschobene Streifen sind nur an wenigen Stellen bei guter Beleuchtung erkennbar.

Die Lobenlinie konnte nur durch überstarkes Anätzen sichtbar gemacht werden und eignet sich nicht zur Abbildung. Sie stimmt mit der von Canavari in Fig. 2c abgebildeten gut überein, ist entsprechend der bedeutenderen Grösse des Exemplares stärker verzweigt, und der ausgezeichnet entwickelte Nahtlobus reicht noch etwas tiefer herab als der erste Lateral. Dies stimmt mit den Beobachtungen Canavari's (l. c. S. 47), aus welchen hervorgeht, dass der Nahtlobus mit dem fortschreitenden Wachsthum immer tiefer wird. Bis zur Nabelkante sind drei Auxiliaren vorhanden, bis zur Naht mindestens vier. Die Lobenlinie ist unsymmetrisch.

Der gekammerte Theil reicht um ein Geringes über das erste Viertel des äusseren Umganges hinaus. Die übrigen drei Viertel sind ungekammert, und da an dem ersten Viertel Spuren der abgebrochenen Fortsetzung der äusseren Windung erkennbar sind, so muss die Wohnkammer mindestens die Länge eines Umganges erreicht haben.

Aeg. pleuronotum schliesst sich eng an *Aeg. anisophyllum,* von dem es sich hauptsächlich durch die schon bei jungen Exemplaren eintretende Spaltung der Rippen unterscheidet. *Aeg. Roberti Hau.* unterscheidet sich vor Allem durch seine ganz abweichend gestaltete Lobenlinie, welche nur einen (radial nach innen gerichteten) Auxiliar aufweist.

Vorkommen: In dem gelbgrauen Kalke mit *Aeg. megastoma* vom Schreinbach. — Ausserdem im unteren Lias von Spezia.

Aegoceras calcimontanum n. f.

(Taf. XXIV [XII], Fig. 1, 2.)

1882. *Aegoceras pleuronotum,* Canavari, Unt. Lias von Spezia, Palaeontographica, Bd. XXIX, Taf. XIX, Fig. 3, non Fig. 2, 4, 5.

	Fig. 1 [1]).					Fig 2.	
Durchmesser	77 mm	(= 1)	43	mm	(= 1)	32	mm (= 1)
Nabelweite	27 »	(= 0·35)	13	»	(= 0·30)	10	, (= 0·31)
Höhe des letzten Umganges	30 »	(= 0·39)	17·5	,	(= 0·41)	13·5	, (= 0·42)
Dicke	18 »	(= 0·23)	11	,	(= 0·26)	8	, (= 0·25)

Diese Form schliesst sich unmittelbar an *Aegoceras pleuronotum* an, von dem sie sich durch grössere Windungshöhe und engeren Nabel, stärkere Involubilität und minder kräftige Rippen unterscheidet.

Das in Taf. [XII], Fig. 1 abgebildete Exemplar besitzt fünf sichtbare Windungen mit plattgedrückten Flanken, regelmässig gerundeter Externseite und ausgesprochener Nabelkante. Jener Umgang, welcher dem Durchmesser von 77 mm entspricht, trägt 32 Rippen, welche auf der inneren Hälfte der Flanke ziemlich kräftig in von der radialen nach rückwärts abweichender Richtung verlaufen — wenn sie die Mitte der Flanke überschritten haben, flacher werden und fast verschwinden, an gut erhaltenen Stellen aber deutlich und energisch nach vorwärts gebogen sind. An einer Strecke der Externseite, welche glatt und von anhaftendem Gesteine völlig entblösst ist, sind bei guter Beleuchtung engstehende feine Streifen sichtbar, welche ohne Unterbrechung von einer Seite zur andern verlaufen und die Fortsetzung der einzelnen Rippen darstellen, deren jede in ein Bündel solcher feiner Streifen sich auflöst. Der nächst innere Umgang lässt 29 Rippen erkennen.

Die dicke Schale ist fast vollständig erhalten und so innig mit dem Steinkern verbunden, dass die Präparation einer ganzen Suturlinie nicht durchführbar war. In Fig. 1c konnte jedoch der kurze Siphonallobus, der niedrige Externsattel und der erste Lateral dargestellt werden. Die Lobenlinie ist stark unsymmetrisch und von der des *Aeg. pleuronotum* nicht zu unterscheiden. Der Nahtlobus ist gut entwickelt, es sind mindestens vier Auxiliaren vorhanden.

Das in Fig. 2 dargestellte kleinere Exemplar besitzt eine Höhenzunahme von $\dfrac{13{\cdot}5 \text{ mm}}{6{\cdot}5 \text{ mm}} = 2{\cdot}08$.

Es ist ein Steinkern, an der Externseite ein wenig abgerieben, und lässt darum zwar den Verlauf der Hauptfalten, deren es 27 auf dem äusseren Umgange zählt, sehr deutlich erkennen, weniger gut aber den der eingeschobenen secundären Falten. Zu Beginn des äusseren Umganges ist übrigens die Spaltung der Rippen noch sehr deutlich.

Die Involubilität ist bei allen hieher zu stellenden Formen grösser als bei *Aeg. pleurotoma.* Sie steht zwischen ³/₄ und ¹/₂ so ziemlich in der Mitte und kann = 0·45 gesetzt werden. Die Wachs-

---

[1]) Der letzte Theil des äusseren Umganges, welcher nach innen verschoben ist, wird für die Messung als fehlend betrachtet.

thumsverhältnisse und die Sculptur zeigen manche Verschiedenheiten. Eine der etwas schneller an-
wachsenden Formen, von welcher oben die Dimensionen angegeben sind, hat minder kräftige Falten,
deren Hauptstämme in geringerer Zahl vorhanden sind, aber eine ausgesprochenere Tendenz, sich zu
spalten, aufweisen. Das Exemplar trägt bei einem Durchmesser von 43 mm nur etwa 20 schwach
erhabene Hauptfalten auf dem äusseren Umgange.

Diese und die verwandten Formen mit gespaltenen Rippen lassen überhaupt keine bestimmte
Regel in der Anordnung der Sculptur erkennen. So sehen wir an dem äusseren Umgange des in
Fig. 2 abgebildeten Exemplares fast immer je zwei der über die ganze Flanke verlaufenden[1]), gut
markirten Rippen gegen die Naht zu sich einander nähern, ja häufig zusammentreffen, während zwischen
je zwei Paaren solcher Rippen ein grösserer Zwischenraum vorhanden ist. Ausnahmsweise tritt dann
wieder eine etwas stärkere, einzelne Rippe auf, welche sich in der Mitte der Flanke oder weiter
aussen in zwei Aeste theilt. Man kann je zwei der ersterwähnten Rippen als aus einer Hauptfalte,
welche sich schon an der Naht gespalten hat, hervorgegangen betrachten. Dieses Verhältniss weist
darauf hin, dass die Tendenz der einzelnen Rippen, sich zu spalten, bei fortschreitendem Wachsthum
nicht etwa von der Naht gegen die Externseite, sondern von der Externseite gegen die Naht rückt,
das heisst, dass in späterem Alter nicht etwa, wie es scheinen könnte, eine geringere Anzahl von
schwächeren und kürzeren eingeschobenen Falten vorhanden ist, sondern dass immer mehr und immer
längere, secundäre Falten, welche schliesslich die Stelle von Hauptfalten einnehmen, sich einschalten.
Dass die Tendenz der Rippen, sich zu spalten, mit dem fortschreitenden Wachsthum zunimmt, ist
besonders deshalb zu betonen, weil grössere Exemplare dieser und der nächstverwandten Formen
bei oberflächlicher Betrachtung als mit einfachen Rippen besetzt erscheinen könnten, wie denn auch
durch Abbilduug diese Sculpturverhältnisse nur unvollkommen wiedergegeben werden können. In
der That sagt Canavari in der Beschreibung des *Aeg. pleurotoma* (l. c. S. 47): „Bei älteren Individuen
sind die Rippen gerade und erscheinen einfach.« Uebrigens gehört das bei Canavari in Fig. 3 abgebildete
Bruchstück nicht zu dem durch seine übrigen Figuren charakterisirten *Aeg. pleurotoma*, sondern zu der
soeben beschriebenen Form, wie eine Vergleichung der Abbildungen erweist. Der grösste Theil der
im Münchener paläontologischen Museum mit „Aegoceras, Gruppe des *Aeg. Roberti Hauer*" bezeichneten
Ammoniten vom Schreinbach gehört zu *Aeg. calcimontanum*. — *Aeg. Roberti Hauer*, welches eine
grosse äussere Aehnlichkeit zeigt, insbesondere, wenn die feineren Sculpturverhältnisse unberücksichtigt
bleiben, weicht durch seine Lobenlinie sehr weit ab. (Vgl. S. [21].)

Vorkommen: In dem gelbgrauen Kalke mit *Aeg. megastoma* vom Schreinbach. Ausserdem
im unteren Lias von Spezia.

Aegoceras Kammerkarense Guemb.

(Taf. XXIV [XII], Fig. 3 und 4; Taf. XXV [XIII], Fig. 1 und 2.)

1861. *Ammonites Kammerkarensis Guembel*, Geognost. Beschreib. des bayr. Alpengeb., S. 474.
1882. Conf. *Aegoceras Portisi Canavari*, Unt. Lias von Spezia, Palaeontographica, Bd. XXIX, S. 169, Taf. XIX, Fig. 6.

	Taf. [XIII], Fig. 2.	Taf. [XIII], Fig. 1.	Taf. [XII], Fig. 3.	Taf. [XII], Fig. 4.
Durchmesser	204 mm (= 1)	185 mm (— 1)	84·5 mm (= 1)	32 mm (= 1)
Nabelweite	51 „ (= 0·25)	59·5 „ (= 0·32)	12·5 „ (= 0·26)	8 „ (= 0·25)
Höhe d. letzten Umganges	90 „ (= 0·44)	72 „ (= 0·39)	22 „ (= 0·45)	15 „ (= 0·47)
Dicke	40 „ (= 0·20)	33 „ (= 0·18)	12·5 „ (= 0·26)	9·3 „ (= 0·29)

[1]) Zu Beginn der äusseren Windung dieses Exemplares ist, wie bereits bemerkt, die Spaltung der Rippen an
verschiedenen Stellen der Flanke noch sehr deutlich.

Dieselben Merkmale, welche *Aegoceras calcimontanum* von *Aeg. pleuronotum* unterscheiden: grössere Windungshöhe und engerer Nabel, stärkere Involubilität und minder kräftige Rippen, dieselben unterscheiden auch die hier zu besprechenden Formen von *Aeg. calcimontanum*, welch letzteres zwischen *Aeg. pleuronotum* und *Aeg. Kammerkarense* ungefähr in der Mitte steht. Ziemlich plattgedrückte Flanken, regelmässig gerundete Externseite an den inneren, etwas zugeschärfte Externseite an den äusseren Windungen grosser Exemplare und gut ausgeprägte Nabelkante charakterisiren die äussere Gestalt der Windungen.

Es erscheint zweckmässig, mit der näheren Beschreibung des kleinsten der abgebildeten Exemplare (Taf. [XII], Fig. 4) zu beginnen. Die Höhenzunahme beträgt $\frac{15 \text{ mm}}{7 \text{ mm}} = 2 \cdot 14$, die Involubilität mehr als $^1/_2$. Der äussere Umgang ist an dem inneren Theile der Flanken mit etwa 17 ziemlich stark erhabenen und breiten Falten bedeckt, welche von ihrem Ursprunge an der Nabelkante in radialer Richtung verlaufen, bald aber schwach nach rückwärts sich biegen, in ihrem Verlaufe an Breite zunehmen, von der Mitte der Flanke an auch flacher werden und hierauf in grossem Bogen sich nach vorwärts wenden, so dass sie eine ungefähr S-förmige Krümmung vollführen. Die Theilung der Rippen beginnt bald an der Nabelkante, bald in der Mitte der Flanke, bald schalten sich erst in der Nähe der Externseite schwache Streifen ein. Auf der einen Seite des Exemplares (Fig. 4 *b*) ist die Schale fast vollständig erhalten; hier sind ausser den Rippen auch sehr deutliche feine Anwachsstreifen sichtbar. Wo die Schale gut erhalten, sind solche Streifen auch in der Mitte der Externseite sichtbar; aber sie sind hier von den eigentlichen Sculpturstreifen nicht zu unterscheiden. In der Mitte der Externseite hat sich eben die ganze Sculptur in zahlreiche eng aneinander stehende, kaum sichtbare, feine Streifen aufgelöst. Die Suturlinie ist unsymmetrisch, der Nahtlobus so tief als der erste Lateral; es sind mindestens vier Auxiliaren vorhanden.

Das Taf. [XII], Fig. 3 abgebildete Exemplar hat eine Höhenzunahme von $\frac{22 \text{ mm}}{10 \cdot 5 \text{ mm}} = 2 \cdot 10$ und eine Involubilität von etwas mehr als $^1/_2$. Die Sculptur ist zu Beginn des äusseren Umganges minder kräftig als an dem soeben beschriebenen Exemplare, wird aber bis zum Ende des Umganges ebenfalls ziemlich kräftig. Im Uebrigen zeigt sich volle Uebereinstimmung. Wo an der Externseite die Schale erhalten ist, sieht man die feine Streifung sehr schön ausgebildet. Der äussere Umgang ist mit ungefähr 20 Rippen erster Ordnung besetzt. Das Exemplar ist bis zum Ende gekammert. In Fig. 3 *c* sind zwei Suturlinien vom Beginne der äusseren Windung, in Fig. 3 *d* eine solche, nahe dem Ende der Windung abgenommen, dargestellt. Bei den ersteren reicht der Nahtlobus etwas tiefer herab als der Siphonallobus, aber nicht so tief als der erste Lateral; bei den letzteren erreicht der Nahtlobus die Tiefe des ersten Laterals. Die Asymmetrie ist sehr auffallend. Bis zur Nabelkante sind drei Auxiliaren, bis zur Naht deren fünf vorhanden.

Das grosse Exemplar (Taf. [XIII], Fig. 1) lässt kaum drei Umgänge erkennen, da die innersten nicht vollständig herauspräparirt werden konnten. Die inneren Windungen zeigen einen bedeutend engeren Nabel als die vorher beschriebenen Exemplare. Die Externseite schärft sich etwas zu, und die grösste Dicke rückt von der Mitte des Querschnittes mehr gegen die Nabelkante. Der letzte Umgang ist $^1/_2$-involut. Die Höhenzunahme (für die letzte Windung) beträgt $\frac{72 \text{ mm}}{45 \text{ mm}} = 1 \cdot 60$. Der unbedeckte Theil der drittletzten Windung ist 10 mm hoch. Wäre der vorletzte Umgang $^1/_2$-involut, so würde sich daraus für den drittletzten Umgang eine Windungshöhe von 20 mm ergeben. Wenn aber, was sehr wahrscheinlich, der vorletzte Umgang eine stärkere Involubilität besitzt, so kann diese doch höchstens 0·60 (= $^3/_5$) betragen. Unter dieser Annahme ergibt sich für den drittletzten Umgang eine Windungshöhe von höchstens 25 mm und für den vorletzten Umgang eine Höhenzunahme von mindestens $\frac{45\ mm}{25\ mm} = 1\cdot80$. Der letzte Umgang nimmt also langsamer an Höhe zu als der vorhergehende, und der Ammonit folgt nicht jenem Gesetze, nach welchem die Quotienten der in einem Radius aufeinander folgenden Windungshöhen gleich sind. Die Schale des lebenden Thieres besass noch um einen Umgang mehr, wie die von dem nun fehlenden Umgange auf dem jetzigen äusseren Umgange zurückgelassene Nahtlinie beweist. Aus dieser Nahtlinie ist zu ersehen, dass der fehlende Umgang schwächer involut war als die jetzige äussere Windung. Es ergibt sich, dass die Involubilität am Ende des ersten Viertels des fehlenden Umganges 0·49, am Ende des zweiten Viertels 0·47, am Ende des dritten 0·45 und am Ende des vierten Viertels 0·43 betrug; die Involubilität nahm also allmälig ab.

Der äussere Umgang ist bis nahe dem jetzigen Ende mit sehr breiten Falten bedeckt. Die gegen die Externseite zu sich einstellenden, feinen, secundären Streifen sind eine Strecke weit, wie auch in der Abbildung angedeutet ist, sehr gut sichtbar. An dem inneren Theile der Flanke sind zahlreiche feine Anwachsstreifen sichtbar, von welchen einige wenige in der zweiten Hälfte des äusseren Umganges so scharf markirt (sehr dünn, aber stark erhaben) sind, dass sie neben den eigentlichen Rippen (Falten) zu einem auffallenden Sculpturmerkmale werden. Auf der letzten kurzen Strecke des äusseren Umganges, auf welcher keine breiten Falten mehr vorhanden sind, zeigen sich — gleichsam die Stelle der letzteren vertretend — derartige dünne, scharfe Streifen, ziemlich nahe aneinander, aber mit ungleich breiten Zwischenräumen. Der letzte Umgang trägt etwa 23 Falten erster Ordnung, und wo diese verschwunden sind, noch sechs oder sieben mehr oder minder erhabene scharfe Streifen. Auf dem vorletzten Umgange sind 23 Hauptfalten zu zählen.

Eine Präparation der Lobenlinie wurde an dem ausgezeichneten Schalenexemplare nicht vorgenommen. Die in der Abbildung dargestellte vorspringende Partie am Ende des äusseren Umganges, welche durch einen Sprung abgetrennt ist, konnte entfernt und dadurch eine Kammerscheidewand theilweise blosgelegt werden. Vor derselben fand sich, in das die Schale ausfüllende Gestein eingebettet, das 37 mm lange Rostrum eines *Atractites* vor. Dasselbe steht aufrecht, d. i. parallel zur Höhenlinie des Querschnittes, ganz nahe der Scheidewand, deren Sättel noch weiter vor (über das Rostrum hinaus) greifen, und die Aussenwände der Windung (die Schale ist nahezu 1 mm dick) sind vollkommen unverletzt. Daraus geht hervor, dass der gekammerte Theil des Ammoniten bis an das Ende des jetzigen äusseren Umganges reichte, und dass der nun fehlende äusserste Umgang seiner ganzen Erstreckung nach der Wohnkammer angehörte, welche also selbst bei diesen hochmündigen Formen mindestens die Länge einer Windung erreichte.

Das eben beschriebene Exemplar stammt von der Kammerkaralpe und lag in der Sammlung des königl. Oberbergamtes zu München mit der Bezeichnung „*Ammonites Kammerkarensis*". Der Beschreibung dieser Form durch Guembel lag aber nicht das erwähnte, sondern ein anderes Exemplar zu Grunde, welches, wie sogleich besprochen werden soll, durch grössere Windungshöhe und engeren Nabel, sowie durch bedeutend reducirte Sculptur, sich sehr gut von jenem unterscheiden lässt.

Die von Guembel gegebene Charakteristik lautet: „Zeigt Verwandtschaft mit *A. Loscombi* *d'Orb.* und *discus*, ist jedoch weniger involut, gegen den Rücken mehr zugeschärft, die Schale der äusseren Umgänge ohne Zeichnung, an den innersten Umgängen mit 12—15 radialen flachen Rippen verziert; die Loben sind vielgestaltig; bis zur Bauchnaht zählt man deren acht, der Dorsallobus ist ungewöhnlich breit mit hoch aufragendem, zerlapptem Sattel, Seitensattel sehr schlank, zierlich gelappt."

16*

Von den beiden in der Sammlung des königl. Oberbergamtes zu München befindlichen prächtigen Exemplaren entspricht, wie gesagt, nur das eine der hier angeführten Schilderung. Taf. [XIII], Fig. 2 gibt die Lobenlinie dieses Exemplares wieder. Die äussere Gestalt wurde wegen der beinahe vollständig mangelnden Sculptur nicht dargestellt. Um so nöthiger ist eine genaue Beschreibung. Es sind vier Umgänge sichtbar. Die Externseite des äusseren Umganges ist schwach zugeschärft, die Flanken sind gerundet, während sie an den inneren Umgängen mehr plattgedrückt erscheinen. Die inneren Umgänge sind mit sehr scharf ausgeprägter Nabelkante versehen, welche gegen das Ende des äusseren Umganges etwas schwächer ausgebildet ist. Im Querschnitte verbindet die Linie der grössten Dicke nicht die Mitten der Flanken, sondern sie liegt näher der Nabelkante. Die Involubilität des letzten Umganges beträgt $^5/_8$ (= 0·63). seine Höhenzunahme $\frac{90\ mm}{48\ mm} = 1·88$.

Da die eine Flanke angeschliffen ist, und alle Suturlinien des bis zum Ende gekammerten Exemplares sichtbar sind, so ist es möglich, auf der Flanke des äusseren Umganges zwischen zweitem Lateral und erstem Auxiliar, deren einander zugewendete Seitenäste sehr nahe zusammentreffen, die Projection der Externlinie des vorletzten Umganges zu verfolgen und Messungen zur Bestimmung der Windungsverhältnisse dieses Umganges vorzunehmen. Es ergibt sich daraus für den drittletzten Umgang eine Windungshöhe von 24 mm und für den vorletzten Umgang eine Höhenzunahme von $\frac{48\ mm}{24\ mm} = 2$. Der letzte Umgang nimmt also etwas langsamer an Höhe zu, als der vorhergehende. Auf diesem Wege ergibt sich auch, dass die Involubilität der äusseren Windung nach rückwärts allmälig um einen geringen Betrag zunimmt; sie beträgt am Beginne des äusseren Umganges (am Schlusse des vorletzten) 0·67 oder $^2/_3$. Denkt man sich den letzten Umgang fehlend, so ergeben sich für die übrigbleibende Schale folgende Dimensionen: Durchmesser 105 mm (= 1), Nabelweite 21 mm (= 0·20), Höhe des letzten Umganges 48 mm (= 0·46), Dicke ungefähr 22 mm (= 0·21).

Der äussere Umgang ist fast ganz glatt; die inneren Windungen sind mit schwach erhabenen Falten bedeckt, deren Zahl sich nicht genau feststellen lässt. Die eine Seite des Ammoniten ist angeschliffen und polirt, um die Scheidewandlinien sichtbar zu machen. Hier zeigen sich dennoch am äusseren Umgange einige ungefähr radial gerichtete schwache Furchen, welche die Zwischenräume sehr breiter und ungemein flacher Falten darstellen.

Das Exemplar ist bis zum Ende gekammert, muss also eine bedeutende Grösse erreicht haben. Die Lobenlinie ist unsymmetrisch und stimmt in ihrer Ausbildung sehr gut mit jener der vorher besprochenen Formen überein. Unterschiede ergeben sich aus der durch die bedeutendere Grösse bedingten stärkeren Zerschlitzung und daraus, dass die einzelnen Suturlinien sehr nahe aneinander rücken und ineinander dringen, so dass die vordere Linie durch die benachbarte rückwärtige Linie in ihrer vollen Entwicklung gehindert wird. In Taf. [XIII], Fig. 2 sind drei aufeinanderfolgende Scheidewandlinien vom Schlusse des dritten Viertels des äusseren Umganges dargestellt. Diese Linien sind durch den Schliff, der nur an wenigen Stellen zu tief in den Steinkern eingreift, ausgezeichnet präparirt. Dennoch ist ein Theil der kleinen Verschiedenheiten, welche sich in der Gestaltung der drei Suturen finden, auf den Umstand zurückzuführen, dass die betreffenden Stellen hier stärker, dort schwächer angeschliffen sind. Dies gilt z. B. für den mittleren Hauptzweig des ersten Laterals, dessen Endigung bei fast allen Linien einfach erscheint, während sie bei der mittleren der abgebildeten Linien noch mit drei ganz kurzen Zacken letzter Ordnung versehen ist. Ein anderer Theil der erwähnten Verschiedenheiten rührt jedoch daher, dass die eine Sutur näher, die andere minder nahe mit der ihr vorhergehenden zusammenstösst. Namentlich wenn die Lobenendigungen die Sattelblätter der vorhergehenden Sutur direct berühren, sind sie vielfach in ihrer Ausbildung gehemmt. — Bis zur Nabel-kante sind vier, bis zur Naht sieben Auxiliaren vorhanden. Die beiden letzten Zacken erscheinen in Folge des Abschleifens häufig in einen vereinigt. Der Nahtlobus ist viel seichter als der erste Lateral; ja er erreicht nicht einmal die Tiefe des Siphonallobus, sondern ist ungefähr gleich tief mit dem zweiten Lateral. Dieser tritt gegen den ersten Lateral weit zurück[1]), der erste Auxiliar tritt wieder gegen den zweiten Lateral zurück, während die Enden der übrigen Auxiliaren ziemlich gleich-mässig tiefer hinabsinken, bis der letzte ungefähr die Tiefe des zweiten Laterals erreicht, so dass die Enden der Auxiliaren fast genau in eine Gerade zu liegen kommen.

Untersuchen wir die Suturen zu Beginn des äusseren Umganges, so finden wir, dass hier der Nahtlobus tiefer ist; er erreicht nämlich die Tiefe des Siphonallobus. Wenn wir die Erfahrungen bei den nächstverwandten Formen berücksichtigen (vergl. S. [20] und [23]), so scheint es, dass bei unserer Form der Nahtlobus bis zu einer gewissen Grösse der Schale immer tiefer, dann aber wieder seichter wird. Berücksichtigt man dazu die gegen die benachbarten Auxiliaren hervortretende, selbstständige Stellung des zweiten Laterals, so liegt es nahe, an eine rückschreitende Entwicklung des Nahtlobus zu denken.

Werfen wir noch einen Blick auf die hier beschriebenen Formen, so zeigt sich, dass die beiden kleinen Exemplare einen viel weiteren Nabel besitzen, als die inneren Umgänge der beiden grossen Exemplare, welch letztere wieder — wenigstens in ihren äusseren Windungen — bedeutende Verschiedenheiten erkennen lassen. Die Lobenlinie des schön gefalteten grossen Exemplares ist nicht bekannt, und es lässt sich nicht sagen, ob sie jener der kleinen Exemplare oder jener der glatt-werdenden grossen Form entspricht. Wir wissen aber auch nicht, ob nicht bei jenen kleinen Formen mit fortschreitendem Wachsthum die besprochene selbstständige Entwicklung des zweiten Laterals sich einstellt. Unter so schwierigen Verhältnissen halte ich es für das Beste, diese Formen vorläufig unter dem Namen *Aeg. Kammerkarense* zusammenzufassen, wenn es auch consequenter wäre, diesen Namen auf das Guembel'sche Original zu beschränken. Bei erweiterter Kenntniss dieses Formenkreises wird es nicht schwer fallen, eine Trennung vorzunehmen, wenn sich diese als nothwendig heraus-stellen sollte.

Es liegt noch ein etwa 160 mm im Durchmesser haltendes Exemplar von Adnet vor, das in der Sculptur sehr gut mit dem grossen abgebildeten Exemplare von der Kammerkaralpe überein-stimmt, in den Windungsverhältnissen sich aber mehr den zuerst beschriebenen kleinen Exemplaren vom Schreinbach nähert. Das gleiche bezüglich der Windungsverhältnisse gilt von einem Exemplare vom Lämmerbach, dessen Sculptur aber sehr abgeschwächt ist. Das letztere hat folgende Dimensionen: Durchmesser 105 mm (= 1), Nabelweite 27·5 mm (= 0·26), Höhe des letzten Umganges 46 mm (= 0·44), Dicke 23 mm (= 0·22). (Vergl. auch die Dimensionen auf S. [25].) Die Lobenlinie dieses Exemplares zeigt ebenfalls (wenigstens in der zweiten Hälfte des äusseren Umganges) einen gegen den ersten Auxiliar stark hervortretenden zweiten Lateral. Der Nahtlobus reicht tiefer herab als der erste Lateral. Es sind durchwegs sieben deutliche Auxiliaren vorhanden.

Eine sehr nahestehende Form ist der nur auf ein ganz kleines Exemplar gegründete *Aeg. Portisi Canav.* Unsere jungen Exemplare unterscheiden sich sehr bestimmt durch kleinere Windungs-höhe und weiteren Nabel, grössere Dicke und kräftigere Sculptur. In den Windungsverhältnissen

---

[1]) Im Sinne der für die Schale geltenden Nomenclatur liegt die Spitze des zweiten Laterals natürlich weiter nach vorne als die des ersten Laterals. Die Ausdrücke „tiefer" und „höher" beziehen sich selbstverständlich auf die betreffenden Radiallinien. Ein gespannter Faden oder der scharfe Rand eines Papierblattes leisten zu diesen Beobachtungen auch dem geübten Auge gute Dienste.

dürfte *Aeg. Portisi* daher mit den innersten Umgängen der Exemplare von der Kammerkaralpe recht gut übereinstimmen, wenn man von seiner sehr geringen Dicke absieht. Bis zur definitiven Feststellung dieser Formen sind noch eingehendere Untersuchungen abzuwarten.

Vorkommen: In dem gelbgrauen Kalke mit *Aeg. megastoma* vom Schreinbach, in dem rothen Kalke mit Brauneisenconcretionen (unterster Lias) vom Lämmerbach, von Adnet und von der Kammerkaralpe.

Aegoceras Atanatense n. f. [1]

(Taf. XXVI [XIV], Fig. 1.)

Durchmesser 88 mm (= 1); Nabelweite 20 mm (= 0·23); Höhe des letzten Umganges 39 mm (= 0·44); Dicke 20 mm (= 0·23).

Diese Form, welche nur in einem gut erhaltenen Exemplare vorliegt, würde in den Windungsverhältnissen mit den inneren Umgängen des Originalexemplares von *Aeg. Kammerkarense* sehr gut übereinstimmen, wenn nicht seine Windungshöhe etwa vom Beginne der zweiten Hälfte des äusseren Umganges ein viel langsameres Wachsthum zeigen würde als in den vorhergehenden Windungspartien. Auch scheint die Dicke eine bedeutendere zu sein. Die Externseite ist gleichmässig gerundet und zeigt keine Spur einer Zuschärfung. Die Nabelkante ist gut ausgebildet. Die Involubilität beträgt am Schlusse des äusseren Umganges ³/₇ (= 0·57). Die Sculptur tritt sehr zurück, doch sind bis zum Schlusse des Umganges deutliche, wenn auch schwach erhabene, über die ganze Flanke verlaufende Falten ausgebildet, welche ungefähr S-förmig gekrümmt sind. Die kürzeren secundären Falten sind noch schwächer erhaben. Nur an einer besser erhaltenen Stelle sind die zahlreichen feinen Streifen nahe der Mitte der Externseite sichtbar.

Die Lobenlinie ist von derjenigen der vorher beschriebenen Formen wesentlich verschieden. Der Lateralsattel überragt nicht den Externsattel, sondern ist sogar ein wenig niedriger. Der Nahtlobus ist ausgezeichnet entwickelt. Der zweite Lateral tritt weit gegen den ersten zurück und reicht nicht so tief hinab als der erste Auxiliar. Bis zur Nabelkante sind fünf Auxiliaren vorhanden. Eine zur Spitze des Siphonallobus gezogene Radiallinie schneidet den ersten Auxiliar, während der zweite Lateral höher bleibt. Eine zur Spitze des ersten Laterals gezogene Radiallinie schneidet den zweiten Auxiliar. Die Lobenlinie ist stark unsymmetrisch und reich verzweigt. Die Loben sind auf jener Seite, von welcher sich der Sipho entfernt hat, kräftiger ausgebildet. Die einzelnen Suturen folgen dicht gedrängt aufeinander.

Vorkommen: In dem rothen Kalke mit Brauneisenconcretionen (unterster Lias) von Adnet.

Aegoceras n. f. ind.

(Taf. XXVI [XIV], Fig. 2.)

Es liegt ein schlecht erhaltenes Exemplar vor, das noch bedeutend höhere Windungen, stärkere Involubilität und engeren Nabel besitzt als die vorhergehenden Formen. Ueberdies zeichnet es sich durch sehr geringe Dicke aus. Die Nabelkante ist gut ausgebildet, die Externseite gegen Ende des Umganges schwach zugeschärft. Die Sculptur ist stark reducirt, die Spaltung der Rippen eine sehr weitgehende. Nur wenige dieser schwachen Falten sind über die ganze Flanke zu verfolgen. Die letzteren sind an der Externseite etwas stärker markirt, als die zahlreichen eingeschobenen Falten,

---

[1] Benannt nach dem Fundorte Adnet, dem „Atanate" der Römer.

die gegen Ende des Umganges nur bei guter Beleuchtung erkennbar sind. Trotz des ungünstigen Erhaltungszustandes war es möglich, die Dimensionen mit hinreichender Genauigkeit festzustellen. Durchmesser 73 mm (= 1), Nabelweite 10 mm (= 0·14), Höhe des letzten Umganges 38 mm (= 0·52). Dicke 12 mm (= 0·16).

Die Lobenlinie ist auf dem äusseren Umgange nicht sichtbar. Auf dem unbedeckten Theile des vorletzten Umganges sind die Auxiliaren einiger Suturen zu sehen, aus deren Stellung hervorgeht. dass ein herabhängender Nahtlobus vorhanden ist.

V o r k o m m e n : In dem rothen Kalke mit Brauneisenconcretionen (unterster Lias) von A d n e t.

Aegoceras mesogenos n. f.

(Taf. XXVI [XIV], Fig. 3.)

Durchmesser 50 mm (= 1), Nabelweite 10·5 mm (= 0·21); Höhe des letzten Umganges 24·5 mm (= 0·49); Dicke 13 mm (= 0·26).

In diesem einen gut erhaltenen Exemplare liegt uns eine sehr merkwürdige Uebergangsform vor. Da das Ende des äusseren Umganges verletzt ist, wurden die oben angegebenen Dimensionen eine Strecke weiter rückwärts abgenommen. Die Involubilität beträgt nahezu $^3/_4$. Die Form lässt sich in der äusseren Gestalt am besten mit den kleineren zu *Aeg. Kammerkarense* gestellten Exemplaren vergleichen, von denen es sich durch grössere Windungshöhe, stärkere Involubilität und engeren Nabel unterscheidet, während die in diesen Verhältnissen mit den inneren Windungen der grossen Exemplare der genannten Form. soweit dies beurtheilt werden kann, sehr gut übereinstimmt. Die Nabelkante ist extrem ausgebildet, da die Schale, indem sie sich gegen den Nabel hinabsenkt, nicht gerade, sondern bedeutend überhängend abfällt (noch einmal in der Richtung gegen die Externseite gebogen ist). Die Flanken würden bei schlechter Erhaltung fast glatt erscheinen; bei unserem Exemplare sind jedoch sowohl auf der Schale als auf dem Steinkern äusserst schwach erhabene, aber deutliche Falten sichtbar, welche von der Nabelkante weg eine ganz kurze Strecke in ungefähr radialer Richtung verlaufen, hierauf nach vorne sich biegen, um etwa in der Mitte der Flanke sich nach rückwärts zu wenden und endlich in der Nähe der Externseite abermals nach vorwärts sich zu schwingen. Besonders schön ist diese Sculptur auf der Schale zu sehen, wo die eigentlichen, in der Mitte der Flanke sehr breiten Falten, von zahlreichen, äusserst feinen Anwachsstreifen begleitet werden. In der Nähe der Externseite ist die Sculptur noch viel mehr abgeschwächt und fast ganz verschwunden.

Die Lobenlinie steht jener der schon erwähnten kleinen zu *Aeg. Kammerkarense* gestellten Formen sehr nahe. Sie unterscheidet sich, bei ungefähr gleicher Grösse der Windungen betrachtet. dadurch, dass die Lobenkörper im Verhältnisse zur Windungshöhe etwas niedriger sind, dass die Sättel etwas weniger verzweigt sind, wodurch die Sattelblätter etwas grösser erscheinen, und dadurch, dass der Nahtlobus nicht so tief herabhängt. Ausserhalb der Nabelkante sind drei Auxiliaren, an der Nabelkante selbst noch ein vierter vorhanden. Innerhalb der Nabelkante ist mindestens noch ein fünfter Auxiliar entwickelt. Die Lobenlinie ist sehr stark unsymmetrisch.

Welch nahe Beziehungen durch diese Form zu den in dem gleichen Horizonte vorkommenden Vertretern der Gattungen *Amaltheus* und *Phylloceras* eröffnet werden, soll bei Besprechung der letzteren erörtert werden.

V o r k o m m e n : In dem gelbgrauen Kalke mit *Aeg. megastoma* vom S c h r e i n b a c h.

Aegoceras Berchta n. f.
(Taf. XXIII [XI], Fig. 6.)

Durchmesser 45·5 mm (= 1); Nabelweite 22 mm (= 0·48); Höhe des letzten Umganges 13 mm (= 0·29; Dicke 10 mm (= 0·22).

Diese Form lässt sich am besten mit jenem dem *Aeg. megastoma* nahestehenden Ammoniten vergleichen, welcher, ohne benannt zu werden, S. [7] (Bd. II, S. 79) beschrieben und Taf. [VIII], Fig. 2 abgebildet wurde. *Aeg. Berchta* besitzt niedrigere Windungen und weiteren Nabel, geringere Dicke, viel schwächere Involubilität, bedeutend schwächere und zahlreichere Rippen als die erwähnte Form. Es liegt nur ein gut erhaltenes Exemplar vor. Auf dem äusseren Umgange ist die Nahtlinie eines nun fehlenden weiteren Umganges zurückgeblieben. Die Involubilität beträgt ungefähr $^1/_4$. Die schwach erhabenen Rippen verlaufen in einer von der radialen wenig nach rückwärts abweichenden Richtung über die Flanken und verschwinden, bevor sie die Externseite erreicht haben, fast vollständig. Es ist nur eine Andeutung einer Beugung nach vorwärts erkennbar. Hält man das Exemplar gegen das Licht, so sieht man auf der Externseite feine Anwachsstreifen von einer Flanke zur andern verlaufen, welche die Fortsetzung der nur schwach nach vorne gebogenen, verschwindenden Rippen darstellen. Diese feinen Streifen finden sich in viel grösserer Anzahl als die Rippen, ein Zeichen, dass die Tendenz einer Spaltung der Rippen vorhanden ist. Der äussere Umgang trägt auf den Flanken 45, der vorletzte ungefähr 36 Rippen.

Die Suturlinie ist symmetrisch. Loben und Sättel sind besonders reich gegliedert. Der Nahtlobus ist gut entwickelt, doch sind nur zwei Auxiliaren vorhanden, von welchen der zweite lange nicht die Tiefe des ersten Laterals, sondern nur jene des Siphonallobus erreicht. Dieser reicht so tief als der äussere Hauptast des ersten Laterals, welcher von dem mittleren Hauptaste stark überragt wird. Der Lateralsattel ist bedeutend höher als der Externsattel. Die einzelnen Suturlinien folgen enge aufeinander. Das Exemplar ist bis zum Ende gekammert.

Vorkommen: In dem gelbgrauen Kalke mit *Aeg. megastoma* vom Schreinbach.

Aegoceras n. f. ind. cf. Berchta.
(Taf. XXIII [XI], Fig. 7.)

Durchmesser 41 mm (= 1); Nabelweite 19·5 mm (= 0·48); Höhe des letzten Umganges 12 mm (= 0·29); Dicke 10 mm (= 0·24).

Diese Form, welche ebenfalls nur in einem gut erhaltenen Exemplare vorliegt, steht in der äusseren Gestalt dem soeben beschriebenen *Aegoceras Berchta* sehr nahe. Sie besitzt (bei gleichem Durchmesser betrachtet) eine etwas kleinere Windungshöhe und entsprechend weiteren Nabel, etwas grössere Dicke (der Querschnitt erscheint gedrungener) und kräftigere (stärker erhabene) Rippen. Der Verlauf der Rippen ist der gleiche, ihre Biegung nahe der Externseite noch etwas deutlicher. Auch hier stellen sich eine grössere Anzahl äusserst feiner Streifen auf der Externseite ein. Der letzte Umgang trägt 42, der vorletzte 34 Rippen.

Die angegebenen geringen Unterschiede in der äusseren Gestalt würden mich jedoch nicht veranlassen, diese Form von der vorhergehenden zu trennen, wenn nicht die Gestalt der Scheidewandlinie so bedeutende Verschiedenheiten aufwiese. Die Zeichnung ist bei unserer Form eine sehr kräftige, die Höhe der Lobenkörper mit Rücksicht auf die Windungshöhe beträchtlich, dagegen der Grad der Verzweigung ein bedeutend geringerer. Der Siphonallobus erreicht fast die Tiefe des ersten

Laterals, der Lateralsattel überragt nur wenig den Externsattel, der schwach ausgebildete zweite Laterallobus tritt weit zurück gegen den ersten Lateral und die tief herabhängenden Auxiliaren. Der Nahtlobus ist daher ausgezeichnet entwickelt und so steil, dass die Auxiliarsättel sich mit dem Externsattel zu einem einzigen Sattel vereinigen, welcher mit dem Externsattel ungefähr gleichwerthig ist. Es sind drei, quer nach aussen strebende Auxiliaren und noch ein unbedeutender Zacken unmittelbar an der Naht vorhanden. Schon der zweite Auxiliar ist um ein Geringes tiefer als der erste Lateral, der dritte Auxiliar steigt noch bedeutend herab. Die einzelnen Suturlinien, welche eine schwache Asymmetrie aufweisen, folgen in grösseren Abständen, ohne einander zu berühren, aufeinander. Die Spitze des ersten Laterals reicht nicht bis zur Höhe des Lateralsattels der vorhergehenden Sutur.

Vorkommen: In dem gelbgrauen Kalke mit *Aeg. megastoma* vom Schreinbach.

Aegoceras Paltar n. f.

(Taf. XXI [IX], Fig. 6.)

Durchmesser 102 mm (= 1); Nabelweite 53 mm (= 0·52); Höhe des letzten Umganges 29 mm (= 0·28). Die grösste Dicke konnte nicht gemessen werden; bei einem Durchmesser von ungefähr 82 mm (= 1) beträgt die Dicke 16 mm (= 0·20).

Es ist nur ein gut erhaltenes Exemplar bekannt, welches aus sechs sichtbaren, etwa ²/₃-involuten Windungen von ungefähr ovalem Querschnitt besteht. Ausserdem war noch ein ganzer weiterer Umgang vorhanden, wie aus der auf der jetzigen äusseren Windung zurückgelassenen Nahtlinie ersichtlich ist. Die grösste Dicke der Windungen, welche beträchtlich höher als dick sind, liegt in der Nähe der Naht. Die Flanken sind ziemlich platt gedrückt, und auch die Externseite ist abgeflacht. Die Flanken sind mit zahlreichen, mässig markirten Rippen bedeckt, welche in einer von der radialen nur schwach nach rückwärts abweichenden Richtung über die Flanken verlaufen, — indem sie sich der Externseite nähern, undeutlich werden, hierauf eine schwache Biegung nach vorwärts annehmen und in mehr oder minder undeutlichen Streifen sich noch über die Externseite verfolgen lassen. Ausserdem schieben sich etwa von der Biegungsstelle an weitere feine Streifen (meist einer zwischen je zwei Rippen) ein, welche häufig nur als Anwachsstreifen ausgebildet sind, häufig aber wirkliche schwache secundäre Rippen darstellen. Der äussere Umgang trägt 48 über die ganze Flanke verlaufende Rippen, der vorletzte zählt deren 50, der drittletzte 39 und der viertletzte 31.

Die Lobenlinie ist vollkommen symmetrisch, ziemlich stark verzweigt, aber nicht tief zerschnitten. Die Körper der Loben und Sättel sind daher sehr breit, aber niedrig mit Rücksicht auf die Windungshöhe. Bei ziemlich selbstständiger Stellung des zweiten Laterals reicht der Nahtlobus doch tiefer herab, als der erste Lateral. Es sind fünf Auxiliaren vorhanden, deren zweiter schon um ein Geringes tiefer ist als der erste Lateral. Die folgenden Auxiliaren senken sich nur noch um einen geringen Betrag herab. Bei der höheren der beiden abgebildeten Lobenlinien sind der dritte und vierte Auxiliar ausnahmsweise in einen zweizackigen Lobus zusammengezogen. Bei allen nachfolgenden und vorhergehenden Suturen (auch an den inneren Windungen) sind fünf deutliche Auxiliaren ausgebildet.

Aegoceras Paltar unterscheidet sich durch grössere Windungshöhe, stärkere Involubilität und engeren Nabel, durch schmäleren Querschnitt, sowie durch die Ausbildung der Lobenlinie von den beiden zuletzt beschriebenen Formen. Von dem sehr nahestehenden *Aeg. tortils d'Orb.*[1]) unterscheidet

---

[1]) Für die Beurtheilung dieser Form sind die Abbildungen bei Reynès (Monographie des Ammonites, Taf. III, Fig. 11 und Fig. 14—16) wichtig. Die Abbildung bei d'Orbigny (Pal. franç., T. jur., Taf. 19) ist, wie sich aus der Vergleichung mit den im Text angegebenen Dimensionen ergibt, verkleinert. Trotzdem hat Reynès (l. c. Fig. 12 und 13) diese Abbildung reproducirt.

sich unsere Form hauptsächlich durch dünnere, enger stehende und demgemass zahlreichere, zur Spaltung geneigte Rippen.

Vorkommen: In dem gelbgrauen Kalke mit *Aeg. megastoma* vom Schreinbach.

Aegoceras n. f. indet.

(Taf. XXIII [XI], Fig. 9)

Es liegt ein minder gut erhaltener Steinkern vor, welcher in der Gestalt der Spirale ungefähr mit der in Taf. [XI], Fig. 7 abgebildeten, dem *Aeg. Berchta* nahestehenden Form (S. [29]) übereinstimmt, von dieser aber durch die weit geringere Dicke und sehr schwach markirte Rippen leicht zu unterscheiden ist. Da das Exemplar verdrückt ist, konnten am Schlusse desselben keine genauen Messungen vorgenommen werden. Eine Strecke weiter zurück ergeben sich folgende Dimensionen: Durchmesser 42 mm (= 1), Nabelweite 20 mm (= 0·48), Höhe des letzten Umganges 12·5 mm (= 0·30), Dicke 9 mm (= 0·21). Die diesem Durchmesser entsprechende Windung trägt 42 äusserst schwach erhabene Rippen, welche sich ganz so wie bei der erwähnten Form verhalten.

Auch die Lobenlinie ist am besten mit derjenigen der besprochenen Form (Taf. [XI], Fig. 7 c) zu vergleichen. Der allgemeine Charakter (kräftige Zeichnung, ausgezeichnete Ausbildung des Nahtlobus) ist derselbe. Die Verzweigung ist jedoch eine stärkere, und die einzelnen Suturen folgen näher aufeinander, so dass sie sich berühren. Es sind vier Auxiliaren und noch ein unbedeutender Zacken unmittelbar an der Naht vorhanden. Der Nahtlobus reicht (von der Spitze des dritten Auxiliars an) tiefer herab als der erste Lateral.

Von *Aeg. Paltar* unterscheidet sich diese Form durch geringere Windungshöhe, schwächere Involubilität und weiteren Nabel, durch schwächere Sculptur und durch die Ausbildung der Lobenlinie.

Vorkommen: In dem gelbgrauen Kalke mit *Aeg. megastoma* vom Schreinbach.

Aegoceras n. f. indet.

(Taf. XXIII [XI], Fig. 10.)

Ein in Brauneisen gehülltes Exemplar vom Schreinbach unterscheidet sich durch seine geringe Dicke sogleich von den zuletzt besprochenen Formen. Da das Ende des äusseren Umganges verletzt ist, wurden die Messungen eine Strecke weiter rückwärts vorgenommen. — Durchmesser 46 mm (= 1), Nabelweite 21 mm (= 0·46), Höhe des letzten Umganges 14 mm (= 0·30), Dicke 8 mm (= 0·17). Die Flanken sind plattgedrückt und gehen in gleichmässiger Rundung in die Externseite über. Ein nun fehlender ganzer weiterer Umgang hat die Nahtlinie auf dem jetzigen äusseren Umgange zurückgelassen. Die Involubilität ist sehr gering ($^1/_6$ bis $^1/_6$). Der äussere Umgang ist bei einem Durchmesser von ungefähr 51 mm mit 39 ziemlich breiten, schwach erhabenen Falten bedeckt, welche zuerst auf den Flanken in einer von der radialen ziemlich stark nach rückwärts abweichenden Richtung verlaufen. Nach dem Beginne der zweiten Hälfte des äusseren Umganges wird die Richtung der Rippen radial, um gegen Ende des Umganges in eine schwach nach vorwärts geneigte überzugehen. Alle Rippen krümmen sich in der Nähe der Externseite nach vorwärts, wobei sie noch breiter und niedriger werden, so dass ihre Vereinigung nur an gut erhaltenen Stellen sichtbar ist. Hier zeigt sich aber, dass in der Mitte der Externseite ausser den eigentlichen Falten zahlreiche andere feine Streifen vorhanden sind, ohne dass es zur Bildung wirklicher secundärer Rippen käme. — Die Lobenlinie konnte nicht präparirt werden.

Diese Form steht in der äusseren Gestalt jenen ausseralpinen Ammoniten, welche zuerst als „Psilonoten" bezeichnet wurden, wie dem *Aeg. planorbis Sow.* mit seinen Varietäten und dem *Aeg. Hagenowi Dunk.*, ferner dem alpinen *Aeg. Naumanni Neum.* sehr nahe. Sie lässt sich indessen von allen schon durch ihre Sculptur leicht unterscheiden.

Aegoceras aphanoptychum n. f.

(Taf. XXIII [XI], Fig. 8.)

Durchmesser 49 mm (= 1); Nabelweite 21 mm (= 0·43); Höhe des letzten Umganges 16 mm (= 0·33); Dicke 11·5 mm (= 0·23).

Es liegt nur ein gut erhaltenes Exemplar vor, an welchem vier $^1/_3$-involute Umgänge mit plattgedrückten Flanken, schwacher Nabelkante und gleichmässig gerundeter Externseite sichtbar sind. Dieselben sind mit feinen, äusserst schwach erhabenen Falten besetzt, welche von ihrem Beginne an der Naht in einer von der radialen nach rückwärts abweichenden Richtung verlaufen, sich hierauf nach rückwärts und dann, indem sie fast verschwinden, nach vorwärts krümmen, also eine S-förmige Beugung vollziehen. Ausser diesen über die ganze Flanke verlaufenden Falten sind noch zahlreiche kürzere oder längere, gewöhnlich noch schwächere, secundäre Rippen eingeschoben, und namentlich auf der Externseite sind an sehr gut erhaltenen Stellen eine grosse Anzahl ungemein feiner Streifen (Anwachsstreifen) sichtbar, in welche sich die einzelnen primären Falten gespalten haben. Da sich die Trennung von primären und secundären Rippen nicht scharf durchführen lässt, so kann auch die Anzahl der einen Umgang besetzenden Sculpturelemente nicht genau angegeben werden.

Die Lobenlinie ist sehr stark verzweigt, der Lateralsattel überragt bedeutend den Externsattel, der ausgezeichnet entwickelte Nahtlobus reicht beträchtlich tiefer herab als der erste Lateral. Es sind bis zur Nabelkante drei kräftige Auxiliaren vorhanden, von denen schon der zweite den ersten Lateral an Tiefe übertrifft. Ausserdem ist noch ein kurzer Auxiliar nahe der Naht entwickelt, der trotz sorgfältiger Präparation nur undeutlich hervortrat.

Diese Form unterscheidet sich durch ihre beträchtliche Dicke, durch grössere Windungshöhe, stäkere Involubilität und engeren Nabel, sowie durch die ganz verschiedene Ausbildung der Lobenlinie sehr gut von *Aeg. planorbis Sow.* und seinen Verwandten.

Vorkommen: In dem gelbgrauen Kalke mit *Aeg. megastoma* vom Schreinbach.

Aegoceras pleurolissum n. f.

(Taf. XXVI [XIV], Fig. 4.)

Durchmesser 132 mm (= 1); Nabelweite 66 mm (= 0·50); Höhe des letzten Umganges 35 mm (= 0·27); Dicke 23 mm (= 0·18).

Es ist nur ein gut erhaltenes Exemplar vorhanden. Dasselbe besteht aus sechs Umgängen von ovalem Querschnitt, welche ungefähr $^2/_5$-involut sind, und lässt erkennen, dass aussen noch ein weiterer Umgang vorhanden war. Die Externseite ist gleichmässig gerundet, ist jedoch in der zweiten Hälfte des äusseren Umganges mit der Andeutung einer Zuschärfung versehen. (Vgl. den Querschnitt, Fig. 4 b.) Die innersten Windungen sind mit ungemein schwachen Falten bedeckt, während die äusseren Umgänge vollkommen glatt sind.

17*

Die Lobenlinie ist schwach verzweigt und wenig tief zerschnitten. Die Lobenkörper sind im Verhältnisse zur Windungshöhe sehr niedrig. Der mit sehr seichten Einschnitten versehene Externsattel und der Laterallobus sind auffallend breit, die übrigen Loben und Sättel viel schmäler. Der Lateralsattel ist kaum höher als der Externsattel. Der zweite Lateral tritt gegen den ersten nicht stark zurück und nimmt eine ziemlich selbstständige Stellung ein. Der Nahtlobus reicht ein wenig tiefer herab als der erste Lateral. Es sind vier Auxiliaren vorhanden. Charakteristisch ist die zweizackige Gestalt des ersten Auxiliars, welcher kaum tiefer ist, als der zweite Lateral, während der zweite Auxiliar tief hinabsteigt und nahezu die Tiefe des ersten Laterals erreicht. Das Exemplar ist bis zum Ende gekammert, und es musste auch noch ein Theil des nun fehlenden äusseren Umganges gekammert gewesen sein, wie der schön erhaltene zweispitzige Internlobus und die sich daranschliessende innere Hälfte des einen Nahtlobus beweist, welchen der abgebrochene Umgang auf der Externseite des jetzigen äusseren Umganges zurückgelassen hat. (Vgl. Fig. 4 *c*.)

Durch beträchtliche Dicke, grössere Windungshöhe, stärkere Involubilität und engeren Nabel unterscheidet sich diese Form leicht von *Aeg. planorbis Sow.* und seinen Verwandten. In dieser Hinsicht steht sie dem vorher beschriebenen *Aeg. aphanoptychum* sehr nahe. Ob die Windungs-verhältnisse wirklich gleich sind, lässt sich bei der so verschiedenen Grösse der beiden einzigen Exemplare nicht entscheiden. So scheint namentlich die Involubilität bei *Aeg. pleurolissum* eine beträchtlichere zu sein. Eine grosse Verschiedenheit besteht jedoch in der Ausbildung der Lobenlinie, durch welche diese Formen sehr leicht auseinander gehalten werden können.

V o r k o m m e n : In dem rothen Kalke mit Brauneisenconcretionen vom L ä m m e r b a c h .

DIE FAUNA DER CONGERIENSCHICHTEN VON AGRAM IN KROATIEN

VON

S. BRUSINA.

(Mit Tafel XXVII—XXX [I—IV].)

VORWORT.

Das Agramer Gebirge wurde wiederholt von einheimischen und fremden Forschern untersucht, und die bisher gewonnenen Resultate sind sowohl in kroatisch als deutsch geschriebenen Abhandlungen niedergelegt. Dennoch sind wir noch weit davon entfernt, das Gebirge, an dessen Fusse unser emporblühendes Agram sich ausbreitet, gründlich zu kennen, das eben so schöne als tückische Gebirge und seine inneren Kräfte, welche durch das Beben vom 9. November 1880 uns so viel Schrecken eingejagt und so viel Schaden angerichtet haben, Zur Vervollständigung unserer Kenntnisse in dieser Richtung habe ich mir namentlich durch Studium der Fossilreste beizutragen vorgenommen, wobei vor Allem die Agramer Congerienschichten von Interesse sind, deren reichhaltige Mollusken-Fauna in der Jetztwelt nur durch die verkümmerte Fauna des Kaspischen Meeres dürftig vertreten ist. — Die geologischen Verhältnisse des Gebirges hat zuletzt mein College Dr. G. Pilar ausführlich behandelt, und ich kann nichts Besseres thun, als das, was er über die Congerienschichten und deren Gliederung geschrieben hat, hier wörtlich wiederzugeben:

„Die Mächtigkeit der Congerienschichten ist eine ganz ausserordentliche und nimmt stetig „zu, wenn man vom Gebirge zur Saveebene vorschreitet. Nach einigen Aufschlüssen zu urtheilen, „hätte das Congerienmeer das Gebirge weiter überflutet als das Meer der zweiten Mediterranstufe. „Man findet Leythakalk von Congerienschichten überlagert (bei Šestine) und die letzteren selbst „direct auf älteren Schichten aufgelagert. Die Strandgebilde des Congerienmeeres waren Conglomerate „und Sande mit klastischen Elementen, welche von der Zerstörung der amphibolhaltigen Eruptiv-„gesteine und Tuffe des Agramer Gebirges abstammen. Diese Strandgebilde widerstanden minder gut „der Erosion und sind auch an wenigen Orten erhalten. Nach einer nicht ganz verbürgten Angabe „wären im Agramer Gebirge auch die Paludinenthone vertreten. Das Diluvium ist im Agramer „Gebirge durch Schuttmassen, welche stellenweise eine Mächtigkeit von 100 Fuss erreichen, vertreten. „Die bezeichneten Schuttmassen bestehen aus Quarzitblöcken, Chlorit- und Glimmerschieferbrocken „und Tuffgeröllen, alles in einen gelben, sandigen Lehm eingebettet.‘

„Gegenwärtig haben die Gebirgsbäche diese Schuttmassen bis zu den, ihnen unterliegenden „Congerienschichten erodirt. In einigen dieser Durchschnitte findet man, dass auf die ungeschichteten „Massen der Löss mit recenten Landschnecken folgt. Im Löss finden sich hin und wieder Partien „mit Schichtung.‘

17 a

135

„Die Saveebene hat eine seichte Sand- oder Lössschicht, darunter Schottermassen, zumeist „aus Kalk bestehend, und zu unterst stehen die Congerienschichten an. Die untere Stadt ruht zum „Theil auf diesen Saveschotter, zum Theil auf den Geröllmassen, welche die Bäche (besonders der „Medvešćak) bei ihrem Eintritte in die Saveebene aufgeschüttet haben.‘ [1]

Fast die einzigen Fundorte in den Congerienschichten der Umgebung von Agram sind die von den Gebirgsbächen blossgelegten Stellen.

Gleich nach meiner Ankunft in Agram wurde ich auf die Fauna dieser Stufe durch eine einzige, aber sehr merkwürdige Molluskenart in der naturhistorischen Abtheilung des National-Museums aufmerksam gemacht, das nunmehrige *Lytostoma grammica*, welches damals unrichtig als *Limnaea auricularia* bestimmt war.

Die erste aufgefundene Art ist das eben erwähnte von Farkaš-Vukotinović gesammelte *Lytostoma*. Das Hauptmaterial aber, welches wir nach 16jährigem Sammeln zusammengebracht haben, ist eben so sehr durch meine, als durch die Arbeit von Dr. G. Pilar, Dr. D. Kramberger, Stud. Med. Julius Gnezda und Franz Macek gesammelt worden. — Meine Abhandlung darüber war gerade fertig, als man mir sagte, dass Dr. Ivan Kiseljak, emeritirter Professor der Physik, in neuester Zeit mit dem Sammeln der Fossilien von Okrugljak begonnen habe. Dies bot mir eine angenehme Gelegenheit, die persönliche Bekanntschaft des ehrwürdigen Professors machen zu können. Wie gross war aber meine Ueberraschung, als er mit bescheidener Miene mir seine mit Fleiss und Liebe in einer sehr kurzen Spanne Zeit zusammengestellte Localsammlung vorzeigte; eine Sammlung, welche schon über die Hälfte der bis jetzt bekannten Arten, und darunter verhältnissmässig viele Prachtexemplare enthält. Leider erhielt ich die Sachen zu spät, um sie noch alle in diese Arbeit aufnehmen zu können. Ich habe hier nur drei bestimmt neue Adacnen, darunter die prachtvolle, höchst sonderbare *A. histiophora* erwähnt und hie und da eine Bemerkung hinzugefügt. Unsere Congerienschichten scheinen eine unerschöpfliche Quelle von Formen zu sein; Professor Kiseljak stellt mir viel neues Material in Aussicht, und nachdem derselbe die Freundlichkeit hatte, mir es sofort unbedingt zur Verfügung zu stellen, so werde ich hoffentlich nochmals die Gelegenheit haben, auf dieses Thema zurückzukommen und eine neuerliche Anhangsarbeit zu dieser zu veröffentlichen.

Im Jahre 1874 habe ich zuerst kroatisch in den Abhandlungen unserer Akademie und später deutsch eine vorläufige Aufzählung der Molluskenfauna der Agramer Congerienschichten gegeben. Die kroatische Ausgabe enthält 1 Art aus Frateršćica im Černomerethale, 25 aus Okrugljak — *Cardium ellipticum* nicht mitgerechnet — und 3 Arten aus Remete, im Ganzen 27 Arten. Die deutsche Ausgabe, welche nur einige Monate später erschien, hat schon 2 Arten aus Frateršćica, 42 aus Okrugljak — die auf Seite 130 besagten Anhanges angegebene Artenzahl mit 42 Arten ist richtig, denn, wenn ich auch *C. ellipticum* mit *C. Majeri* heute vereinigen musste, sind darum andererseits dort unter Nr. 159 nicht eine, sondern zwei *Ampullaria-*, beziehungsweise *Zagrabica-*Arten einbegriffen gewesen — endlich die 3 Arten aus Remete, im Ganzen 48 Arten verzeichnet. Heute kennen wir aus Markuševec 11 Arten, aus Remete 5 Arten, aus Okrugljak 70, aus Černomerec 22 und aus Kustošak 5 Arten, oder zusammen, die sich wiederholenden Arten nicht eingerechnet, 81 Arten. Es sind also seither nicht nur viele neue Arten hinzugekommen, sondern durch Auffindung besser erhaltener Exemplare haben wir auch einige richtiger bestimmen können, so dass heute nur mehr 11 bis 14 Arten wegen schlechter Erhaltung noch unsicher sind.

---

[1] Grundzüge der Abyssodynamik, zugleich ein Beitrag zu der durch das Agramer Erdbeben vom 9. November 1880 neu angeregten Erdbebenfrage. Agram 1881, S. 175.

Bei der weiten Verbreitung der Congerienschichten sind deren Molluskenreste im Allgemeinen nicht eben selten zu nennen, aber selten ist ihr Erhaltungszustand ein vollständiger. Im Ganzen kann man sagen, dass die Fauna der Congerienschichten an Arten ebenso reich, ja local reicher ist als jene der Paludinenthone Kroatiens und Slavoniens, oder der Melanopsidenmergel Dalmatiens, dass aber die Individuenanzahl, abgesehen von dem ebenfalls local massenhaften Auftreten der *Dreissena croatica* in eigentlichen Dreissenien- oder Congerienbänken, gewöhnlich eine geringere ist. Die erste Behauptung wird durch die von Fuchs im Jahre 1877 zusammengestellten, wenn auch für damals nicht ganz vollständigen Verzeichnisse der Molluskenfauna bekräftigt, worin derselbe für die Fauna der Congerienschichten Oesterreich-Ungarns 160, für jene der levantinischen Stufe 172 Arten aufgezählt hat. Die zweite Behauptung, dass die hier besprochene Fauna ärmer an Individuen sei, beweisen sowohl die vielen Unica als der Umstand, dass nach 16jährigem Sammeln nur von einer Art gegen 100 Stück gesammelt wurden.

Von anderen Thierclassen haben die Agramer Congerienschichten, speciell Okrugljak, nur seltene Fischschuppen geliefert. Pflanzenreste sind, abgesehen von fossilen Holzstücken, nur sehr spärlich vorhanden.

Den Charakter der Molluskenfauna der Congerienschichten im Allgemeinen hat F u c h s so treffend hervorgehoben, dass ich nur dessen eigene Worte wiederzugeben brauche.

„Die Fauna der Congerienschichten besitzt einen ausgesprochenen brackischen Charakter „und besteht überall der Hauptsache nach aus eigenthümlichen Cardien, Congerien und Melanopsiden.‘

„Merkwürdig ist hiebei der Umstand, dass bei aller Gleichmässigkeit im Grundcharakter doch „f a s t j e d e L o c a l i t ä t i h r e e i g e n t h ü m l i c h e A r t e n h a t.‘

„So oft ein neuer Fundort aufgefunden wird, so oft kann man auch sicher sein, e i n e „g r o s s e A n z a h l n e u e r F o r m e n z u e r h a l t e n, und zwar sind es gerade i m m e r d i e „a u f f a l l e n d e n u n d h e r r s c h e n d e n A r t e n, w e l c h e ü b e r a l l a n d e r e s i n d.‘

„Es ist dies eine Eigenthümlichkeit in der räumlichen Vertheilung der Organismen, welche „wir in der Jetztwelt nur in den Flussgebieten des Mississippi und Amazonenstromes finden.

„Dabei sind diese Schichten noch lange nicht ausgebeutet, und liefert noch fortwährend „j e d e r n e u e F u n d o r t in Ungarn, Kroatien oder Siebenbürgen i m m e r w i e d e r n e u e u n d „n e u e A r t e n.‘

„Im höchsten Grade auffallend ist die ausserordentliche Fremdartigkeit, welche die Fauna „der Congerienschichten, verglichen mit der analogen Fauna der Jetztwelt zeigt. N i c h t n u r g e h ö r e n „d i e M e h r z a h l d e r v o r k o m m e n d e n A r t e n z u F o r m e n g r u p p e n u n d U n t e r g a t t u n g e n, „w e l c h e i n d e r J e t z t z e i t e n t w e d e r g a r n i c h t o d e r d o c h n u r v e r s c h w i n d e n d v e r- „t r e t e n s i n d, sondern es kommen hier sogar mehrere ganz neue und auffallende „G e n e r a v o r *(Dreissenomya, Valenciennesia).*‘

„Unter den lebenden Faunen kann nur die Fauna des kaspischen Sees und des Aralsees in „Bezug auf systematische Verwandtschaft mit der Fauna der Congerienstufe verglichen werden, indem „hier nicht nur einige kleine Congerien, sondern auch mehrere Arten von sinupalliaten Cardien „vorkommen, welche für die Congerienschichten so bezeichnend sind; indessen muss dieselbe im „Vergleich mit der Fauna der Congerienschichten doch als eine verschwindend arme bezeichnet „werden und kann sich mit dem daselbst herrschenden Formenreichthum nicht im entferntesten „messen.“ [1])

---

[1]) Führer zu den Excursionen der Deutschen geologischen Gesellschaft nach der allgemeinen Versammlung in Wien 1877, S. 72—74.

*

Die bis heute untersuchten Localitäten sind Agram alle so nahe, dass man zu dem entferntesten in einem Tage ganz bequem hin- und hergehen und noch an Ort und Stelle mehrere Stunden
mit Sammeln zubringen kann. Zu Wagen kann man sie alle in einem Tage besuchen. Solch eine
ideelle Fahrt kann der geneigte Leser mit der Umgebungskarte Agrams in der Hand mit mir
antreten. — Zu einem solchen Ausfluge wendet man sich vom Centrum Agrams nach Osten und
kommt nach dem schönen, aber jetzt vernachlässigten Parke von Maksimir und durch diesen hindurch
zu dem ehemaligen Seidenzuchthaus; hier wendet man sich gegen Norden und erreicht in wenigen
Minuten den Stefanovecbach am Fusse der Doktoršćinahöhe; und von da dem Thale nach, nach
einstündiger Fahrt, vom Jelačić-Platz gerechnet, gelangt man an die Kirche und den Pfarrhof von
Markuševec, dessen hochgebildeter Pfarrer Herr J. Jagić den Geologen gerne zu der Stelle geleitet.
welche Dr. Kramberger erst im heurigen Herbste entdeckt hat, und welche gerade nördlich vom
Ortsfriedhofe 10 Minuten entfernt liegt. Diese Localität zeichnet sich durch die Verschiedenheit ihrer
Mollusken von allen anderen Agramer Localitäten aus. Keine einzige der hier von Dr. Kramberger gesammelten Arten ist an den anderen Fundorten zu finden; ausserdem ist es die einzige
Fundstelle, an welcher die Arten in einer grösseren Individuenanzahl vertreten sind. Kurz, Markuševec
ist von den anderen Localitaten streng zu unterscheiden; es kann nicht meine Aufgabe sein, die
stratigraphischen Verhältnisse näher zu besprechen, da dies der Entdecker dieser Localität gelegentlich
thun wird, doch mag bemerkt werden, dass diese Localität einen durch das Auftreten der *Melanopsis*
aus der Gruppe der *M. Martiniana* (Untergattung *Lyrcea*) ausgezeichneten Horizont darstellt. Darum
werde ich die Localität Markuševec den *Lyrcea*-Horizont nennen; derselbe ist vor Allem durch
das Vorkommen der Gattung oder Untergattung *Neritona* charakterisirt, welche meines Wissens
sonst nirgends in Europa gefunden worden ist. Die in Markuševec bis jetzt constatirten Arten
werde ich hier aufzählen, und sowohl in diesem, als in dem folgenden Verzeichnisse die der Localität
eigenthümlichen Arten durch ein Sternchen kenntlich machen.

1.	*Dreissena subglobosa Partsch.*	7.	*Melanopsis Martiniana Férussac.*
2.	„ *sp.,*	8.	„ *vindobonensis Fuchs,*
3.	*Adacna sp.,*	9.	„ *Bouéi Férussac,*
4.	„ „	10.	„ *pygmaea Partsch,*
* 5.	*Neritona Martensi Brusina,*	* 11.	„ *Krambergeri Brusina.*
* 6.	*Neritodonta Pilari* „		

Alle anderen Localitäten der Agramer Umgebung, welche eine untereinander ganz übereinstimmende Fauna enthalten, werde ich mit L e n z und R. H ö r n e s als V a l e n c i e n n e s i e n-
Horizont unterscheiden, da „die hellen Mergel, in welchen die Valenciennesien begleitet von scharfrippigen Cardien vorkommen, für einen scharfbestimmten Horizont" zu halten sind. Der V a l e n-
c i e n n e s i e n - Horizont von Agram ist speciell durch das Auftreten der aberranten und merkwürdigen
Limnaeidengattungen, wie *Boskovicia* und *Lytostoma* ausgezeichnet; ferner durch die in mehreren
Arten vertretene Gattung *Zagrabica*, welche sonst nur noch in den Árpáder Congerienschichten
vorkommt.

Von Markuševec führt die Landstrasse in südwestlicher Richtung in 10 Minuten nach Bačun,
von wo ein Fussweg nach Remete leitet, wo Farkaš-Vukotinović im Jahre 1872 einige Steinkerne
und Abdrücke gefunden hat. Wie im Jahre 1874 berichtet wurde, befindet sich daselbst „eine hohe
„sandige Wand, die von einem festeren eisenschussigen, einen halben Schuh dicken Streifen durch-

---

¹) R. Hörnes. Tertiärstudien im Jahrb. d. k. k. geol. Reichsanst XXIV. 1874. S. 80 [48]; l. c. XXV. 1875. S. 65 [3].

,zogen ist; in demselben sind einige Arten enthalten, welche ganz das Aussehen von aus Eisen ,bestehenden Steinkernen haben' [1]). Es ist dies eine eigene Facies, die nur Steinkerne und Abdrücke von Lamellibranchiaten enthält. Die Gehäuse der viel kleineren Gasteropoden haben sich nicht erhalten können, oder es gelingt wenigstens nicht, dieselben aus dem Sandsteine herauszubekommen. Die Arten von Remete-Bačun sind folgende:

     1. *Dreissena rhomboidea M. Hörnes,*
     2.   „   *croatica Brusina,*
     3. *Adacna Schmidti M. Hörnes,*
     4.   „   *croatica Brusina,*
     * 5.   „   *ferruginea* „

An einem anderen Punkte bei Remete hat Gnezda in gewöhnlichem Mergel folgende Arten constatirt:

     1. *Dreissena sp.,*
     2. *Adacna Majeri M. Hörnes,*
     3.   „   *otiophora Brusina,*
     4.   „   *edentula Deshayes,*
     5. *Lytostoma grammica Brusina.*

Das reizende Remetethal verlassend, kommen wir wieder nach Bačun zurück, von wo eine Fahrt von etwa 20 Minuten nach Gračani uns in das kleine Gračanthal bringt. Nur einige hundert Schritte südlicher, zwischen der Häusergruppe Zvečaj und der Ortskirche von Gračani legt der Gračanbach die Congerienschichten bloss, er läuft genau in südlicher Richtung der Hauptstadt entgegen, die Congerienschichten in jenem engen Thale längs des Okrugljakhügels mehr oder weniger tief einschneidend, bis er am äussersten Südabhange von Okrugljak selbst, in den von der Königs- und anderen Bergquellen kommenden Medvešćakbach einmündet. Letzterer verfolgt genau dieselbe südliche Richtung, wie der Gračanbach, um weiter durch Agram selbst fliessend, die Save zu erreichen. Im Bette, an den Ufern und hie und da auf einer mehr oder weniger weiten, vom Wasser blossgelegten Fläche der Gračan- und Medvešćakbäche, also von einer Stelle etwas unter dem Dorfe Gračani angefangen bis zu der Mühle, welche nur einige hundert Schritte weit von der Brücke zwischen der Mlinarska cesta und der Novaves-Strasse liegt, also in nächster Nähe der Hauptstadt, sind Fossilien zu finden. Dies ist die Hauptfundstelle, aus welcher wir nach 16jährigem Sammeln so herrliches Material zusammengebracht haben, man kann dieselbe von Gračani bis zur Brücke in 15 Minuten fahrend ganz durchschneiden; ihre Ausdehnung beträgt über 1600 Meter. Für diesen Fundort werde ich von nun an die Bezeichnung Okrugljak gebrauchen, welche ich auch mit Dr. Pilar übereinstimmend für die geeignetste und natürlichste halte. Es ist ein wunderschönes Thal, welches wir als das nächste und von der Stadt aus am leichtesten zugängliche, am häufigsten besucht haben. Es ist wahrscheinlich hauptsächlich nur diesem Umstande zu verdanken, wenn wir bis jetzt die stattliche Anzahl von 70 Arten in Okrugljak constatirt haben, nämlich:

1. *Dreissena rhomboidea M. Hörnes,*	* 6. *Dreissenomya croatica Brusina,*	
2. „ *Partschi Čjžek,*	7. *Adacna Schmidti M. Hörnes,*	
* 3. „ *croatica Brusina,*	* 8. „ *histiophora Brusina,*	
* 4. „ *zagrabiensis* „	* 9. „ *Meisi*	
* 5. „ *superfoetata* „	* 10. „ *croatica* „	

---

[1]) S. Brusina, Fossile Binnenmollusken aus Dalmatien, Kroatien und Slavonien. Agram 1874. S. 158.

Beiträge zur Paläontologie Oesterreich-Ungarns. III, 4.   18

11. *Adacna hungarica* M. Hörnes.
* 12.   „   *zagrabiensis* Brusina,
* 13.   „   *Rogenhoferi* „
14.   „   *Riegeli* M. Hörnes,
15.   „   *Scheideliana* Partsch.
16.   „   *banatica* Fuchs,
* 17.   „   *Pelzelni* Brusina,
* 18.   „   *chartacea* „
19.   „   *Majeri* M. Hörnes.
20.   „   *cf. oriovacensis* Neumayr.
* 21.   „   *Steindachneri* Brusina,
* 22.   „   *hemicardia* ,
* 23.   „   *Barači* „
* 24.   „   *prionophora* „
* 25.   „   *ochetophora*
* 26.   „   *otiophora* „
* 27.   „   *diprosopa*
28.   „   *simplex* Fuchs,
* 29.   „   *Budmani* Brusina,
30.   „   *edentula* Deshayes,
* 31.   „   *pterophora* Brusina,
32.   „   *complanata* Fuchs,
* 33.   „   *Kiseljaki* Brusina,
* 34. *Pisidium Krambergeri* Brusina.
35. *Lithoglyphus ! sp.*
36. *Hydrobia sp.*
37.   „
38.   „
39. *Pyrgula incisa* Fuchs.
* 40. *Micromelania Fuchsiana* Brusina.

* 41. *Micromelania monilifera* Brusina,
* 42.   „   *cerithiopsis* „
* 43.   „   *coelata*
44.   „   *cf. auriculata* ,
45.   „   *cf. laevis* Fuchs,
46.   „   *? sp.,*
* 47. *Bythinia Clessini* Brusina.
* 48.   „   *pumila* „
49. *Vivipara Sadleri* Partsch.,
50. *Melanopsis cf. defensa* Fuchs,
* 51.   „   *Faberi* Brusina,
52.   „   *decollata* Stoliczka.
53. *Valvata balatonica* Rolle,
54.   „   *gradata* Fuchs,
55.   „   *tenuistriata* Fuchs,
56.   „   *sp..*
* 57. *Planorbis constans* Brusina,
58.   „   *cf. transsylvanicus* Neumayr,
59.   „   *Radmanesti* Fuchs,
* 60.   „   *clathratus* Brusina,
* 61. *Zagrabica naticina* „
* 62.   „   *ampullacea* ,
* 63.   „   *Maceki*
* 64.   „   *cyclostomopsis* „
* 65.   „   *Folnegoviéi* „
* 66. *Boskovicia Josephi* „
* 67. *Lytostoma grammica* „
* 68. *Limnaea Kobelti* „
69. *Valenciennesia Reussi* Neumayr.
* 70.   „   *pelta* Brusina.

Vier weitere Localitäten liegen auf der entgegengesetzten, westlichen Seite von Agram in den Thaleinschnitten der Bäche des südwestlichen Abhanges des Agramer Gebirges, welche, fast in gerader Linie durch die Ebene fliessend, die Save erreichen.

Es ist also nöthig, nach Agram zurückzukehren, von dessen Mittelpunkt man zu Wagen die gegen 3100 Meter betragende Strecke bis an den Bach Černomerec am Westende der Agramer Gemeinde in einer kleinen Viertelstunde zurücklegt. Hier, wo der Černomerec die Landstrasse überschreitet, ist kein directer Weg zu finden, weshalb man sich noch vor der Gemeindegrenze an den letzten Häusern Agrams auf dem Landweg von Sveti duh ins Černomerecthale wenden muss, wo wir den Wagen verlassen. Hie und da sind im Bachbette und dessen Ufern, oder an sonst zu Tage tretenden und blossgelegten Stellen und Wänden einige Fossilien zu finden. Das schönste Material liefert aber eine wirkliche Dreissenen- oder Congerienbank, welche der Häusergruppe Fraterščica ganz nahe ist. Diese Bank besteht aus einer Unmasse zerbrochener oder sehr zerbrechlicher Schalen von *Dreissena croatica;* hier kommen die meisten Arten vor, welche von mir, noch viel mehr aber von

Gnezda gesammelt wurden. Diese Congerienbank befindet sich am Rande und dient theilweise als Stütze und Aufsteigweg zu einem Felde, sonst hätten wir dieselbe nach und nach abgetragen, um die darin enthaltenen Fossilien auszubeuten; wir sind ohnedies oft genug mit dem Bauern, dem Eigenthümer des Grundstückes, fast in Collision gerathen. Die Arten der Localität Cernomerec sind:

1.	*Dreissena rhomboidea M. Hörnes,*	12.	*Adacna Budmani Brusina,*
2.	„ *Partschi Czjžek,*	13.	„ *edentula Deshayes,*
* 3.	„ *Markovici Brusina,*	14.	„ *pterophora Brusina,*
4.	„ *croatica* „	15.	„ *complanata Fuchs,*
* 5.	„ *Gnezdai* „	16.	*Pisidium Krambergeri Brusina,*
6.	„ *zagrabiensis* „	17.	*Micromelania montifera* „
7.	„ *superfoetata* „	18.	„ *cf. auriculata* „
8.	*Adacna zagrabiensis* „	19.	*Planorbis clathratus* „
9.	„ *Majeri M. Hörnes,*	20.	*Zagrabica sp.,*
10.	„ *otiophora Brusina,*	21.	*Limnaea Kobelti* „
11.	„ *diprosopa* „	22.	*Valenciennesia Reussi Neumayr.*

Zur Hauptstrasse zurückgekehrt, führt eine Fahrt von nur 3 Minuten gegen Südwesten an den Kustošakbach, in dessen Thal nördlich von der Hauptstrasse Fossilien vorkommen. Die bis jetzt in Kustošak aufgefundenen Arten sind:

1. *Dreissena croatica Brusina,*
2. „ *zagrabiensis* „
3. „ *superfoetata* „
4. *Adacna pterophora* „
5. *Valenciennesia Reussi Neumayr.*

Wenn wir nur wenige Arten von dieser Localität erwähnen, so liegt der Grund darin, dass wir dieselbe bisher, wegen Mangels an Zeit oder Beihilfe, vernachlässigt haben. Das Wenige, was in der Sammlung liegt, wurde hauptsächlich von Farkaš-Vukotinović auf Kosten des National-Museums im Jahre 1872 gesammelt.

Abermals 6 bis 8 Minuten weiter erreicht man den Vrabčebach, aus dessen Thale Gnezda einige Arten gesammelt hat, nämlich:

1.	*Dreissena croatica Brusina,*	5.	*Adacna Steindachneri Brusina.*
2.	„ *zagrabiensis Brusina,*	6.	„ *otiophora* „
3.	*Adacna Riegeli M. Hörnes,*	7.	*Zagrabica sp.,*
4.	„ *Majeri* „		

welche Gnezda am rechten Ufer des Baches 8 Minuten von der Brücke entfernt, gefunden hat.

Nochmals 8 bis 10 Minuten weiter gelangen wir zum Dorfe Stenjevec, wo die Landes-Irrenanstalt sich befindet. In der Umgebung dieses Ortes hören die Congerienschichten am Südwestabhange des Agramer Gebirges gänzlich auf. Von hier besitzt unsere Sammlung nur ein ganzes, wenn auch stark verwittertes Individuum der

Dreissena croatica Brusina,

welches vor Jahren ein Freund unseres Institutes, der verstorbene Ivan Vončina, dort gefunden und mir übergeben hat.

Es sind das die Hauptlocalitäten der Umgebung von Agram, welche in einem Tage bequem zu Wagen besucht werden können. Ich muss aber nochmals betonen, dass man die Fundstellen nach

Dutzenden erwähnen könnte; überall kommt man an mehr oder weniger ausgebreitete, blossgelegte Stellen der Congerienschichten. So kann man z. B. nördlich von Agram, in Šestine, knapp am Pfarrhofe immer einige Fragmente finden. Dr. Kramberger hat dort gesammelt:

      1. *Dreissena zagrabiensis Brus.*
      2. *Adacna sp.*

In nordöstlicher Richtung von Agram nehmen die Congerienschichten eine bedeutend weitere, ja meilenweite Ausdehnung. Weiter von Markuševec habe ich keine Fundorte besucht, nur in Zelina bei Sveti Ivan am nordöstlichsten Ausläufer des Gebirges, gegen 3 Stunden von Agram entfernt, habe ich constatirt:

      1. *Dreissena croatica Brusina,*
      2. *Adacna 3 sp.*

Gewiss aber könnte dort ein eifriger Sammler allmälig ansehnliches Material zusammenbringen.

Die Fauna der Agramer Congerienschichten ist von den bis jetzt bekannten die reichste an Arten, sei es, dass wir nur die Localität Okrugljak mit 70, oder die Gesammtzahl der Arten beider Horizonte mit 81 in Betracht ziehen.

Die Molluskenfauna von Okrugljak oder des Valenciennesien-Horizontes überhaupt scheint die grösste Uebereinstimmung mit jener von Árpád in Ungarn zu zeigen, da beide Localitäten folgende Arten gemeinsam haben:

1. *Dreissena rhomboidea M. Hörnes,*	6. *Adacna Riegeli, M. Hörnes,*
2. „ *croatica Brusina,*	7. „ *Majeri* „
3. *Adacna Schmidti M. Hörnes,*	8. „ *edentula Deshayes* [1],
4. „ *hungarica* „	9. *Zagrabica sp.*
5. „ *Rogenhoferi Brusina,*	

Sehr wahrscheinlich kommen noch andere Arten in Árpád vor, welche bei uns auch zu Hause sind; leider wurde aber die sehr interessante Árpáder Molluskenfauna, wie es mir scheint, nicht gehörig ausgebeutet und speciell behandelt, und so können die beiden Faunen nicht hinlänglich verglichen werden.

Die von Fuchs beschriebene Fauna der Congerienschichten von Radmanest hat 52, oder — wenn man die von mir weiter geschiedenen *Micromelania*-Arten dazu rechnet — 54 Arten Jedenfalls ist hier die Aehnlichkeit weit geringer, und nur wenige Arten beiden Fundorten gemeinsam, nämlich mit Okrugljak.

1. *Adacna banatica Fuchs,*	5. *Vivipara Sadleri Partsch,*
2. „ *simplex* „	6. *Melanopsis decollata Stoliczka,*
3. „ *complanata* „	7. *Planorbis Radmanesti Fuchs.*
4. *Pyrgula incisa* „	

Mit Markuševec dagegen nur:

      8. *Melanopsis Martiniana Férussac.*

Ausserdem können wir eben so viele Radmanester Arten nennen, welche in Okrugljak durch sehr ähnliche Formen vertreten sind, nämlich:

---

[1] Verhandlungen d. k. k. geol. Reichsanst. 1874, S. 73.

1. *Dreissenomya Schröckingeri Fuchs* ist der *D. croatica* ähnlich,
2. *Micromelania costulata*   „   „   *M. coelata*   „
3.   „   *laevis*   „   „   *M. cf. laevis* ähnlich,
4.   „   *auriculata Brus.*   „   „   *M. cf. auriculata* ,
5. *Melanopsis defensa Fuchs*   „   „   *M. cf. defensa*   „
6. *Planorbis varians*   „   „   „   *P. constans*   „
7. *Limnaea paucispira*   „   „   „   *L. sp.* (Taf. 4. Fig. 19) ähnlich.

Ueber die Radmanester *Neritina Grateloupana* und *Pisidium priscum* kann ich nichts sagen; die Bestimmung dieser Arten muss heute als eine nicht genügend verbürgte angesehen werden, und ich habe bei meiner Anwesenheit in Wien versäumt, die Radmanester Originale zu vergleichen.

Die ebenfalls von F u c h s bearbeitete Fauna von T i h á n y in Ungarn hat 43 Arten aufgewiesen. Agram und T i h á n y haben folgende Arten gemeinsam, nämlich mit Okrugljak:

1. *Pyrgula incisa Fuchs,*   4. *Valvata balatonica Rolle,*
2. *Vivipara Sadleri Partsch,*   5.   „   *gradata Fuchs,*
3. *Melanopsis decollata Stoliczka,*   6.   „   *tenuistriata* ,

Mit Markuševec:

7. *Melanopsis Bouéi Férussac,*
8.   „   *pygmaea Partsch.*

Ausserdem sind wieder folgende Arten:

1. *Dreissenomya Schröckingeri Fuchs,*
2. *Micromelania laevis*   „
3. *Planorbis varians*   „

zu nennen, welche, wie schon oben angeben, bei uns durch vicarirende oder sonst nahe verwandte Formen vertreten sind.

Die zugleich von F u c h s behandelte Fauna von K ú p in Ungarn hat 32 Arten geliefert, von diesen ist mit Okrugljak einzig und allein

1. *Dreissena Partschi Czjžek*

gemeinsam; mit Markuševec kommen noch dazu:

2. *Melanopsis Martiniana Férussac,*
3.   „   *Bouéi*   „
4.   „   *pygmaea Partsch.*

Sonst ist nur noch *Dreissenomya Schröckingeri* zu nennen, welche in *D. croatica* eine vicarirende Form wiederfindet.

Bezüglich der Abbildungen muss ich bemerken, dass dieselben in Wien angefertigt sind und nicht von mir selbst corrigirt werden konnten. In Folge dessen sind einige der vergrösserten Abbildungen von Arten der Gattungen *Micromelania, Melanopsis, Planorbis, Zagrabica* und *Lytostoma* nicht gut gelungen. Es sind das die Figuren Nr. 1, dann 5 bis 10, 17 bis 23 und 27 bis 29, leider also darunter meine drei neuen Gattungen. Ebenso hat der Zeichner die Nummer der Stücke der Sendung gleich zur Numerirung der Tafeln benützt, wodurch diese eine unzweckmässige geworden ist. Die ungenügenden Abbildungen sind nicht zahlreich, und da ohnehin die schöne Sammlung Dr. Kiseljak's mich sehr bald zur Bearbeitung eines weiteren Beitrages zur Kenntniss der Molluskenfauna der Agramer Congerienschichten führen wird, so können bei dieser Gelegenheit neben den neuen Formen auch bessere Zeichnungen jener Typen nachgetragen werden.

Meine Aufzeichungen über die Pyrgulinen [1]), meine Abhandlung über die Neritodonten [2]), die vorliegende und wohl noch manch andere folgende Arbeit wären nicht zu Stande gekommen oder jedenfalls minder befriedigend ausgefallen, wenn mir nicht die k. kroatische Regierung die Möglichkeit geboten hätte, mich während der Ferien des Jahres 1881 nach Wien zu begeben, um mit Beihilfe der dortigen Bibliotheken und Sammlungen unsere Fossilien genauer bestimmen und mit anderen vergleichen zu können. In Wien selbst habe ich das grösste Entgegenkommen gefunden. Ich ergreife darum diese Gelegenheit, um sowohl der k. Regierung in Agram, als auch den Herren: Oberbergrath Dionys Stur, Vicedirector der k. k. geologischen Reichsanstalt, Theodor Fuchs, Custos der geologisch-paläonto-logischen Abtheilung am k. k. naturhistorischen Hof-Museum, Professor Neumayr, Dr. Leo Burgerstein, Assistenten am geologischen Museum der Universität, August Wimmer, wissen-schaftlicher Hilfsarbeiter am k. k. zoologischen Hofkabinete, und Mathias Auinger, allen in Wien, meinen innigsten Dank auszusprechen. — Zuletzt muss ich den Herren Stur, Fuchs, Neumayr und Burgerstein ganz besonders Dank wissen, da sie mir bereitwilligst Doubletten der einen oder der anderen von mir als Vergleichsmaterial gewünschten Arten überlassen haben. Den grössten Dank schulde ich dem leider vor Kurzem verstorbenen Geheimen Rathe Baron Julius von Schröckinger-Neudenberg, welcher aus eigenem Antriebe, durch die Zusendung einer kleineren Suite Radmanester Fossilien, mir die Erkenntniss unserer Fauna bedeutend erleichtert hat.

Zagreb (Agram), am 11. December 1883.

S. Brusina.

A. Der Lyrcea-Horizont.

I. Markuševec.

Dreissena Van Beneden.

1. Dreissena subglobosa Partsch.

1835. *Congeria subglobosa* Partsch., Ann. Wien. Mus. I. 97 (pro parte). Taf. 11, Fig. 1—8, 10 (non Fig. 9).
1837.   „   „   *Hauer*, in Leonh. und Bronn. Jahrb. 423.
1838. *Mytilus subglobosus* Goldf. und *Münst.*, Petref. Germ. II. 173 (pro parte), Taf. 130, Fig. 4 (non Fig. 3).
1846. *Congeria subglobosa* Geinitz, Grundr. der Versteinerungsk. 402.
1848.   „   „   *M.* Hörnes, Verzeich. Čžjžek Erläut. z. geog. Karte v. Wien 28.
1852. *Dreissena*   „   *Orbigny*, Prod. der Paläont. stratigraph. III. 125.
1853. *Congeria*   „   *Naumann*, Atlas z. Lehrb. der Geog. Taf. 68, Fig. 6.
1853. *Dreissenia*   „   *Bronn*, Leth. geog. III. 365, Taf. 39, Fig. 15.
1855.   „   „   *Dunk*, De Sept. et Dreiss. 23.
1862. *Congeria*   „   *Suess*, Der Boden d. Stadt Wien. 62, Fig. 1.
1862. *Mytilus subglobosus* Goldf. und *Münst.*, Petref. Germ. II. 164 (pro parte). Taf. 130, Fig. 4 (non Fig. 3).
1867. *Congeria subglobosa* *M.* Hörn., Foss. Moll. II. 362, Taf. 47, Fig. 1—3.
1874. *Dreissena*   „   *Brus* in Rad jugosl. akad. XXVIII. 101.

---

[1]) Le Pyrgulinae dell' Europa orientale (Bulletino della Società Malacologica Italiana. VII, Pisa 1881).

[2]) Die Neritodonta Dalmatiens und Slavoniens nebst allerlei malakologischen Bemerkungen (Jahrbücher der deutschen malakologischen Gesellschaft. XI. Jahrg. Frankfurt a. M. 1884).

1874. *Dreissena subglobosa* Brus. Foss. Binn.-Moll. 128.

1874.   „   „   *Sandb.* Conch. d. Vorwelt. 680, Taf. 31, Fig. 1.

1877. *Congeria*   „   *Fuchs* in Führer Excurs. geol. Gesell. 76.

1881. *Dreissena conglobata Partsch.* in Zittel Handb. d. Paläont. I. 2 Abtheil. 43. Fig. 56.

Dr. Kramberger hat ein halbes Dutzend Stücke dieser Art gesammelt, von denen zwar keines ganz erhalten ist, doch ist deren Uebereinstimmung mit der von M. Hörnes unter Fig. 2 abgebildeten Form unzweifelhaft. Ich habe oben die Synonymie dieser Art ziemlich vollständig gegeben, nachdem sie in meiner Abhandlung über die fossilen Binnenmollusken aus dem Jahre 1874 nicht enthalten ist.

Der Name *Dreyssena conglobata* in Zittel's Handbuch der Paläontologie beruht auf einem lapsus calami.

2. *Dreissena sp.*

Einige Fragmente einer *Dreissena* lassen nicht erkennen, ob sie zu *D. spatulata Partsch* oder zu *D. sub-Basteroti Tournouer* gehören.

Adacna Eichwald.

3. *Adacna sp.*

4. *Adacna sp.*

Die bis jetzt gesammelten Fragmente dieser Gattung beweisen, dass hier wenigstens zwei, nämlich eine flach- und eine rundrippige Art zu finden sind; eine specielle Bestimmung derselben ist bis zur Auffindung besseren Materials unmöglich.

Neritona Martens.

5. *Neritona Martensi Brusina.*

Dr. Kramberger und ich haben zuletzt je ein Stück dieser Art gesammelt. Ich muss sehr bedauern, dass es zu spät war, um dieselbe abbilden zu lassen, da sie als ein neuer Typus aus dem fernsten Osten in den jungtertiären Schichten Ost-Europas von Wichtigkeit ist. Das kleinere von Dr. Kramberger gesammelte Exemplar ist fast vollkommen erhalten, und so wurde mir es möglich, die Art festzustellen. Mir ist nichts Aehnliches bekannt, und obwohl die Art eine ganz kleine ist, so kann und darf ich sie nirgends als in der Gattung oder Untergattung *Neritona Martens* unterbringen. Sie ist nämlich eine Zwergform, welche ihre Verwandten unter den jetzt lebenden Süsswasserarten der ostasiatischen Inseln und Polynesiens, wie *Neritona labiosa Sow., N. planissima Mouss., N. granosa Sow.* hat.

N. Martensi ist kleiner als *Theodoxus fluviatilis L.*, die Bauchseite der Schnecke ist vollständig platt, die Rückenseite gewölbt. Das Gewinde ist verschwindend klein, und sowohl die Spira als der obere Theil des Umganges sind ganz abgeplattet, denn die stumpfe Spitze des Gewindes ragt nur sehr wenig hervor; in Folge dessen ist auch der Umgang oben gekantet. Die Mündung ist halbmondförmig, weit offen und ohrförmig Der Columellarrand ist ungezahnt, in der Mitte schwach, aber deutlich eingebuchtet; die Columellarfläche fast eben, vom übrigen Umgange durch eine sehr unscheinbare Furche getrennt; der obere Mundrand läuft fast in einer geraden Linie und zwischen diesem und der Columellarfläche ist eine kanalartige Einsenkung bemerkbar; der untere Mundrand bringt in der Berührungslinie mit dem Umgange einen scharfen, erhabenen Kiel hervor, fasst nach oben über die Hälfte der Columellarfläche ein, nach unten ist er stark flügelartig ausgebreitet und gegen den Rücken schwach, aber sichtbar umgeschlagen. Die Farbe ist eine rosaröthlich marmorirte, oben und um die Mitte des Umganges mit braunen dreieckförmigen Fleckchen verziert.

Diese höchst interressante, meines Wissens die erste europäische tertiäre *Neritona*, widme ich Herrn Dr. E. von Martens, dem berühmten Berliner Malakologen, der unter Anderem die classische Monographie der Gattung *Neritina* veröffentlicht hat.

Neritodonta Brusina [1]).

6. *Neritodonta Pilari Brusina.*

Diese Art ist gleichfalls zu spät aufgefunden, um sie abbilden lassen zu können. Sie ist jener hübschen Form, welche Dr. Pilar im Dugoselo gesammelt, und nach Exemplaren des k. Hof-Mineralien-Cabinetes als *Neritina callosa Meneghini* bestimmt hat, sehr ähnlich. Durch die besondere Gefälligkeit des Herrn Th. Fuchs habe ich einige fossile Exemplare dieser *N. callosa Deshayes* — und nicht *Meneghini* — aus Rhodus bekommen, also dieselbe Art, welche Dr. Pilar seinerzeit in Wien gesehen hat. Diese *N. callosa* soll dieselbe sein, welche die französische wissenschaftliche Expedition aus Morea gebracht und Deshayes im Jahre 1833 und neuerlich Martens beschrieben haben [2]); also auch eine recent vorkommende Art. Nur finde ich dieselbe Art in der sehr schätzenswerthen neuesten Arbeit über die recente Molluskenfauna Griechenlands von Westerlund und Blanc [3]) nicht erwähnt. Wie dem auch sei, jedenfalls konnte ich mich weder nach den Exemplaren des Hof-Mineralien-Cabinetes, noch nach der Beschreibung und Abbildung des Conchylien-Cabinetes überzeugen, dass die griechische Art mit der kroatischen aus Dugoselo ident sei. Die Identität dieser letzteren mit der von Dr. Kramberger in Markuševec entdeckten ist mir sehr wahrscheinlich, doch wird diese Frage erst nach Auffindung besserer Exemplare aus Markuševec entschieden werden können. In der Voraussetzung, dass es so sein wird, benenne ich unterdessen diese Art nach Dr. G. Pilar, Professor der Mineralogie an der Universität in Agram.

Melanopsis Férussac.

7. *Melanopsis Martiniana Férussac.*

1874. *Melanopsis Martiniana Brus.* in Rad jugosl. akad. XXVIII. 33.
1874.   „   „   „ Foss. Binnen-Moll. 48.
1874.   „   .   *Sandb.,* Conch. d. Vorwelt. 689 (pro parte), Taf. 31, Fig. 9 (non Fig. 10, non Taf. 26, Fig. 25).

---

[1]) Eine ausführliche Arbeit über diese neue Gattung befindet sich unter der Presse und wird im ersten Hefte der Jahrbücher der deutschen malakozoologischen Gesellschaft für das Jahr 1884 erscheinen.
[2]) Die Gattung *Neritina* Nürnberg 1879. 232. Taf. 22, Fig. 27—30.
[3]) Aperçu sur la Fauna Malacologique de la Grèce inclus l'Epire et la Thessalie. Naples 1879.

1877. *Melanopsis Martiniana Fuchs* in Führer Excurs. geol. Gesellsch. 75.
1880.   „   „   *Neum.* in Jahrb. geol. Reichsanst. XXX. 476 (14).

Ein grosses Exemplar entspricht ganz der Abbildung Nr. 7, welche Fuchs in seiner Abhandlung „Ueber den sogenannten chaotischen Polymorphismus" von einer Abänderung von Matzleinsdorf nächst Wien gibt; ausserdem liegt noch ein Dutzend kleiner und kleinster Exemplare vor.

Sowohl für diese als für die folgenden drei Arten gebe ich nur die spätere Synonymie als Anhang zu jener, welche ich in meiner ersten Abhandlung über die fossilen Binnenmollusken schon aufgezeichnet habe.

8. *Melanopsis vindobonensis Fuchs.*

1874. *Melanopsis vindobonensis Brus.* in Rad jugosl. akad. XXXVIII. 33.
1874.   „   -   „   Foss. Binnenmoll. 48.
1874.   „   *Martiniana Sandb.*, Conch. d. Vorwelt. 686 (pro parte), Taf. 31, Fig. 10 (non Fig. 9, non Taf. 26, Fig. 25).
1877.   „   *vindobonensis Fuchs* in Führer Excurs. geol. Gesellsch. 75.

Diese Form, von welcher Dr. Kramberger 24 Stücke gesammelt hat, ist darum sehr interessant, weil dies die erste sicher constatirte Localität in Kroatien und Slavonien ist; die von mir schon seinerzeit nur als fraglich angegebene Fundstelle Virovitica ist mehr als unsicher.

9. *Melanopsis Bouei Férussac.*

1874. *Melanopsis Bouei Brus.* in Rad jugosl. akad. XXXVIII. 45.
1874.   „   „   „   Foss. Binnenmoll. 31.
1874.   „   „   *Sandb.*, Conch. d. Vorwelt, 688, Taf. 31, Fig. 11.
1877.   „   „   *Fuchs* in Führer Excurs. geol. Gesellsch. 75.

Dr. Kramberger hat ein Dutzend Exemplare der typischen bauchigen Form, zwei Dutzend der verlängerten Varietät mit zwei Knotenreihen, welche ich *var. gracilis* benannt habe, und wieder ein Dutzend einer ebenfalls verlängerten Varietät, welche nur eine Knotenreihe hat, gesammelt. Diese Art ist bekanntlich ungemein veränderlich; ich werde jedoch, so wenig wie meine Vorganger, eine Theilung nach Formen vornehmen, weil nicht nur alle möglichen, vielfach veränderlichen Uebergänge zu finden sind, sondern auch alle diese Varietäten in einem und demselben Horizonte zusammen vorkommen.

10. *Melanopsis pygmaea Partsch.*

1874. *Melanopsis pygmaea Brus.* in Rad jugosl. akad. XXXVIII. 33.
1874.   „   „   „   Foss. Binnenmoll. 23.
1877.   „   „   *Fuchs* in Führer Excurs. geol. Gesellsch. 75.

Ebenfalls die erste sichere Localität der *M. pygmaea* in Kroatien und Slavonien. — Unsere 24 Exemplare sind kleiner als jene, welche wir aus Brunn bei Wien besitzen, und der von Fuchs aus Kúp in Ungarn (Fig. 13 und 14) abgebildeten Varietät viel ähnlicher; somit scheint in Markuševec nur diese Varietät vorzukommen.

11. Melanopsis Krambergeri Brusina.

Ich bin der Meinung gewesen, dass vier kleine, nicht ganz ausgewachsene Individuen aus dieser Localität als *M. avellana Fuchs* [1]), welche bis jetzt nur aus der Umgebung von Ofen und Oedenburg in Ungarn bekannt ist, angesehen werden dürften. Nach Vergleichung von Original-exemplaren der *M. avellana*, welche ich Herrn Th. Fuchs zu verdanken habe, habe ich mich überzeugt, dass wir es mit einer neuen Art zu thun haben, welche ich dem Entdecker Dr. Kramberger widmen will.

B. Der Valenciennesia-Horizont.

II. Remete.

Dreissena Van Beneden.

1. Dreissena rhomboidea M. Hörnes.

Unsere Sammlung besitzt sechs Steinkerne dieser Art; die meisten rühren von ganzen Individuen her. Auf die Art selbst komme ich später wieder zurück.

2. Dreissena croatica Brusina.

Die Beschreibung dieser Art folgt später; aus dieser Localität haben wir nur ein Bruchstück eines Steinkernes zu verzeichnen.

Adacna Eichwald.

3. Adacna Schmidti M. Hörnes.

Aus Remete liegen uns fünf Stück Steinkerne und Abdrücke vor.

4. Adacna croatica Brusina.

Diese ist die grösste *Adacna*-Art, welche ich je gesehen habe; die Beschreibung folgt bei Besprechung des zweiten bis jetzt aufgefundenen Stückes aus Okrugljak. Von dieser Localität haben wir nur ein Abdruck einer rechten Klappe.

5. Adacna ferruginea Brusina.

1872. *Cardium ferrugineum Brus.* in Rad jugoslav akad. XXIII. 17 (non Reeve).
1874. „ „ „ l. c. XXVIII. 103.
1874. „ „ „ Foss. Binnenmoll. 138.

Sie ist die häufigste Art der Localität; es sind 16 Steinkerne und nur zwei unbedeutende Abdrucksstücke gefunden worden; alle diese erlauben uns doch nicht die Entscheidung des Verhältnisses dieser Art zu *A. Meisi.*

---

[1]) Jahrb. der k. k. geol. Reichsanstalt XXIII. 1872. 20 (2). Taf. 4, Fig. 16, 17.

III. Okrugljak.

Dreissena Van Beneden.

1. Dreissena rhomboidea M. Hörnes.

1860. *Congeria rhomboidea* M. Hörn. in Jahrbuch geol. Reichsanst. XI. 5.
1862.   „   „   *Peters* in Sitzb. Akad. d. Wiss. in Wien. XLIV. 63.
1867.   „   „   *M. Hörn.* Foss. Moll. II. 364. Taf. 48, Fig. 4.
1872.   „   *alata*   *Brus.* in Rad jugosl. akad. XXIII. 17.
1874. *Dreissena*   „   „   l. c. XXVIII. 103.
1874.   „   „   „   Foss. Binnenmoll. 138.
1875. *Congeria rhomboidea* Neum. Palud. u. Cong. Schich. 20.
1877.   „   „   *Fuchs* in Führer Excurs. geolog. Gesellsch. 76.

Diese ist die relativ häufigste *Dreissena* in Okrugljak, da wir gegen 20 mehr oder weniger beschädigte und zerquetschte Stücke besitzen. Eine ziemlich gut erhaltene Klappe stimmt so genau mit Exemplaren derselben Art aus Árpád und Fünfkirchen in Ungarn, und mit slavonischen Exemplaren aus Ferkljevce bei Požega, welche ich in der Sammlung der k. k. geologischen Reichsanstalt in Wien zu untersuchen Gelegenheit gehabt habe, dass über die Identität der eben erwähnten mit unserer Art kein Zweifel walten kann. Diese Art ist, wie die allermeisten *Dreissena*, ziemlich veränderlich, dazu werden so grosse und sonst zerbrechliche Muscheln durch mechanischen Druck sehr verschiedenartig gestaltet. Die von mir früher als *D. alata* bestimmte Abänderung zeichnet sich aber wirklich von allen anderen dadurch aus, dass nach der oberen flügelartigen Ausbreitung des Hintertheiles eine tiefe Einbuchtung folgt, welche der Muschel einen ganz eigenthümlichen, von Hörnes, Abbildungen stark abweichenden Umriss gibt. Dies ist möglicherweise nur eine individuelle Abänderung, und nachdem dieselbe bis jetzt nur an einem einzigen Exemplare beobachtet wurde, welches von den anderen sich sonst nicht unterscheidet, kann ich selbe heute nicht mehr als eine selbstständige Form ansehen.

2. Dreissena Partschi Czjžek.

1835. *Congeria subglobosa Partsch*, Ann. Wien. Mus. I. 97 (pro parte), Taf. 11, Fig. 9 (non Fig. 1—8, 10).
1838. *Mytilus subglobosus Goldf.* und *Münst.*, Petref. Germ. II. 173 (pro parte), Taf. 130, Fig. 3 (non Fig. 4).
1849. *Congeria Partschi Czjžek* in Haiding. Naturw. Abhandl. III. I. Abth. 129. Taf. 15.
1855. *Dreissenia Partschi Dunk.*, De Sept. et de Dreiss. 22.
1862. *Mytilus subglobosus Goldf.* u. *Münst.*, Petref. Germ. II. Aufl. II. 164 (pro parte). Taf. 130, Fig. 3 (non Fig. 4).
1867. *Congeria Partschi M. Hörn.*, Foss. Moll. II. 365. Taf. 49, Fig. 1, 2.
1874. *Dreissena Partschi Brus.* in Rad jugosl. akad. XXVIII. 101.
1874.   „   „   „   Foss. Binnenmoll. 128.
1877. *Congeria Partschi Fuchs* in Führer Excurs. geol. Gesellsch. 76.

Eine kleine linke Klappe und zwei Fragmente dieser Art habe ich dem Eifer Gnezda's zu verdanken; ihm also gebührt das Verdienst, diese Art in Okrugljak entdeckt zu haben.

3. Dreissena croatica Brusina.

Ein schlecht erhaltenes ganzes Individuum und 15 Fragmente aus Okrugljak habe ich so bestimmt; bei Besprechung derselben Art aus Fraterščica werde ich auf *D. croatica* näher eingehen.

19*

4. Dreissena zagrabiensis Brusina

(Taf. XXVII [I], Fig. 52.)

1874. *Dreissena sp...* *Brus.* in Rad jugosl. akad. XXVIII. 103.

1874.   „   „   „   Foss. Binnenmoll. 138.

Früher habe ich nur kleinere, zum Theil fast embryonale Klappen und Abdrücke dieser Art zu Gesicht bekommen, weshalb ich sie als *Dreissena sp. cf. Congeria simplex* Barbot de Marny bestimmte. Von Macek habe ich eine am Wege nach Gračani gefundene grössere Klappe erworben, die aber auch zu schlecht erhalten war, um ein richtiges Bild der Art zu geben. Nachdem ich im Ganzen etwa 24 schlecht erhaltene Exemplare zusammengebracht hatte, ist es dem unermüdlichen Fleisse Gnezda's endlich gelungen, eine gut erhaltene rechte Klappe aufzufinden, welche er mit gewohnter Liberalität dem National-Museum zum Geschenke machte. Diesem Stücke ist es zu verdanken, dass die Form richtig aufgefasst und als neue Art erkannt wurde. Dr. Kramberger hat heuer unter einigen Stücken vom Bistrabache bei Kraljev vrh am Nordabhange des Agramer Gebirges auch eine rechte Klappe gefunden, an welcher die ganze innere Seite mit dem Schlosse zu sehen ist; leider erhielt ich jedoch das Exemplar zu spät, um es noch zur Abbildung bringen zu können.

D. zagrabiensis scheint der *D. Čižeki M. Hörn.* aus Nieder-Oesterreich und Ungarn nahe verwandt zu sein. Im Jugendstadium nimmt unsere Art, ebenso wie *D. simplex* oder die ausgewachsenen *D. Čižeki* eine eiförmige Gestalt an; doch stellen sich im Alter merkliche Unterschiede ein. *D. zagrabiensis* wird nämlich grösser, verhältnissmässig dünner, die Vorderseite ist fast gerundet, rückwärts dagegen ist sie flügelartig erweitert, der Rand wird winkelig, und so nimmt sie einen rhomboidalen Umriss an. Die Schale ist nicht stark gewölbt, die Wirbel sehr stumpf, die Oberfläche mit zahlreichen Anwachsstreifen bedeckt, welche stärker hervortreten als bei *D. Čižeki*; von dem stumpfen Kiele, welchen letztere Art haben soll, ist bei der unseren keine Spur zu bemerken. Auch die Schlosstheile der zwei Arten weichen von einander ziemlich stark ab; bei *D. zagrabiensis* sind die Wirbel sehr klein, nicht hervortretend, und daher von der Innenseite nicht sichtbar ; in Folge dessen ist der Schlossrand am Wirbel stumpf, die beiden Ränder vorn und rückwärts ganz gerade. Das Schloss selbst ist zahnlos, die Bandgrube dreiseitig, und trotz der bedeutenden Grösse unserer Art ist sowohl das Septum als die Bandgrube kleiner als bei *D. Čižeki*; die löffelförmige Erweiterung des Septums ist deutlich sichtbar, zeigt aber sonst keinen merklichen Unterschied gegen *D. Čižeki*.

5. Dreissena superfoetata Brusina.

Prof. Kiseljak hat mehrere Exemplare dieser Art in Okrugljak gesammelt. Ich werde sie bei Besprechung der Localitäten Fraterščica und Kustošak beschreiben, da die abgebildeten Exemplare aus den erwähnten Localitäten stammen.

Dreissenomya Fuchs

6. Dreissenomya croatica Brusina.

(Tab. XXVII [I], Fig. 51.)

Nach oftmaligem vergeblichen Besuch von Okrugljak sah ich bei einer Excursion den Rand einer Muschel, der kaum ein paar Millimeter aus dem Mergel hervorragte; das Mergelstück mit dem Exemplar, welches sich sofort als neu erwies, wurde sorgfältig herausgegraben und durch mühsame Präparation die sehr zarte und ganz von Sprüngen durchsetzte Schale blossgelegt, die sich zu meiner Freude als die erste *Dreissenomya* aus Kroatien erwies. Obwohl ich nicht mehr als diese einzige Schale und auch diese nur äusserlich untersuchen konnte, ist doch eine Identification mit der sehr ähnlichen *D. Schröckingeri Fuchs* nicht möglich. Unsere Art ist vorn schmäler, nach hinten dagegen viel mehr erweitert, ausserdem fehlen hier jene für *D. Schröckingeri* charakteristischen zwei bis drei schwach hervortretenden Kiele vollständig; auch ist unser Unicum wesentlich kleiner und dünner als die eben genannte Art.

Später habe ich noch zwei Fragmente bekommen, das eine gehört bestimmt zu derselben Art, das andere scheint etwas verschieden und könnte einer zweiten Form angehören.

Adacna Eichwald.

Es ist schon lange mein sehnlicher Wunsch, durch Kauf oder Tausch in den Besitz von Spiritusexemplaren und Schalen der Eichwald'schen Gattungen *Adacna*, *Monodacna* und *Didacna* zu kommen, um diese merkwürdigen Typen kennen zu lernen und mir über deren generische Variationen ein Urtheil bilden zu können. Ich richte daher an alle Malakozoologen, insbesondere an die russischen Collegen die Bitte, mir durch Beischaffung des dazu nöthigen Materials an die Hand gehen zu wollen. Bis dahin muss ich auf die gründliche Erkenntniss der recenten Vertreter dieser Typen verzichten. Nur über eine Frage bin ich vollständig im Klaren, dass nämlich unsere sinupalliaten, fossilen Brackwasser-Cardien von den jetzt lebenden, marinen Cardien durch anatomische wie durch Schalenmerkmale so stark abweichen, dass deren Trennung vollständig gerechtfertigt, ja unbedingt nothwendig erscheint. Im Uebrigen verweise ich vorläufig auf jene Autoren, welche sich mit dieser Gattung befasst haben. Ausser Eichwald und Middendorf, deren Arbeiten mir leider nicht zur Verfügung standen, erinnere ich an Adams[1]) und Chenu[2]), sowie an Graham-Ponton[3]), welche alle die Gattungen *Adacna*, *Monodacna* und *Didacna* anerkennen. Der Monograph der Familie der Herzmuscheln, Römer, die bewährteste Autorität in dieser Frage, hat ausdrücklich erklärt, dass diese „Gattungen unmöglich zu *Cardium* gehören können"[4]). Eine sehr wichtige Studie über die Eichwald'schen Gattungen haben wir W. v. Vest zu verdanken[5]), welcher zugleich zwei neue Gattungen, *Donacicardium* und *Myocardia*, ja selbst eine eigene Familie der *Adacnidae* aufgestellt hat; Tournouer hat zuletzt für *Cardium macrodon Desh.*, *C. Neumayri Fuchs* und *C. Stefanescoi Tourn.* eine Gattung *Prosodacna* gegründet[6]). Demnach muss es als erwiesen gelten, dass die sinupalliaten Brackwasser-Cardien Osteuropas factisch eine den Meeres-Cardien parallele Familien bilden, welche, um mich der Worte Römer's zu bedienen, nur „äusserlich ganz wie Cardien aussehen", sonst jedoch sehr verschieden sind. Diese Familie kann man ebensogut wie *Cardium* in weitere Gattungen, Untergattungen oder Sectionen zerlegen. Unter den zahlreichen und mannigfachen Formen aus den kroatisch-slavonischen Congerien-schichten finde ich gerade solche fossile Typen in merkwürdiger Weise wiederholt, wie wir sie in

---

[1]) The Genera of recent Mollusca. Vol. II. London 1858. 439.
[2]) Manuel de Conchyliologie et de Paléontologie Conchyliologique. Tome II. Paris 1862. 112.
[3]) Sur la Famille des Cardiadae (Journal de Conchyliologie. Vol. XVII. Paris 1869. 217).
[4]) System. Conchyliencabinet. X. Bd. 2 Abth. Nürnberg. 1869. 12.
[5]) Ueber die Genera *Adacna*, *Monodacna* und *Didacna* u. s. w. in Jahrbücher der Deutschen Malakozool. Gesellsch. II. Frankfurt. a. M. 1875. 309.
[6]) Description d'un nouveau genre de Cardiidae fossiles des „Couches à Congéries" de l'Europe Orientale (Journal de Conchyliologie. Vol. XXX. Paris 1882. 58).

den Untergattungen oder Sectionen *Tropidocardium, Cerastoderma, Laevicardium* u. s. w. der Gattung *Cardium* sehen. — Die Eintheilung Vest's kann mir nicht als Richtschnur dienen, den sie ist auf eine zu geringe Formenzahl gegründet, und die wenigen jetzt lebenden Arten als Ueberbleibsel der mannigfachen, sehr zahlreichen jungtertiären Fauna können nicht ausreichen, um die vielen ausgestorbenen Typen richtig zu beurtheilen. Darum fasse ich die Gattung im weitesten Sinne Zittel's auf, welcher in seinem ausgezeichneten Handbuche der Paläontologie die Gattung *Adacna* ganz richtig eine „bemerkenswerthe" genannt [1] und von *Cardium* losgetrennt hat. Leider steht mir Stoliczka's Werk [2], in welchem derselbe unsere Brackwassser - Cardien besprochen und die neue Gattung *Limnocardium* für *Cardium Haueri M. Hörn.* gegründet hat, nicht zur Verfügung, dennoch glaube ich somit auch im Sinne Stoliczka's zu handeln, indem ich *Adacna* von *Cardium* lostrenne.

Zuletzt erachte ich als nicht überflüssig, hier meinen Versuch einer Eintheilung der *Adacna*-Arten in mehr oder weniger natürlichen Gruppen folgen zu lassen. Mit Zuziehung aller bekannten Formen wird man dieselbe leicht modificiren und vervollständigen können, ich habe aber vorläufig nur unsere Arten in Betracht ziehen können. Ein Fragezeichen vor dem Namen bedeutet, dass die Stellung der betreffenden Art nicht ganz sicher ist.

A. Stark klaffende Adacnen.

a) Stark gewölbt, rundlich.

I. Keine oder sehr kleine Cardinal- und sehr grosse Seitenzähne.

1. Scharfrippig.

Adacna Schmidti M. Hörnes,		*Adacna hungarica M. Hörnes,*
,, *histiophora Brusina,*		,, *zagrabiensis Brusina,*
,, *Meisi* ,,		,, *Rogenhoferi* ,,
? ,, *ferruginea* ,,		,, *Riegeli M. Hörnes.*
,, *croatica* ,,		

II. Kleine Cardinal- und grosse Seitenzähne.

2. Rundrippig.

Adacna Schedeliana Partsch.

3. Rippenlos.

Adacna banatica Fuchs.

b) Gewölbt, länglich.

III. Kleine Cardinal- und grosse Seitenzähne.

4. Rundrippig.

Adacna Pelzelni Brusina,	*Adacna Majeri M. Hörnes,*
? ,, *chartacea* ,,	? ,, *cf. oriovacensis Neumayr.*

---

[1] I. Bd. 2. Abth. München und Leipzig. 1881. 100.

[2] Memoirs of the Geological Survey of India. Palaeontologia Indica. Cretaceous Fauna of Southern India. Vol. III. Calcutta 1871.

B. Kaum oder nicht klaffende Adacnen.

c) Stark gewölbt, rundlich oder herzförmig.

IV. Kleine Cardinal-, gar keine Seitenzähne.

5. Runde, zweiartige Rippen.

Adacna Steindachneri Brusina.

V. Schloss unbekannt.

6. Runde, fadenartige Rippen.

Adacna hemicardia Brusina.

VI. Kleine Cardinal- und grosse Seitenzähne.

7. Runde, gleichförmige Rippen.

Adacna Barači Brusina,	*Adacna ochetophora Brusina,*
» *prionophora* »	» *otiophora* »

d) Gewölbt, länglich.

VII. Kleine Cardinal- und grosse Seitenzähne.

8. Flache, gleichförmige Rippen.

Adacna diprosopa Brusina,
»   *simplex Fuchs.*

e) Stark zusammengedrückt.

9. Rundrippig.

∤ Adacna Budmani Brusina,
»   *edentula Deshayes,*
»   *pterophora Brusina.*

VIII. Fast gleich starke Cardinal- und Seitenzähne.

10. Flachrippig.

Adacna complanata Fuchs.

IX. Schloss unbekannt.

11. Scharfrippig.

Adacna Kiseljaki Brusina.

7. *Adacna Schmidti M. Hörnes.*

1862. *Cardium Schmidti M. Hörnes,* Foss. Moll. II, 193, Taf. 28, Fig. 1.
1874.   „   „   *Brus.* in Rad jugosl. akad. XXVIII, 102.
1874.   „   „   „   Foss, Binnenmoll. 136.
1875.   „   „   *Neum.* Paludinen- u. Congerienschichten. Slav. 23.
1877.   „   „   *Fuchs* in Führer Excurs. geol. Gesellsch. 76.

Unsere Art aus den Agramer Congerienschichten stimmt so vollkommen mit der Beschreibung und Abbildung bei M. Hörnes überein, dass ich nichts hinzuzufügen brauche.

Nach jahrelangem Sammeln haben wir fünf mehr oder weniger beschädigte Klappen und zwei schlecht erhaltene ganze Exemplare bekommen; an einem derselben ist die sehr eigenthümliche, von *Cardium* so stark abweichende Beschaffenheit des Schlosses sehr gut zu sehen.

8. *Adacna histiophora Brusina.*

Waren schon *A. Meisi* aus Kroatien und *A. cristagalli Roth* aus Ungarn sehr sonderbare Formen, so kann man sich kaum etwas Ungewöhnlicheres und Eigenthümlicheres denken, als die

letzte von Prof. Kiseljak in Okrugljak entdeckte Art ist. Prof. Kiseljak war so glücklich, zwei Doppelklappen dieser Art zu finden; das eine Exemplar ein Abdruckstück mit spärlichen Fragmenten der Schale, wurde von dem Finder unserer Sammlung zum Geschenke gemacht. Das zweite Exemplar, wenn auch ziemlich stark beschädigt, ist doch so weit erhalten, dass wir uns ein genaues Bild von der Art machen können. Herr Prof. Kiseljak hat in Aussicht gestellt, nicht nur dieses seltene Stück, sondern seine ganze Sammlung seinerzeit zur Zierde unseres National-Institutes abtreten zu wollen, was schon hier mit dem Gefühle wärmsten Dankes erwähnt sei. Da das Stück zu spät gefunden wurde, um noch auf einer der Tafeln abgebildet zu werden, so wurde ein Textbild dieser merkwürdigsten *Adacna* in natürlicher Grösse nach Photographien von J. A. Standel in Agram hergestellt.

Was Grösse, Form und Umrisse anbelangt, so ist *A. histiophora* der *A. Meisi* und der *A. hungarica* ziemlich ähnlich. Das Schloss habe ich, soweit irgend möglich, mit grösster Vorsicht präparirt, doch war es nicht möglich, ohne das seltene Stück zu opfern, sich Gewissheit über das Cardinalschloss zu verschaffen; es ist aber nach der Analogie mit verwandten Arten höchst wahrscheinlich, dass *A. histiophora* keine Cardinalzähne hat. Am Vordertheile der linken Klappe nur ist ein, am Vordertheile der rechten sind zwei starke, lange Seitenzähne vorhanden. Von den zwei letzteren ist der obere nahe am Rande kleiner, der untere viel grösser und dicker. Am Hintertheile dagegen haben beide Klappen je einen dünnen lamellenförmigen Zahn, beiderseits gleich, gegen 10 mm lang und $1\frac{1}{2}$ mm hoch. Diese Art gehört somit bestimmt in der Gruppe jener gewölbten, stark klaffenden, scharfrippigen *Adacna*-Arten, welche an der Rippenkante manchmal hohe Lamellen tragen, keine oder sehr kleine Cardinal- und sehr grose Seitenzähne haben. Diese Gruppe findet nur in dem recenten *Cardium costatum L.* aus der Section oder Untergattung *Tropidocardium Römer* eine entfernte Aehnlichkeit, gewissermassen einen Paralleltypus. Die Arten dieser Gruppe, darunter die Riesenformen unter allen *Adacna*, sind bis jetzt nur aus Ungarn und Kroatien bekannt, und speciell scheint dieselbe am Fusse des Agramer Gebirges ihre grösste Entwicklung erreicht zu haben, nachdem uns bis heute schon 8—9 weit von einander abweichende Arten bekannt wurden. Ich glaube, dass alle diese Arten in die Gattung oder Untergattung *Lymnocardium* von Stoliczka gehören, näher kann ich mich aber darüber nicht aussprechen, nachdem mir Stoliczka's Werk nicht zugänglich ist.

Die Oberfläche trägt 13 Rippen, die nicht nur unter einander weit verschieden sind, sondern überdies auf der rechten und linken Klappe nicht ganz übereinstimmen. Nachdem mir nur ein Exemplar zur Untersuchung vorliegt, so kann man nicht wissen, ob dieser Dimorphismus der Klappen ein individueller oder specifischer ist. Mir ist das Letztere sehr wahrscheinlich, wenn auch vielleicht die Art des Dimorphismus nicht bei allen Individuen übereinstimmend war. — Am Vordertheile oben zeigt die Schale eine Ausbreitung, die an das Ohr eines Pecten erinnert; sonst gibt es auf der Oberfläche dreierlei Rippenarten. Am Vorder- und Hintertheile sind die Rippen, welche wie ein Faden vom Wirbel bis zum Rande laufen, schwach angedeutet. Dann folgt eine oder zwei Rippen von gewöhnlichem Aussehen; die Rippen der dritten, höchst eigenthümlichen Form nehmen die Mitte der Muschel ein. Auf der rechten Klappe ist vorne nur eine, auf der linken zwei Rippen, nach dem ersten Typus gebildet; die 2. Rippe der rechten und die 3. der linken Klappe sind dann schwach erhöht, gerundet und verlaufen vom Wirbel bis zum Rande. Die 3. Rippe der rechten Klappe und die 4. der linken sind ihren Vorgängern ähnlich, aber schon bedeutend höher und, soweit es die Erhaltung des Stückes zu sehen erlaubt, ebenfalls gleichmässig vom Wirbel bis zum Unterrande. Dann tritt bei den folgenden 5 Rippen eine vollständige Formänderung ein; nämlich auf der rechten Schale bei den Rippen 4 bis inclusive 8, auf der linken bei 5 bis inclusive 9. Diese fangen als einfache, scharfe, dreikantige Rippen am Wirbel an; dann zeigt sich auf der Kante der Rippe eine Lamelle, welche sich schnell erhebend eine ungewöhnliche Höhe erreicht, bis sie, ohne den Unterrand der Klappe zu erreichen, auf einmal, schnell, eine halbmondförmige Biegung durchlaufend, wie abgeschnitten wieder abfällt. Von diesem Punkte an hört die Lamelle ganz auf, die Rippen sind wieder lamellenlos, dreikantig, stumpf, die Rippenkante selbst gerundet. Dieser lamellenlose Theil der Rippe hat vom Punkte, wo die Lamelle aufhört, bis zum Unterrande der Schale eine Länge von 7 mm oder je nach der Lage der Rippe in der Mitte oder mehr gegen die Seite der Schale etwas mehr oder weniger. Die 5. bis inclusive 9. Rippe der linken Klappe fehlen ganz; auf der 4. Rippe der rechten Klappe ist wieder die Lamelle abgebrochen, man kann aber sicher annehmen, dass auf der rechten Klappe die 4. und auf der linken Klappe die 5. Rippe hohe Lamellen getragen haben; auf jeder folgenden Rippe wird die Lamelle stufenweise höher, so dass auf der achten Rippe der rechten Klappe die Lamelle die ungewöhnliche Höhe von 20 mm erreicht. Jede einzelne Lamelle bildet ein durch zwei gerade Seitenlinien und eine krumme Basis begrenztes Dreieck, so dass sie an ein Segel erinnern kann; darum habe ich eben die Art die segeltragende, *A. histiophora,* benannt.

Die Lamellen sind mehr oder weniger unregelmässig und theilweise schwach wellenförmig gebogen. Jede besteht aus zwei Blättern; sie sind aussen von den Anwachslinien gestreift, ja fast runzelig, innen dagegen ganz glatt und glänzend, so zwar, dass ich mir kaum vorstellen kann, wie sich das Thier die Lamellen bauen konnte, nachdem meiner Ansicht nach die äusseren Manteltheile des Thieres beim Bau der Muschel in directe Berührung mit dem Innentheile der Lamellen gekommen sein sollten. Die zwei Blätter jeder Lamelle berühren sich nicht überall; in Folge dessen sind die Lamellen hohl und durch zahlreiche Zwischenwände, fast wie ein Nummulit, in Kammern getheilt und die zwei Blätter durch diese Zwischenwände mit einander verbunden. Diese Zwischenwände oder Fächer haben ihre Entstehung dem allmäligen Zuwachs der Muschel zu verdanken. Endlich gehen die zwei Blätter der Lamellen hoch oben an der Spitze und unten, wo sie sich an die Rippe anlehnen und zugleich aufhören, am meisten gewöhnlich bis 1 mm weit auseinander. — Die 9., beziehungsweise 10. Rippe des Hintertheiles wird auf einmal wieder klein, läuft vom Wirbel bis zum Unterrande ununterbrochen und entspricht sonst fast ganz, was Form und Höhe anbelangt, der 2., beziehungsweise 3. Rippe des Vordertheiles. Die 10. Rippe der rechten Klappe ist ganz klein, aber noch immer scharf, dreikantig. Die 11. bis 13. Rippe sowohl der rechten als der linken Klappe sind endlich den ersteren des Vordertheiles gleich, nämlich undeutlich, fadenförmig. — Wollen wir endlich die Rippen nach Form und Vertheilung schematisch auffassen, so können wir sie in drei Kategorien, wie folgt, unterscheiden. Die Rippen 1. 11, 12 und 13 der rechten — und 1, 2, 11, 12 und 13 der linken Klappe sind undeutlich, fadenförmig. Die 2., 3., 9. und 10. Rippe der rechten und die 3., 4. und 10. Rippe der linken Klappe sind den Rippen der gewöhnlichen *Adacna* noch am meisten ähnlich. Alle Rippen dieser zwei Kategorien laufen, wie gewöhnlich, vom Wirbel ununterbrochen und langsam zunehmend bis zum Rande der Schale. Zuletzt haben wir Rippen mit riesig grossen Lamellen, welch letztere nur theilweise die Rippe bedecken; diese sind die 4., 5., 6., 7. und 8. Rippe der rechten und die 5., 6., 7., 8. und 9. der linken Klappe.

9. *Adacna Meisi Brusina.*

(Taf. XXVIII [11], Fig. 36.)

Die einzige rechte Klappe dieser sehr interessanten Art ist eine Entdeckung Franz Macck's, von dem ich dieses Unicum für die Sammlung des National-Museums erworben habe.

A. Meisi erreicht beinahe die Grösse und ist jedenfalls eine Verwandte der *A. hungarica* und der *A. cristagalli Roth* [1]), von denen sie jedoch sehr leicht zu unterscheiden ist. *A. hungarica* hat 10 dreikantige Rippen, unsere Art nur 7, diese sind gerundet und tragen eine einem Hahnenkamm ähnliche hohe Lamelle, welche, obwohl sie an unserem Exemplare nur theilweise erhalten sind, doch nur am Hintertheile die grösste Entwicklung erreicht zu haben scheinen. *A. cristagalli* hat sechs bis acht, vorherrschend aber 7 Rippen, welche, wie die ausgezeichnete Abbildung Roth's zeigt, steil dachförmig sind, so zwar, dass Rippe und Lamelle ein Ganzes bilden. Bei *A. Meisi* sind dagegen die Rippen, wenn auch ähnlich, doch ganz anders gebildet; Rippe und Lamelle sind nämlich nicht verschmolzen, ausserdem sind die Zuwachsstreifen der Schale selbst auf den Lamellen so stark, dass die Lamelle wieder ihrerseits gerippt erscheint, und der Rand der Lamelle, welcher bei *A. cristagalli*

---

[1]) Naturhistorische Hefte, herausgegeben vom ungarischen National-Museum. II. Bd. Budapest 1878. S. 66 Taf. IV, Fig. 1—2.

sanft wellenförmig ist, ist bei *A. Meisi* wie gezähnelt, also noch besser hahnenkammförmig als bei *A. cristagalli* selbst. Die Rippenlamellen der ungarischen Art scheinen ungemein stark entwickelt zu sein, wie auf der Abbildung 2 von R o t h zu sehen ist; die zweite unversehrte Lamellenrippe von *A. Meisi* hat kaum 10 mm Höhe. Die kroatische Art stimmt sonst mit *A. hungarica* in der Beschaffenheit des rippenlosen Hintertheiles und der Oeffnung überein; ebenso sind die Zwischenräume zwischen den Rippen von diesen durch scharfe Linien getrennt.

Es ist mir nur gelungen, einen kleinen Theil des Schlosses blosszulegen; ein papierdünner, wellenförmig gebogener, sehr hoher aber nicht breiter Seitenzahn am Hintertheile zeigt sich ganz abweichend und nimmt eine ganz andere Stellung, als es bei *A. hungarica* der Fall ist.

Vielleicht gehören die von mir als *Cardium ferrugineum* beschriebenen Steinkerne aus Remete hierher, doch reichen dieselben nicht zu sicherer Deutung hin.

Ich nenne dieses ausgezeichnete, seltene Stück nach dem Namen meines hochverehrten Freundes, Dr. Camillo de Meis, Professor an der Universität Bologna, eines eminenten und in seiner Bedeutung viel zu wenig gewürdigten Forschers.

10. A d a c n a c r o a t i c a Brusina.

(Taf. XXVIII [II], Fig. 33.)

Diese ausgezeichnete Art stimmt im Habitus mit *A. Schmidti*, von welcher sie sich aber sonst sehr wohl unterscheidet. Unsere Sammlung besitzt einen Abdruck von einer Localität zwischen Remete und Bačun und ein zweites, das abgebildete Stück aus der Hauptlocalität Okrugljak. Letzteres habe ich selbst gefunden und in der Hand nach Hause gebracht; es war keine leichte Aufgabe, den Klumpen Thonsand mit dem daraufliegenden kaum haltbaren Fossil zu retten und zu präpariren. Die rechte Klappe ist fast ganz zerfallen, und auch die Wirbel der linken Schale sind nicht zu retten gewesen. — Ueber das Schloss sind wir auch nicht im Stande, irgend eine Auskunft zu geben.

A. Schmidti hat 18—20 Rippen; auf unseren beiden untersuchten Stücken kann man ganz genau deren 20 zählen. Was die Form der Rippen anbelangt, so stimmen beide Arten fast vollkommen überein, sie sind nämlich stark, dreikantig gekielt; die Zwischenräume sind eben und glatt. Die Anwachsstreifen bei beiden Arten sind ziemlich stark hervortretend, so dass die Rippen stark quergestreift erscheinen. In Folge der Uebereinstimmung im Habitus der Rippenbildung sind beide Arten äusserlich so ähnlich, dass man sie auf den ersten Blick trotz der bedeutenden Unterschiede für identisch halten könnte. Doch unterscheiden sich beide schon durch Form und Grösse: *A. croatica* ist überhaupt die grösste Art aus den Congerienschichten. Die grösste Länge beträgt 100 mm, und obwohl die Wirbel bei meinen beiden Stücken stark verletzt sind, so glaube ich doch, die Höhe oder Breite der Art mit 75 mm, die Dicke mit 70 mm angeben zu können. *A. croatica* ist stärker in die Länge gezogen als *A. Schmidti*, ihr Hinterrand mehr gerade und bildet mit dem Unterrande einen stumpfen Winkel. Von dem scharfen lamellenartigen Kiele, welcher *A. Schmidti* so sehr kennzeichnet, ist bei *A. croatica* gar keine Spur vorhanden, und obwohl ein Vergleich der Abbildungen beider Arten dies am besten versinnlichen wird, so werden wir doch noch kurz das Wichtigste hervorheben. Nach der letzten Rippe auf der Oberfläche des Hintertheiles, also nach dem Kiele von *A. Schmidti* ist eine rippenlose Fläche zu sehen, welche am Hinterrande 7 bis 8 mm breit ist, und diese Ebene hebt sich auf einmal von der Oberfläche empor und gerade dadurch tritt der sehr hohe Kiel besonders hervor, wie es auf den vortrefflichen Abbildungen des grossen Hörnes'schen Werkes zu sehen ist. Umgekehrt fällt von diesem Kiele an die ganze Seite der Schale

20*

von dem Schlossrande ab und bildet wieder eine 16 bis 18 mm breite rippenlose Ebene mit stark hervortretenden halbmondförmigen Anwachsstreifen, welche auf der Fig. 1c des genannten Werkes gut dargestellt sind. Auf der Oberfläche von *A. croatica* ist dagegen kein Kiel vorhanden, der Hintertheil fällt nach und nach sanft gegen den Hinterrand ab; die kaum 7 bis 8 mm breite rippenlose Ebene nach der letzten Rippe erreicht ohne Weiteres den Hinterrand. Nicht minder unterscheiden sich beide Arten durch die Oeffnung des Hinterendes. Deren Form bei *A. Schmidti* zeigt die treffliche Abbildung Fig. 1c des Hörnes'schen Werkes, welche sowohl die Stellung als auch die weit klaffende, genau eiförmige Oeffnung angibt. Unsere Stücke erlauben uns nicht eine Abbildung der *A. croatica* von dieser Seite zu geben, doch ist sicher, dass *A. croatica* zwar deutlich klafft, aber wesentlich andere Form, Stellung und Oeffnung zeigt. Die Oeffnung von *A. Schmidti* liegt dem Unterrande nahe und ist gegen 30 mm hoch und 20 mm breit, jene von *A. croatica* scheint die ganze Länge vom Hinterrande, von den Wirbeln nämlich bis zum Unterrande eingenommen zu haben; die Oeffnung von *A. croatica* muss also fast doppelt so hoch — also gegen 60 mm um die Hälfte enger — also gegen 10 mm breit — und in Folge dessen nicht ei-, sondern länglich blattförmig sein.

11. *Adacna hungarica M. Hörnes.*

1862. *Cardium Hungaricum M. Hörnes*, Foss. Moll. II. 194, Taf. 28, Fig. 2 (non Fig. 3, pro parte).

1874. „ „ *Brus.* in Rad jugosl. akad., XXVIII, 102.

1874. „ „ „ Foss. Binn.-Moll. 137.

1875. „ „ *Neum,* Palud. u. Cong. Schich. Slav. 23.

1877. „ „ *Fuchs* in Führer Excurs. geol. Gesellsch. 76.

Ein einziges, aber vollständiges Exemplar dieser Art, das ich von F. Macek erhalten habe, ist durch mechanischen Druck quer zusammengepresst, gegen 40 mm lang und eben so breit oder hoch, und nicht ganz 30 mm dick. Obwohl kleiner, entspricht das Stück doch ganz der typischen, von M. Hörnes auf Taf. 28, Fig. 2 abgebildeten Form. Ich hebe ausdrücklich hervor, dass dieses entweder ein Jugendexemplar oder wenigstens ein nicht ganz entwickeltes Individuum ist; was M. Hörnes als Jugendzustand von *A. hungarica* abgebildet hat, gehört bestimmt nicht hierher, sondern bildet eine selbstständige Art, die sofort erwähnt werden soll.

Zuletzt ist es J. Gaczda und ganz neuerdings Prof. J. Kiseljak gelungen, vier Klappen einer *Adacna* aufzufinden, welche fast so gross sind als die Hörnes'sche Abbildung 2; bei allen sind aber leider die Wirbel abgebrochen und nur das Innere sichtbar; vielleicht gehören sie alle zu *A. hungarica*, doch ist der Vordertheil oben am Wirbel etwas flügelartig, an das Ohr eines *Pecten* erinnernd, ausgebreitet.

12. *Adacna zagrabiensis Brusina.*
(Taf. XXVII) [II], Fig. 34, 35.)

1872. *Cardium Zagrabiense Brus.* in Rad jugosl. akad. XXIII, 17,

1874. „ „ „ l. c. XXVIII. 102.

1874. „ „ „ Foss. Binn.-Moll. 137.

Nach jahrelangem Sammeln ist es mir erst gelungen, ausser spärlichen Bruchstücken vier rechte und eine linke Klappe dieser Art zu erhalten, drei aus Okrugljak, zwei aus Fraterščica. Das in Fig. 34 abgebildete Exemplar ist zuerst gefunden und auch im Ganzen am besten erhalten, nur hat die Oberfläche der stark verwitterten Klappe durch das Präpariren sehr gelitten, und ich habe daher zwei weitere Stücke, das eine ebenfalls aus Okrugljak (Nr. 35), das andere aus Fraterščica (Taf. XXIX III', Fig. 63) abgebildet, auf welchen die Rippen besser erhalten sind.

Diese Art scheint ein Bindeglied zwischen *A. croatica* und *A. hungarica* zu sein, ohne dass man sie mit einer von beiden identificiren könnte. *A. zagrabiensis* ist viel kleiner als *A. croatica*, und zudem nicht so lang. Die abgebildete rechte Klappe (Nr. 34) ist gegen 50 mm lang, gegen 48 mm hoch oder breit und 18 mm dick, die Dicke der ganzen Muschel somit 36 mm. *A. croatica* hat 20 Rippen, unsere Art hat deren 12 bis 14, nur ein Exemplar 16 Rippen, und obwohl *A. zagrabiensis* um die Hälfte kleiner ist als *A. croatica*, sind ihre Rippen verhältnissmässig stärker. Wie man aus der Abbildung von *A. croatica* am besten sehen kann, ist die rippenlose Ebene vom Unterrande bis nicht weit von den Wirbeln hinauf ziemlich gleich breit, nämlich 7 bis 8 mm; die entsprechende Ebene von *A. zagrabiensis* breitet sich vom Wirbel gegen den Unterrand immer mehr und schneller aus und bildet ein Dreieck, dessen Basis von dem äussersten Punkte des Hinterrandes bis zu der ersten Rippe fast 20 mm breit ist. Die Oeffnung von *A. croatica* scheint die ganze Länge des Hintertheiles einzunehmen, jene von *A. zagrabiensis* ist jener der *A. Schmidti* und *A. hungarica* ähnlicher, wenn auch vielleicht nicht gleich. Die Oeffnung von *A. zagrabiensis* ist beinahe 25 mm hoch und — insoferne das Messen an dem vom Thonsande nicht zu befreienden Exemplare möglich ist — kaum 4 mm breit.

Von *A. hungarica* ist unsere Art ebenso gut zu unterscheiden, denn obwohl erstere bedeutend grösser ist, so trägt sie doch gewöhnlich 10, selten 9 oder 11 Rippen; unsere Art dagegen hat, wie gesagt, 12 bis 16 Rippen. Hier muss ich erwähnen, dass M. Hörnes für *A. hungarica* 10 Rippen angegeben hat: ich habe aber in der Sammlung der k. k. geologischen Reichsanstalt in Wien eine vollständig erhaltene Klappe gesehen, auf welcher man ganz deutlich nur 9 Rippen wahrnehmen konnte, ebenso habe ich elfrippige Exemplare sehen können. Ein Hauptunterschied zwischen diesen zwei Arten liegt darin, dass bei *A. hungarica* die mittleren Schlosszähne gänzlich fehlen, wogegen *A. zagrabiensis* einen kleinen spitzdreieckigen Mittelzahn hat. Der Vorderzahn unserer Art ist dreieckig, lamellenförmig, erhaben und etwas anders gebildet, als bei *A. hungarica*. Der hintere Seitenzahn scheint bei beiden Arten lamellenartig verlängert und nicht sehr hoch gewesen zu sein; doch kann ich keine ganz bestimmte Angabe machen, da derselbe bei keinem der Fragmente genügend erhalten ist. Von den 5 untersuchten Klappen zeigen drei die dreieckige Ebene am Hinterrande rippenlos; die Rippen verschwinden nämlich fast ganz, doch nicht vollständig, so dass bei genauer Prüfung wenigstens Spuren davon zu sehen sind; auf zwei Exemplaren (das eine aus Okrugljak, das andere aus Fraterščica) sind hier schmale, aber deutliche Rippen vorhanden (Fig. 35 und 63).

In meiner schon oft erwähnten Voranzeige über die Fauna der Agramer Congerienschichten habe ich mich auf die Aehnlichkeit zwischen *A. zagrabiensis* und *A. (Cardium) Penslii* Fuchs aus Radmanest berufen. Diese Aehnlichkeit tritt nur in der Statur und dem allgemeinen Umriss hervor, eine wirkliche Verwandtschaft besteht nicht, da besonders die Sculptur der Oberfläche ganz verschieden ist, wovon ich bei der Prüfung des Originalexemplares von *A. Penslii* in der Sammlung des k. Hof-Mineralien-Cabinets mich zu überzeugen Gelegenheit hatte.

Kürzlich hat Prof. Kiseljak ein Prachtexemplar dieser Art gefunden, das mich bei einer nächsten Gelegenheit in Stand setzen wird, ein ausgezeichnetes Bild dieser Art zu geben.

13. Adacna Rogenhoferi Brusina.

1862. **Cardium Hungaricum** M. Hörnes, Foss. Moll. II. 194 (pro parte), Taf. 28, Fig. 3 (non Fig. 2).

Es ist sehr oft vorgekommen, dass man in noch nicht ausgebildeten Individuen selbstständige Arten entdeckt zu haben glaubte; es kommt aber auch nicht selten vor, dass man kleine Arten, welche mit irgend einer grösseren Art mehr oder weniger verwandt sind, einfach als deren Jugendstadium betrachtet hat. Wenn auch z. B. ausgezeichnete Kenner, wie E. Römer sagen, dass *Cardium paucicostatum Sowerby (= C. ciliare auctorum)* nur ein Jugendstadium von *C. echinatum Linné* sei, dass *C. Deshayesi Payraudeau* auch nur eine kleinere Varietät derselben Art sei, so kann ich doch mit einer schönen Suite aus der Adria jeden überzeugen, dass die drei genannten selbstständig und als sehr „gute Arten" im alten Sinne anzusehen sind. Ebenso verhält es sich mit *A. Rogenhoferi*, welche bei M. Hörnes ausgezeichnet abgebildet und im Texte als Jugendzustand von *A. hungarica* erwähnt ist.

Nach vieljährigem Sammeln habe ich über ein Dutzend Stücke dieser Art zusammengebracht; die grösste Klappe darunter ist fast genau so gross, wie die oben erwähnte Abbildung von M. Hörnes. *A. Rogenhoferi* ist ein Bindeglied zwischen *A. hungarica* und *A. Riegeli*. Wäre *A. Rogenhoferi* wirklich nur ein Jugendstadium von *A. hungarica*, so wäre jede weitere Discussion über die beträchtlichen Dimensionsunterschiede ganz überflüssig, nachdem aber dies nicht der Fall ist, so werden wir dies als die erste Verschiedenheit in Erwägung ziehen. Das abgebildete grosse Exemplar von *A. hungarica* von M. Hörnes ist 75 mm lang, 68 mm breit oder hoch und 50 mm dick; unsere Art kann eine Länge von 35 bis 38 mm, eine Breite von 27 mm und eine Dicke von 20 mm erreichen. Die echte *A. hungarica* ist eiförmig und sehr stark gewölbt, fast kugelig, unsere Art ist mehr trapezoidal und wenig aufgeblasen. *A. hungarica* hat selten 9 oder 11, gewöhnlich aber 10 Rippen; *A. Rogenhoferi* dagegen, obwohl um so viel kleiner, trägt vorherrschend 12 bis 13, nur auf einer Schale habe ich 14 Rippen gezählt. Die Rippen der letzterwähnten Art sind etwas schärfer. Andere kleinere Unterschiede, die ich nicht weiter besprechen will, ergeben sich aus den Abbildungen; nur muss ich noch auf die Hauptdifferenz zwischen *A. hungarica* und *A. Rogenhoferi* aufmerksam machen, eine Differenz, welche jede weitere Identificirung der zwei Arten für immer ausschliessen muss. *A. hungarica* hat nämlich keine Mittelzähne, die Seitenzähne sind sehr eigenthümlich gebildet und besonders der vordere ist sehr stark entwickelt, wie es die Hörnes'schen Abbildungen deutlich zeigen. Die rechte Klappe von *A. Rogenhoferi* hat dagegen zwei kleine spitze Mittelzähne, zwei starke Seitenzähne am Vorderrande; die linke Klappe zeigt wieder einen Mittelzahn und jederseits nur einen Seitenzahn. In der Schlossbildung stimmt somit *A. Rogenhoferi* viel mehr mit *A. Riegeli* als mit *A. hungarica* überein, und zwar so, dass eher noch eine Vereinigung unserer Art mit *A. Riegeli* in Frage kommen könnte, doch wäre auch dies eine unnatürliche Behandlung, an welche auch M. Hörnes nie gedacht hat.

A. Riegeli unterscheidet sich von *A. Rogenhoferi* durch bedeutendere Höhe und in Folge dessen mehr viereckigen Umriss. Ausserdem ist *A. Riegeli* stets weniger gewölbt und mit 20 bis 22, verhältnissmässig nicht so starken Rippen verziert, während *A. Rogenhoferi* deren nur 12—14 trägt. Wenn auch die Schlossbildung bei beiden ziemlich übereinstimmt, so zeigt doch *A. Riegeli* eine Eigenthümlichkeit, welche als Unterscheidungsmerkmal gute Dienste leisten kann. Die rechte Klappe hat nämlich hier jederseits zwei Seitenzähne, welche beim Schliessen den starken, hohen Seitenzahn der linken Klappe aufnehmen, wodurch zu dessen beiden Seiten eine kleine aber tiefe Grube und ein Nebenzahn entsteht. Somit hat die linke Klappe jederseits drei Seitenzähne. Diese kleinen Nebenzähne sind nicht immer zwischen dem Hauptzahne und dem Schlossrande, stets aber zwischen dem Hauptzahne und den Muskeleindrücken selbst auf kleineren Exemplaren ganz deutlich zu sehen. Diese Grübchen und Nebenzähne sind bei *A. Rogenhoferi* nie so stark entwickelt oder fehlen fast gänzlich.

Im k. Hof-Mineralien-Cabinet habe ich Gelegenheit gehabt, Originalexemplare dieser Art aus Árpád in Ungarn zu untersuchen, und mich von ihrer vollständigen Uebereinstimmung mit den unsrigen zu überzeugen.

Ich mache mir ein Vergnügen daraus, diese schöne Art dem wohlbekannten Entomologen August von Rogenhofer, Custos am k. k. zoologischen Hof-Museum, zu widmen.

14. Adacna Riegeli M. Hörnes.

1862. *Cardium Riegeli M. Hörnes*, Foss. Moll. II. 193. Taf. 28, Fig. 4.
1874.   „   „   *Brus.* in Rad jugoslav. akad. XXVIII. 103.
1874.   „   „   *Brus.*, Foss. Binn.-Moll. 137.
1877.   „   „   *Fuchs* in Führer Excurs. geol. Gesellsch. 76.

Diese Art war für M. Hörnes eine grosse Seltenheit, denn es ist ihm kaum gelungen, drei Exemplare von Árpád zu bekommen. Bei uns ist sie eine der wenigen häufigeren Arten, da wir gegen 30, darunter auch grössere Klappen als die von Hörnes abgebildeten, gefunden haben. Unsere grösste linke Schale hat 33 mm Länge, 29 mm Breite und 11 mm Dicke; die ganze Muschel war also 22 mm dick.

15. Adacna Schedeliana Partsch.

(Taf. XXVIII [II], Fig. 43.)

1831. *Cardium Schedelianum Part.* in Jahrb. f. Min., Geogn. u. s. w. 423.
1848.   „   „   *Bronn*, Index palaeont. 236.
1862.   „   *apertum M. Hörnes* (non Münst.), Foss. Moll. II. 201. (pro parte) Taf. 29. Fig. 6, (exclus. f. 5).
1870.   „   „   *Fuchs* in Jahrb. geol. Reichsanst. XX. 355 (13) (pro parte).
1874.   „   cf. *Schedelianum Brus.*, Foss. Binn.-Moll. 137.

Die einzige bisher gefundene rechte Klappe habe ich seiner Zeit als *C. cf. Schedelianum* bestimmt, und glaube dieselbe nun endgiltig unter diesem Namen anführen zu dürfen.

Partsch's *C. Schedelianum* wurde von Bronn anerkannt, später aber von M. Hörnes Fuchs und Anderen als Varietät von *C. apertum* eingezogen. Nach dem heutigen Standpunkte neuerer Paläozoologen glaube ich *C. Schedelianum* mit Partsch, Bronn u. s. w. als selbstständige Form wieder einführen zu dürfen. Ich habe unsere Art mit zahlreichen Exemplaren von *A. aperta* der Wiener Sammlungen verglichen und mir die Ueberzeugung verschafft, dass die zwei Formen sehr leicht zu unterscheiden sind. Die Klappen, welche ich durch Seine Excellenz Baron Julius von Schröckinger-Neudenberg aus Radmanest bekommen habe, stimmen mit unserem Unicum sehr gut überein bis auf einen kleinen Unterschied, die Rippen der Agramer Schale sind nämlich etwas höher und breiter und in Folge dessen die Zwischenräume etwas schmäler als bei den Radmanester Exemplaren. Ein so unbedeutender Unterschied kann als individuelle oder als Localabänderung betrachtet werden, wie denn überhaupt nach meinen Untersuchungen die Agramer und Radmanester Mollusken-Fauna mehrere ähnliche, aber kaum ganz gleiche Formen gemein haben. Endlich konnte der genannte Unterschied noch dahin erklärt werden, dass die Oberfläche des Agramer Stückes ganz gut erhalten ist, jene der Radmanester Exemplare dagegen ziemlich erodirt erscheint.

16. Adacna banatica Fuchs.

(Taf. XXIX [III], Fig. 5o.)

1870. *Cardium Banaticum Fuchs* in Jahrb. geol. Reichsanst. 356 (14). Taf. 15. Fig 9—11.
1877. „ „ „ in Führer Excurs. geol. Gesellsch. 76.

Ich habe bis jetzt eine einzige kleine rechte Klappe und ein noch kleineres ganzes Individuum dieser Art gefunden, welche ich von den von Baron Schröckinger erhaltenen Exemplaren aus Radmanest nicht zu unterscheiden vermag. Die Furchen der Innenseite, welche unsere Abbildung sehr genau wiedergibt, sind wieder gefurcht, und dies muss man als eine individuelle oder Local-abänderung betrachten, sonst stimmen die kroatische und die Banater Art vollständig überein. *A. banatica* ist äusserlich ebenso glatt und besitzt dieselbe Textur wie *A. Vodopići Brus.* aus Syrmien[1]; sonst gehören beide Arten zwei sehr weit verschiedenen *Adacna*-Gruppen an.

17. Adacna Pelzelni Brusina.

(Taf. XXVIII [II], Fig. 37. Taf. XXIX [III], Fig. 69.)

Wir haben bis jetzt nur zwei Individuen dieser Art bekommen, sowie ein Schlossfragment einer linken Klappe, welches wegen der Beschaffenheit des Schlosses selbst wichtig ist.

Gestalt, Form, Umrisse und, wie es scheint, auch das Schloss erinnern wohl an *A. Majeri,* denn die Form ist eine verlängert eiförmige, die Schale sehr ungleichseitig, wenig gewölbt, vorne abgerundet, rückwärts schief abgeschnitten und stark klaffend; weiter reicht aber die Aehnlichkeit zwischen diesen zwei Arten nicht. Die Oberfläche ist ganz verschieden, beide Exemplare haben nur 6 Rippen, und diese Zahl, wenn sie auch vielleicht nicht immer beständig ist, wird doch sehr wahrscheinlich die vorherrschende sein. Die Rippen selbst sind wenig gewölbt, gerundet, fangen an den Wirbeln als schmale, fast fadenförmige Leisten an, nehmen aber, bis sie den Rand erreichen, an Breite so schnell zu, dass z. B. die vorletzte Rippe am Unterrande eine Breite von 5 mm erreicht, mithin, da die ganze Schale kaum über 30 mm misst, am Rande gegen ein Sechstel der ganzen Länge der Muschel einnimmt; ein Verhältniss, welches mir bei keiner anderen Art vorgekommen ist. Die Rippen tragen längliche, eiförmige Warzen, welche sich zu Stacheln zuspitzen, so dass diese wirklich sehr lebhaft an die stacheligen Warzen eines Rosenstockes erinnern. Nahe am Wirbel sind diese Warzen klein und stumpf, werden immer grösser, bis sie nahe dem Rande so gross sind, dass sie manchmal denen gewisser recenter Arten wie *Cardium aculeatum Linné* ganz ähnlich werden. Bei unseren Exemplaren sind die grossen Stacheln verloren gegangen, und es wird auch wahrscheinlich Niemand gelingen, ein stacheltragendes Individuum aufzuheben. Ich habe zwei von Macek gefundene Stacheln zeichnen lassen. Der eine, hakenförmige ist über 5 mm, der andere, fast gerade ist gegen 9 mm lang. Die Zwischenräume zwischen den Rippen haben dieselbe Form und Breite wie diese selbst, sie sind ganz eben, glatt, und durch eine deutliche Linie von den Rippen geschieden. Das schon erwähnte Wirbelfragment zeigt am Schlosse zwei Mittelzähne, von denen der eine stark, der

---

[1] So habe ich eine *Adacna* aus Syrmien benannt, welche der russischen *A. semisulcata Rouss.* ähnlich, aber nicht gleich ist; ganz dieselbe Art habe ich in der Sammlung der k. k. geologischen Reichsanstalt aus Tihány als *Cardium semisulcatum* bestimmt gesehen, dieselbe Localität citirt auch M. Hörnes (Foss. Moll. 197); die Fuchs'sche Arbeit über Tihány enthält diese Art nicht. Obwohl M. Hörnes die ungarische Art mit der russischen identificirt, so hebt er doch manche Unterschiede zwischen der einen und der anderen hervor. Fuchs hat dieselbe Art als *C. semisulcatum M. Hörnes* non Rouss. (in Führer u. s. w. 76) verzeichnet, somit brauche ich nicht weiter zu beweisen, dass *A. Vodopići* von *A. semisulcata* verschieden ist.

andere sehr klein ist und welche jenen von *A. Majeri* sehr ähnlich sind. Der Seitenzahn der Vorderseite ist lamellenartig und verhältnissmässig sehr hoch; der untere Theil des Schlossrandes ist abgebrochen.

Ich nehme mir die Freiheit, diese prächtige Art, welche nirgends ihres Gleichen findet, meinem hochverehrten Freunde, dem bekannten Mastozoologen und Ornithologen, August von Pelzeln Custos am k. zoologischen Hof-Museum zu widmen.

18. Adacna chartacea Brusina.

(Taf. XXIX [III], Fig. 48.)

1874. *Cardium chartaceum Brus.*, Foss. Binn.-Moll. 137.

Bis heute habe ich nur zwei rechte Klappen und ein im Gestein steckendes Exemplar dieser Art gefunden. Es sind dies ganz kleine, papierdünne *Adacna*, welche ich früher als eine der *A. complanata* nahe Art angesehen hatte; eben darum habe ich unter Nr. 49 ein ganz kleines Exemplar der letzterwähnten Art aus demselben Fundorte zeichnen lassen. Die Verschiedenheit zwischen diesen zwei Arten ist genügend, um keiner weiteren Erörterung zu bedürfen. Später ist in mir der Verdacht aufgetaucht, *A. chartacea* könnte ein Jugendstadium von *A. Pelzelni* sein; doch lässt sich dies nicht beweisen, so lange keine Uebergangsindividuen zum Vorschein kommen.

19. Adacna Majeri M. Hörnes.

1862. *Cardium Majeri M. Hörnes*, Foss. Moll. II. 195, Taf. 28, Fig. 5.
1872.   ,,   ,,   *Brus.* in Rad jugoslav. akad. XXIII. 17.
1872.   ,, *ellipticum* ,, l. c.
1874.   ,, *Majeri*   ,, l. c. XXVIII. 103.
1874.   ,, *ellipticum* ,, l. c.
1874.   ,, *Majeri*   ,, Foss. Binn.-Moll. 137.
1874.   ,, *ellipticum* ,, l. c.
1877.   ,, *Majeri Fuchs* in Führer Excurs. geol. Gesellsch. 76.

Ich habe seinerzeit einige Exemplare nach Hörnes als *C. Majeri*, andere aber als neue Art angesehen und *C. ellipticum* benannt. M. H ö r n e s hat für *C. Majeri* nur 12 bis 13 weit von einander stehende Rippen angegeben, dazu ist an seiner Abbildung die Oberfläche rückwärts ganz rippenlos gezeichnet. Unsere bedeutend kleineren, mehr langgestreckten, nicht so stark gewölbten Exemplare mit 20 Rippen, von welchen jene dem Vorder- und Hinterrande kleine schuppenförmige Stacheln tragen, habe ich *C. ellipticum* benannt. Seit jener Zeit ist es uns gelungen, 6 mehr oder weniger gut erhaltene vollständige Individuen und über 50 fast durchwegs trefflich erhaltene einzelne Klappen zu finden, die mich belehrten, dass sie alle einer einzigen sehr unbeständigen Art angehören, welche sowohl was Form und Umriss, als Dicke und Berippung anlangt, bedeutende Schwankungen zeigt. Bei ganz ausgewachsenen und sehr alten Individuen mag die Oberfläche rückwärts ganz rippenlos sein, wie die Abbildung von H ö r n e s zeigt; man erkennt aber bei unseren Exemplaren immer die Spur von 4 bis 5 schmalen, fadenförmigen Rippen, welche bei kleineren und jüngeren Individuen viel mehr erhaben und dazu immer stachelig sind. Es handelt sich also hier nicht sowohl um eine eigenthümliche Form dieser veränderlichen Art, sondern um ein Jugendstadium. Ausserdem kommen auch grosse Exemplare mit 16—17 Rippen vor, welche also im Jugendzustande 20 Rippen haben; der Vergleich der Originalexemplare von M. H ö r n e s aus Árpád in Ungarn hat ergeben, dass das abgebildete Exemplar mit der Abbildung vollkommen übereinstimmt, und die

Beiträge zur Paläontologie Oesterreich-Ungarns. III, 4.   21

geringste Zahl von Rippen trägt, welche durch verhältnissmässig breite Zwischenräume getrennt sind. Es kommen aber in Árpád auch Exemplare mit grösserer Rippenzahl vor, wie diejenigen, welche ich als eine eigene Art *C. ellipticum* angesehen hatte, und ich hoffe, dass jeder, welcher Gelegenheit haben wird, alle diese scheinbar so verschiedenartigen Muscheln zu prüfen, mein Vorgehen gewiss billigen wird.

A. Majeri ist die relativ häufigste Art der Gattung.

20. *Adacna cf. oriovacensis Neumayr.*

1874. *Cardium cf. Auingeri Brus.* Foss. Binn.-Moll. 137.
1875.   „   *Oriovacense Neum*, Palud.- und Congr.-Schichten 22. Taf. 8, Fig. 25.
1877.   „   „   *Fuchs* in Führer Excurs. geol. Gesellsch. 76.

Unsere Sammlung besitzt vier Klappen und zwei ganze, aber schlecht erhaltene und aus dem Gesteine nicht lösbare Stücke, welche ich früher als *C. cf. Auingeri* verzeichnet habe. *A. Auingeri Fuchs*, welche ich in Wien gesehen habe, hat aber mit der Agramer Art sehr wenig zu thun. Eben wegen der schlechten Erhaltung der Exemplare ist eine definitive Bestimmung unmöglich; ihre Aehnlichkeit aber mit *A. oriovacensis* aus Slavonien ist jedenfalls sehr auffallend.

21. *Adacna Steindachneri Brusina.*

(Taf. XXVIII [II], Fig. 38.)

Erst neuerdings haben wir zwei grössere und vier kleine, nicht sehr gut erhaltene Stücke dieser sehr interessanten Art aus Okrugljak, zwei Schalen aus Karlowitz und zwei aus Gergeteg in Syrmien bekommen. Das abgebildete, weil besterhaltene Exemplar stammt aus Gergeteg. Nach Eichwald's Eintheilung wäre unsere Art eine *Monodacna*, denn das Schloss trägt nur einen kleinen Mittelzahn, von Seitenzähnen ist keine Spur zu sehen. Die den Rippen entsprechenden Furchen der Innenseite sind tief und bis ins Innerste der Wirbel zu sehen. Die Muskeleindrücke sind sehr deutlich und tief. Von Manteleindrücken kann ich nichts berichten, denn es war nicht möglich, die besseren Exemplare zu präpariren, ohne sie zu opfern, die anderen sind so incrustirt, dass jede Präparirung unmöglich ist. Die Anwachsstreifen der Oberfläche sind mehr oder weniger deutlich, so zwar dass manchmal die Schale fast superfötirt erscheint. Was diese Art besonders kennzeichnet, ist die sehr interessante Bildung und Vertheilung der Rippen. Man kann als Regel annehmen, dass je zwei glatte oder mit schwächeren Stacheln versehene Rippen mit einer höheren lamellenartigen, stark stacheligen Rippe alterniren. Nach den bisher untersuchten Exemplaren kann man ferner annehmen, dass diese Bildung und Vertheilung der Rippen auf dem Mitteltheile der Schale ziemlich constant ist, am Hinter- und Vordertheile dagegen grosse Veränderlichkeit herrscht, so dass ich von allen untersuchten Exemplaren nicht zwei finden konnte, welche einander gleich wären. Endlich kann man das Vorhandensein einer Lamellenrippe, der stärksten von allen, am Hintertheile als Regel betrachten, so dass die ganze Muschel in Folge dessen mehr oder weniger gekielt erscheint. Die Stelle dieser lamellenartigen Rippe ist ebenfalls unbeständig; bei dem abgebildeten Exemplare befindet sie sich wohl am Hintertheile, aber doch sehr nahe der Mitte, gerade dort, wo das sonst schöne Exemplar gesprungen ist. Bei anderen Stücken ist dieselbe Rippe näher dem Hinterrande; andere zeigen endlich zwei lamellenartige Rippen von fast gleicher Stärke. Es gibt Individuen, bei welchen alle Rippen am Vorder- und Hintertheile fast gleich stark sind, so dass man kaum die gewöhnlichen von den lamellenartigen Rippen unterscheiden kann. Gerade auf dem abgebildeten Exemplare sind kleine Stacheln auf den Mittelrippen, also zwischen den Lamellenrippen am Vordertheile zu bemerken, sonst sind die Mittelrippen am Mitteltheile der Schale aller Exemplare sowohl aus Agram als auch aus Syrmien vollständig glatt, wie die zwei am Hintertheile der Abbildung zeigen. Die Stacheln scheinen am Vorder- und Hintertheile immer länger gewesen zu sein.

Diese Art findet in Russland und Ungarn zwei Verwandte. Die erste ist *A. (Cardium) Suessi Barbot de Marny*, welcher unter diesem Namen ein kleines Exemplar aus Grigorevka bei Tiraspol im Cherson'schen Gubernium beschrieben hat [1], und welche neuerdings Halaváts bei Langenfeld in Ungarn entdeckt hat [2]. Vergleicht man unsere Abbildung und jene von Barbot de Marny und Halaváts, so wird man sehr leicht einsehen, dass unsere Art trotz der Aehnlichkeit weit verschieden ist. Die russische und ungarische Art ist viel mehr gerundet und bedeutend bauchiger; unsere Art hat bei einer Länge von 45 mm eine Höhe oder Breite von 40 mm und beiläufig die Dicke von 30 mm gehabt. Der Unterschied zwischen gewöhnlichen und lamellenartigen Rippen ist bei *A. Suessi* nicht so stark, und überhaupt scheint die ganze Berippung von *A. Suessi* nicht so veränderlich zu sein, als es bei *A. Steindachneri* der Fall ist. Erstere hat, nach den Abbildungen von Barbot de Marny und Halaváts zu urtheilen, nur drei lamellenartige Rippen, wogegen selbst auf den kleinsten Agramer Stücken sehr deutlich 6 bis 7 solcher Lamellenrippen zu sehen sind. In Folge dessen sind bei *A. Steindachneri* zwischen zwei lamellenartigen nur zwei, bei *A. Suessi* 3—5 glatte Rippen vorhanden. Bei *A. Suessi* kommen, wie Barbot de Marny hervorgehoben hat, Stacheln nur auf den Lamellenrippen vor, während solche bei *A. Steindachneri*, wenn auch als Ausnahme, auch auf den Mittelrippen vorkommen; am Vorder- und Hintertheile von *A. Suessi* sind gar keine Stacheln sichtbar, während sie bei *A. Steindachneri* gerade hier am stärksten sind.

In der Sammlung des k. Hof-Mineralien-Cabinetes habe ich eine *Adacna (Cardium) Fittoni d'Orbigny* [3] aus Anovka, Gouvernement Cherson gesehen, welche der *A. Steindachneri* viel näher verwandt ist. *A. Fittoni* hat eine viel zartere und dünnere Schale, die Mittelrippen sind kaum angedeutet, oder sie verschwinden vollständig; auch sind die Lamellenrippen bei weitem nicht so hoch entwickelt; die Stacheln sind bedeutend kleiner; kurz es sind die Arten sehr nahe verwandt, aber durchaus nicht identisch.

Ich habe unsere Art auch in der Sammlung der geologischen Reichsanstalt gesehen, und es ist gewiss dasselbe Stück, welches Neumayr als dem *C. Fittoni* ähnlich erwähnt hat [4]; auch Neumayr betrachtete also unsere und die russische Art als verschieden.

M. Hörnes hat *C. Fittoni Orbigny* unter die Synonymen von *C. plicatum Eichwald* aufgenommen [5]. Mir steht das grosse Werk über Russlands Geologie von Murchison, Verneuil und Keyserling, wo *C. Fittoni* abgebildet ist, nicht zur Verfügung; ich habe jedoch keinen Grund, die richtige Bestimmung von *C. Fittoni* im k. Hof-Mineralien-Cabinete in Wien zu bezweifeln, und ich kann daher nicht begreifen, wie *C. Fittoni* unter die Synonymen von *C. plicatum* gerathen konnte, denn diese zwei Arten sind sehr weit von einander verschieden.

---

[1] Geolog. Beschreibung des Gouvernements Cherson (russisch). 1869. 153, Fig. 20—22 der Tafel.
[2] Paläontologische Daten zur Kenntniss der Fauna der südungar. Neogen-Ablagerungen. I. Die pontische Fauna von Langenfeld (in Mittheil. a. d. Jahrb. d. k. ungar. geol. Anst. VI. Bd. 5. Heft. Budapest 1883. 166 (4), Taf. 15, Fig. 5—8.
[3] Prodrome de Paléontologie stratigraphique. Paris 1852. Tome III. pag. 119
[4] Paludinen- und Congerienschichten Westslavoniens u. s. w. S. 24.
[5] Die foss. Mollusken d. Wiener Tert.-Becken u. s. w. S. 202.

21*

Ich nehme mir die Freiheit, diese sehr schöne Art Herrn Franz von Steindachner, Director des k. zoologischen Hof-Museums, einem der ersten Ichthyologen und Herpetologen der Gegenwart, zu widmen.

22. *Adacna hemicardia* Brusina.

A. hemicardia, auch eine Entdeckung Professor Kiseljak's, ist eine höchst merkwürdige Art, welche, nach dem einzigen, sonst schlecht erhaltenen Stücke zu urtheilen, wie der Name sagt, an die recenten Arten der Untergattungen *Hemicardia Klein, Fragum Bolten* erinnert. Die Schale erscheint sehr zart und dünn, herzförmig, der Vordertheil sehr kurz und stark abgeplattet, der Hintertheil mehr entwickelt und gekielt. Die Oberfläche trägt etwa 13—14 feine, fast fadenförmige Rippen, welche mit kleinen, dachziegelförmigen Stacheln verziert sind.

23. *Adacna Baraći* Brusina.
(Taf. XXVIII [II], Fig. 42.)

1874. *Cardium cf. obsoletum* Brus., Foss. Binnenmoll, 137.

Seinerzeit habe ich diese Art als *C. cf. obsoletum* verzeichnet. *A. obsoleta* ist aber der sarmatischen Stufe eigenthümlich, und die Aehnlichkeit unserer Art mit dieser ist überhaupt nicht so gross, dass es nöthig wäre, eingehender darüber zu sprechen. Später sind mir zwei oder drei unserer Art wirklich nahe verwandte *Adacna* der Congerienschichten bekannt geworden, und mit diesen müssen wir uns somit etwas näher beschäftigen.

Unsere Art stimmt in der Form und Grösse mit *A. truncata* Vest aus Tihány ziemlich überein. *A. truncata* klafft aber stark, unsere ist fast ganz geschlossen; die Wirbel sind bei jener stark hervorragend, aufgeblasen und nach vorne gekrümmt, bei dieser sind sie den anderen Theilen entsprechend entwickelt. Das Schloss der ersteren hat in jeder Klappe nur einen Cardinalzahn und jederseits zwei lamellenartige Seitenzähne; bei der unseren ist auf der rechten Klappe ein grösserer, spitzer und ein zweiter verkümmerter Cardinalzahn zu sehen; vorne befinden sich ebenfalls zwei lamellenartige grössere Seitenzähne und rückwärts nur einer; die linke Klappe hat nur einen Mittelzahn und jederseits einen lamellenartigen Zahn. *A. truncata* trägt 15—16 dreikantige Rippen, welche so breit und theilweise auch noch breiter sind als die Zwischenräume derselben, unsere Art hat wohl auch 15—16 Rippen, diese sind aber nur bei zwei von den untersuchten Klappen sehr schwach dreikantig, sonst bei 7 anderen Klappen ganz gerundet. Endlich ist die Oberfläche der *A. truncata* von feinen, dichten Querstreifen bedeckt, welche besonders deutlich am Unterrande hervortreten; während bei *A. Baraći* ausserdem die Rippen immer auf den Wirbeln und nur selten bis gegen die Hälfte der Schale mit sehr feinen, darum mit freiem Auge kaum sichtbaren, dachziegelartigen Lamellen bedeckt sind. Diese zierliche Sculptur erinnert gerade an jene von *A. obsoleta*, aber bei dieser bedecken die Lamellen die ganze Oberfläche bis zum Rande und werden dazu immer stärker.

Fuchs hat ein *Cardium secans* aus Radmanest und Tihány beschrieben; dieses soll sich wenigstens, nach der von Vest gegebenen Abbildung zu urtheilen, durch nicht so stark aufgeblasene Wirbel unterscheiden, sowie dadurch, dass die Rippen, nach Fuchs, stark gekielt sind; sonst stimmen jedoch beide Arten ganz überein. Es liegt darum die Vermuthung sehr nahe, dass die Vest'sche[1]) und die Fuchs'sche[2]) Form doch vielleicht einer und derselben Art angehören. Dies

---

[1]) *Myocardia truncata* Vest in Mittheil. u. Verhandl. d. siebenb. Vereins für Naturwiss. XII, Hermannstadt 1861, 112, und Jahrb. d. deutsch. Malakozool. Gesellsch. II. Frankfurt a. M. 1875. 318, 325, Taf. 11, Fig. 16.

[2]) *Cardium secans* Fuchs in Jahrb. d. geol. Reichsanst. XX. Wien 1870. 335 (15), Taf. 15, Fig. 29—31, u. l. c. 540 (10).

scheint mir um so wahrscheinlicher zu sein, als der Bearbeiter der Fauna von Tihany auch *A. secans* aus dieser Localität erwähnt hat. Spätere Forscher werden also klarzulegen haben, ob *A. truncata* und *A. secans* wirklich verschieden sind; für uns genügt zu constatiren, dass *A. Baroči* und *A. secans* ebenfalls nicht identificirt werden dürfen. *A. secans* ist nämlich auch klaffend und trägt scharfe Rippen. Hier sei mir noch die Bemerkung erlaubt, dass ich von der richtigen Bestimmung von *Cardium (Adacna) secans* aus Langenfeld bei Halavats nicht überzeugt bin [1]).

A. aperta Münster ist unserer Art auch ähnlich; abgesehen von weniger auffallenden Unterscheidungsmerkmalen, kann man sie jedoch auf den ersten Blick unterscheiden, da *A. aperta*, wie der Name sagt, sehr stark klaffend ist und nur 13 bis 15 Rippen hat.

Diese Art widme ich meinem ausgezeichneten Freunde, dem Chemiker Milutin Barač aus Agram, nun Fabriks-Director in Fiume, dem eifrigsten und treuesten Förderer unseres Institutes.

24. *Adacna prionophora Brusina.*

(Taf. XXVIII [II], Fig. 41.)

1874. *Cardium cf. scabriusculum Brus.*, Foss. Binnenmoll. 137.

Der vorhergehenden Art steht eine Form, welche ich früher als *C. cf. scabriusculum* verzeichnet habe, ziemlich nahe. Es ist uns bisher nur gelungen, zwei rechte Schalen, nämlich die kleinere, fast vollständig erhaltene, abgebildete, und eine viel grössere, aber stark beschädigte Klappe zu erhalten, welche aber für die Feststellung der Art ganz genügende Auskunft geben.

Diese *Adacna* erreicht fast die Grösse von *A. Baroči*, unterscheidet sich aber von derselben dadurch, dass die zwei vorhandenen Exemplare, obwohl etwas kleiner, doch 17—18 Rippen, also mehr als *A. Baroči* tragen. Diese Rippen sind schmäler und in Folge dessen die Zwischenräume zwischen den Rippen augenscheinlich breiter; ausserdem sind die Rippen dreikantig und eher scharf als gerundet. Die Rippen sind der Länge nach mit scharfen, dreieckigen, lamellenartigen Stacheln verziert, so dass die einzelnen Rippen wohl an eine Säge erinnern können, daher der Name. Das Schloss der rechten Schale besteht aus zwei ziemlich gleichen kleinen Cardinalzähnen und jederseits aus zwei lamellenartigen Seitenzähnen, welche derart gestaltet sind, dass ich die Vermuthung aussprechen zu dürfen glaube, dass die uns noch unbekannte linke Klappe nur einen Mittelzahn und einen Seitenzahn jederseits tragen musste.

Von *A. scabriuscula Fuchs* ist *A. prionophora* sehr verschieden, indem erstere nahezu gleichseitig, weniger gewölbt, hinten etwas klaffend ist und nur 12—13 Rippen trägt, welche mit weit entfernten und viel kräftigeren, dachziegelförmigen, ja besser gesagt, gerade wie bei *Cardium Deshayesi Payraudeau* löffelförmigen, weit entfernten Schuppen verziert sind. Die Zwischenräume zwischen den Rippen sind bedeutend breiter. Das Schloss trägt in beiden Schalen nur einen Mittel- und jederseits einen Seitenzahn.

25. *Adacna ochetophora Brusina.*

(Taf. XXIX [III], Fig. 47.)

Aus Okrugljak habe ich nur drei Klappen dieser Art bekommen, dagegen hat Gnezda ziemlich viele aus Gergeteg in Slavonien gebracht. Die abgebildete linke Klappe ist 9 mm breit oder hoch, 11 mm lang und 4 mm dick, das ganze Individuum war also 8 mm dick.

---

[1]) Paläontologische Daten u. s. w. I. Die pontische Fauna von Langenfeld. Budapest 1883. 166 (4). Taf. 15. Fig. 1—2.

Die Klappe ist dünn, rundlich-eiförmig und etwas in die Quere gezogen, ungleichseitig, stark gewölbt, schwach klaffend; der Wirbel wenig vorstehend, gerundet. Die Oberfläche ist mit ungleichartigen, ungleich grossen Rippen bedeckt. Die Rippen der Vorderseite, gewöhnlich 8 an der Zahl, sind gerundet und durch Zwischenräume getheilt; Rippen und Zwischenräume sind gerade so wie bei *A. Schedeliana, A. Barači* und ähnlichen Arten und sind im Verhältniss zur Grösse der Schale. Am Hintertheile nehmen die Rippen eine ganz andere Form an; die ersten zwei Rippen nämlich, welche sich fast auf der Mitte der Schale befinden, treten stark hervor, sind nicht mehr gerundet, wie jene des Vordertheiles, sondern dreikantig und durch ganz ebene Zwischenräume getrennt; die Zwischenräume und die Rippen sind wieder ihrerseits durch eine deutliche Linie geschieden. Am Hintertheile werden die weiteren Rippen, gewöhnlich 7, wieder niedrig, gerundet und namentlich nahe am Schlossrande sehr klein. Dies ist die gewöhnliche Form und Anordnung der 17 Rippen, doch sind dieselben durchaus nicht constant; es gibt Exemplare, welche nur eine starke Rippe, andere wieder, welche deren drei tragen. Die Furchen im Inneren der Muschel, welche den Rippen entsprechen, sind sehr tief; die Rippen sind eigentlich ganz hohl und besonders die Furchen der grossen, dreikantigen Rippen bringen wirkliche tiefe Rinnen hervor; darum habe ich diese Art *A. ochetophora* benannt. Das Schloss der rechten Klappe hat zwei kleine Cardinalzähne und je einen viel stärkeren, lamellenartigen Zahn auf jeder Seite. Die linke Klappe hat ebenfalls zwei kleine Mittelzähne und nur einen, jedoch starken Zahn an der Vorderseite, welcher ganz die Form des entsprechenden Zahnes von *A. Schmidti* hat.

Diese merkwürdige Form scheint der *A. Odessae Barbot de Marny* ähnlich zu sein; ich habe hier wohl Barbot de Marny's Abhandlung nicht zu Hand; doch, so viel ich mich erinnern kann, ist *A. Odessae* bedeutend grösser und ihre Rippen sind alle gleich und dreikantig. Gnezda hat uns drei Stücke aus Gergeteg gebracht, welche alle gleiche dreikantige Rippen tragen; die grösste Klappe ist gegen 19 mm breit oder hoch und 22 mm lang; genauere Messungen kann ich auf den im Gesteine halb versteckten Klappen nicht vornehmen. Diese aus demselben Fundorte stammenden Stücke sind wahrscheinlich von *A. ochetophora* zu unterscheiden und gehören möglicherweise *A. Odessae?*

26. *Adacna otiophora Brusina.*

(Taf. XXIX [III], Fig. 45, 46.)

1874. *Cardium desertum Brus.* Foss. Binnenmoll. 157 (non Stoliczka).

Diese winzige, aber ausgezeichnete Art hatte ich zuerst als *Cardium desertum Stol.* bestimmt, da die wenigen schlecht erhaltenen oder im Gesteine festsitzenden Klappen, welche mir damals zur Verfügung standen, und die ähnliche Berippung der Oberfläche derselben mich getäuscht hatten. Heute habe ich über 50 Klappen und mehr als ein Dutzend ganze Individuen, von welchen einige frei, andere in Mergel eingeschlossen sind, so dass die Art festgestellt werden konnte.

A. deserta unterscheidet sich von *A. otiophora* durch abgerundete, aber trapezoidische Form; der Vordertheil beider Arten ist wohl abgerundet und schief abgestutzt, aber unsere Art ist sehr stark verlängert, und von dem Kiele, welcher an der ungarischen Art zu sehen ist, ist auf unserer fast keine Spur vorhanden. *A. otiophora* ist weniger gewölbt, die Wirbel weniger vorspringend. Was unsere Art besonders kennzeichnet, sind die zwei kleinen, aber dennoch deutlichen ohrförmigen Erweiterungen zu jeder Seite der Wirbel; ähnliche Erweiterungen sind auch am Vordertheile von *A. Schedeliana, A. Barači* u. s. w. zu sehen; aber auf beiden Seiten, wie es unsere Abbildungen ganz genau wiedergeben, treten sie nur bei dieser Art auf. Die Berippung der Oberfläche ist jener von *A. deserta* ähnlich; diese hat 40 bis über 50 Rippen, unsere Art hat nicht viel mehr als 30. Ich habe nämlich 33 bis 35 Rippen gezählt, genau kann man es kaum angeben, weil die Rippen am Rande des Hintertheiles alimälig verschwindend klein und undeutlich werden. Das Schloss der rechten Klappe hat zwei Cardinal- und je zwei lamellenartige Seitenzähne, von welchen die oberen mit dem Rande selbst eng verbunden, ja anscheinend sogar ein Theil desselben sind. Die linke Klappe hat einen Mittelzahn und keine Seitenzähne, oder nur eine undeutliche Spur eines Vorderzahnes, somit ist auch die Schlossbildung unserer Art von jener der ungarischen verschieden. Die grössere abgebildete Klappe ist $5\frac{1}{2}$ mm breit oder hoch, 6 mm lang und 2 mm dick, somit wäre die ganze Muschel 4 mm dick. Andere minder gut erhaltene Klappen sind nicht viel grösser; *A. otiophora* ist also auch beständig kleiner als *A. deserta.*

27. *Adacna diprosopa* Brusina.
(Taf. XXVIII [II], Fig. 39, 40.)

1874. *Cardium sp.* Brus. Foss. Binnenmoll. 137.

Es ist das eine der veränderlichsten Arten der Gattung, bei welcher überdies die Jugendform von der erwachsenen so verschieden ist, wie ich es weder bei einem lebenden *Cardium* noch bei einer fossilen *Adacna* bisher gesehen habe, eine Eigenthümlichkeit, auf welche der Name der Art anspielen soll. Diese Aenderung findet nicht durch langsame Uebergänge statt, sondern tritt fast plötzlich ein. Zuerst habe ich nur junge Individuen bekommen, welche ich in meiner Voranzeige als *Cardium* Nr. 173 vorgemerkt habe, später erst habe ich auch grosse Exemplare gefunden, welche sich als einer sehr ausgezeichneten Art angehörig erwiesen haben. Bis heute haben wir gegen 20 Klappen und vier vollständige, aber sehr schlecht erhaltene Individuen bekommen.

Im Jugendstadium stellt diese Art eine fast geometrisch genaue Ellipse dar, deren Reinheit nur durch das Hervortreten der spitzen Wirbel gestört wird. Die kleine Muschel ist sehr stark zusammengedrückt, fast abgeplattet, vorn und hinten genau abgerundet, die Wirbel fast stachelig, spitz und stark hervortretend. Diese Jugendform, auf Taf. II, Fig. 40 sehr schön und genau abgebildet, zeigt sich sehr beständig, bis zu 9—11 mm Länge und 7—8 mm Höhe oder Breite. Sobald das Individuum diese Grösse überschreitet, fängt eine sehr merkliche Veränderung an. Die Klappe nimmt beim Zuwachsen eine ganz verschiedene Richtung, wölbt sich stark zu, und je grösser sie wird, desto unbeständiger und verschiedengestaltiger entwickelt sie sich. Im ausgewachsenen Zustande ist die Muschel ungleichseitig, dickschalig, mehr oder weniger in die Quere gezogen, von mehr oder weniger eiförmigem Umriss und starker, aber nicht immer gleicher Wölbung; vorne gerundet, hinten mehr oder weniger in die Länge gezogen, etwas abgestutzt und kaum klaffend. Die Wirbel sind stark aufgeblasen und stumpf, geradezu buckelig. Die Spitze der Jugendschale kann man noch immer deutlich erkennen, nur während diese im Jugendzustande in einer Linie mit der Höhe oder Breite der Muschel gestanden ist, befindet sie sich jetzt fast in einer Linie parallel mit der Linie, welche die Dicke der Muschel bezeichnet. Die Oberfläche ist mit 16 bis 19 gedrängten Radialrippen bedeckt, welche fast ganz eben und nur durch eine Linie getrennt sind, so dass man eigentlich von Zwischen-räumen kaum sprechen kann; nahe am oberen Vorder- und Hintergrunde fehlen die Rippen ganz, oder sie sind so verschwommen, dass man in Folge dessen die angegebene Rippenanzahl nur als eine annähernde nehmen darf. Das merkwürdigste von Allem ist aber, dass auf jeder ausgewachsenen Schale die stark hervortretende Jugendklappe immer deutlich zu erkennen ist; weitere Anwachsstreifen sind oft bemerkbar, aber nur angedeutet, und sind von jenen weit verschieden. Der Manteleindruck ist kaum sichtbar; die Rippenfurchen sind am Rande der Schale sehr tief eingeschnitten, sonst aber so kurz, dass das Innere ganz glatt ist. Die Mittelzähne sind nicht sehr entwickelt, darum kann man sagen, die Seitenzähne seien unverhältnissmässig gross und stark. Die Seitenzähne der rechten Klappe sind stärker als jene der linken Klappe, darum sind die Gruben der linken Klappe, welche zur Aufnahme der Zähne der rechten Klappe bestimmt sind, breit und tief.

Als die einzige Art, welche mit der unserigen eine Aehnlichkeit zeigt, kann ich *A. (Cardium) proxima Fuchs* aus Radmanest bezeichnen; wie ich mich aber bei der Besichtigung der Original-Exemplare der Sammlung des k. Hof-Mineralien-Cabinetes überzeugen konnte, ist diese Aehnlichkeit keine sehr grosse, so dass ich die an den Abbildungen leicht sichtbaren Unterschiede nicht hervor-zuheben brauche.

28. *Adacna simplex Fuchs.*

(Taf. XXIX [III], Fig. 44.)

1870. *Cardium simplex Fuchs* in Jahrb. geol. Reichsanst. XX. 359 (17). Taf. 15, Fig 4—6.
1874. „ *cf. simplex Brus.* Foss. Binnenmoll. 137.
1875. „ *simplex Neum.* Palud.- u. Congeriensch. 23.
1877. „ „ *Fuchs* in Führer Excurs. geol. Gesellsch. 76.

Am oben erwähnten Orte habe ich diese Art als *C. cf. simplex* verzeichnet, später habe ich durch Baron v. Schröckinger Gelegenheit erhalten, unsere Exemplare mit jenen aus dem Banat zu vergleichen, und mich von deren Uebereinstimmung zu überzeugen. Trotz mancher ver-wandtschaftlicher Beziehung ist dies doch die einzige Art, welche unsere Fauna mit jener von Radmanest sicher gemein hat.

Die von mir abgebildete Klappe ist viel schmäler als die Figur bei Fuchs, die Wirbel springen unbedeutend weiter; man darf aber nie vergessen, dass auch der Erhaltungszustand einzelner Stücke manchmal ein eigenthümliches Aussehen gibt.

29. *Adacna Budmani Brusina.*

Prof. Kiseljak hat letzthin in Okrugljak das erste Fragment dieser Art gefunden, welche wir bei der Aufzählung der Arten aus der Localität Fraterščica näher besprechen werden, nachdem diese Art dort zuerst entdeckt und nach einem dortigen Exemplare gezeichnet wurde.

30. *Adacna edentula Deshayes.*

(Taf. XXIX [III], Fig. 67.)

1838. *Cardium edentulum Desh.* in Mem. Soc. geol. III. 58. Taf. 3, Fig. 3—6 (non Mont.).
1842. „ *Rouss.* in Demidoff Voyage d. l. Russie II. 807. Taf. 7, Fig. 4.
1852. „ *subedentulum Orbigny,* Prodr. d. Paléont. III. 120.
1856. „ *edentulum Mayer* in Journ. de Conch. V. 302.
1862. „ „ *M. Hörnes,* Foss. Moll. II. 200. Taf. 29, Fig. 4.
1874. „ „ *R. Hörnes* in Jahrb. geol. Reichsanst. XXIV. 67 (35). Taf. 4, Fig. 10.
1877. „ „ *Fuchs* in Führer Excurs. geol. Gesellsch. 76.
? 1879. „ „ *Capellini.* Gli strati a Cong. ecc. di Ancona (Memorie d. Accad. d. Lincei) 20. Taf. 2, Fig. 3, 4.

Das abgebildete und vier weitere Fragmente aus Okrugljak habe ich als *A. edentula* bestimmt. Ich kann zwischen dieser und der russischen Art keinen Unterschied finden. Nach unseren Fragmenten ist die Agramer Form ebenso gross geworden, wie die russische. Diese Art sammt der folgenden und *A. Budmani* sind unsere einzigen zahllosen Arten, also typische *Adacna*. Es kommt mir nicht wahrscheinlich vor, dass die von Capellini beschriebene und abgebildete italienische Form wirklich hieher gehöre.

31. *Adacna pterophora Brusina.*

Auch diese Art, welche von Prof. Kiseljak in Okrugljak gefunden wurde, werde ich bei der Behandlung der Localität Fraterščica, wo wir sie zuerst kennen gelernt haben, besprechen.

32. *Adacna complanata Fuchs.*

(Taf. XXIX [III], Fig. 49.)

1870. *Cardium complanatum Fuchs* in Jahrb. geol. Reichsanst. XX. 358 (16). Taf. 15, Fig. 20, 21.
1874.   „   „   *Brus.* in Rad jugoslav. akad. XXVIII. 103.
1876.   „   „   „   Foss. Binnenmoll. 137.
1877.   „   „   *Fuchs* in Führer Excurs. geol. Gesellsch. 76.

Seinerzeit habe ich diese Art aus der Formengruppe von *A. plana Desh.* als *C. complanatum Fuchs* bestimmt, und finde mich auch heute nicht veranlasst, davon abzugehen. Bei der Besichtigung der Originalexemplare von *A. complanata* in der Sammlung des k. Hof-Mineralien-Cabinetes habe ich wohl kleine Abweichungen zwischen den kroatischen und banatischen Exemplaren gesehen, halte sie aber für nicht genügend und namentlich für zu unbeständig, um eine Trennung zu rechtfertigen. *A. complanata* aus Radmanest ist wohl bedeutend kleiner, es wäre aber zu beweisen, dass die Radmanester Art wirklich nicht die Grösse der Agramer Exemplare erreicht hat. Die Sculptur der Schale zeigt auch Unterschiede; *A. complanata* aus Radmanest hat nämlich gewöhnlich kräftigere Rippen und die Zwischenräume sind schmäler; wir besitzen aber auch ein paar Agramer Klappen, welche sich durch stärkere Berippung auszeichnen.

Neumayr hat schon die Unterschiede zwischen *A. plana Desh.* und *A. slavonica Neum.* hervorgehoben; unterdessen ist die letzterwähnte Art der *A. complanata* viel näher verwandt als der *A. plana*, darum habe ich die Originalexemplare von Oriovac bei Brod in Slavonien in der Sammlung der k. k. geologischen Reichsanstalt untersucht und mir die Ueberzeugung verschafft, dass trotz der unleugbaren Aehnlichkeit beide als selbstständige Formen bestehen können. *A. slavonica* ist mehr gewölbt, hat eine dickere Schale, welche in ihrem Umrisse mehr eiförmig ist, die Rippen sind kräftiger, die Anwachsstreifen sind so stark hervortretend, dass auf allen Exemplaren eine beständige Superfötation zu bemerken ist, wenn auch diese nie so stark wie bei *Dreissena superfoetata* wird. Man könnte unsere Agramer Exemplare als eine zwischen *A. slavonica* und *A. complanata* von Radmanest vermittelnde Mutation ansehen. Eine Klappe aus Ferkljevce bei Požega in der Sammlung der geologischen Reichsanstalt in Wien stimmt mit dem Agramer Exemplare viel mehr überein.

33. *Adacna Kiseljaki Brusina.*

So nenne ich eine von Professor Kiseljak entdeckte, sehr stark zusammengedrückte, scharfrippige Art, welche von allen bis jetzt beschriebenen ganz verschieden ist. Leider ist sie mir zu spät bekannt geworden, und ich werde sie bei nächster Gelegenheit mit all dem anderen schönen Material veröffentlichen, welches durch Professor Kiseljak's Sinn und Fleiss zusammengebracht worden ist. Unterdessen möge der verdienstvolle Mann die Widmung dieser Art als ein kleines Zeichen meiner aufrichtigen Verehrung wohlwollend annehmen.

Pisidium C. Pfeiffer.

34. Pisidium Krambergeri Brusina.

1874. *Pisidium unnicum Brus.* in Rad jugoslav. akad. XXVIII, 103 (non Müller).
1874. „ „ „ Foss. Binnenmoll. 138.

Nachdem ich unsere Art früher mit den recenten *P. amnicum Müller* identificirt hatte, bin ich später der Meinung gewesen, unsere Art stimme mit *P. priscum Eichwald* nach Hörnes überein, darum habe ich sie nicht abbilden lassen; ich werde es bei der nächsten Gelegenheit nachholen. Herr Clessin hat nämlich die besondere Gefälligkeit gehabt, meinen ganzen Pisidien-Vorrath zu untersuchen; seine Bemerkung in dieser Richtung lautet: „*Pisidium. sp.* nicht zur Gruppe des *P. amnicum* gehörig, sondern zu jener des *P. fossarinum Clessin*, wegen der Cardinalzähne; ziemlich eigenartig; der Grösse nach dem *P. intermedium Cassics* etwa gleich, aber in der Form wesentlich anders. Etwa an *P. aequale Neum.* erinnernd, das ebenfalls nicht zur Gruppe des *P. amnicum* gehört.‘ Herr Fuchs hat mir ein Exemplar von *P. priscum* aus Steinabrunn überlassen, und so habe ich mich überzeugen können, dass die Agramer Art sowohl nach ihrer Form als Sculptur von dem Wiener *P. priscum* leicht zu unterscheiden ist.

Diese ist die häufigste aller Arten in den Agramer Congerienschichten, denn wir besitzen gegen 60 einzelne Klappen, alle ausgezeichnet erhalten, und über 20 vollständige Exemplare aus Okrugljak.

Diese Art nenne ich nach Dr. D. Kramberger, der sich um die Kenntniss der Agramer Congerienschichten grosse Verdienste erworben hat.

Lithoglyphus Mühlfeld.

35. Lithoglyphus ? sp.

1874. *Lithoglyphus sp. Brus.* in Rad jugoslav. akad. XXVIII, 102.
1874. „ „ „ Foss. Binnenmoll. 135.

Es ist uns nicht gelungen, mehr als jene zwei unbestimmbaren Stücke, welche ich als der Gattung *Lithoglyphus* angehörend angesehen habe, aufzufinden. Heute bin ich selbst über die generische Bestimmung dieser Stücke unsicher, und nur gut erhaltene Individuen werden uns eine bessere Einsicht geben können.

Hydrobia Hartmann.

36. Hydrobia sp.

1874. *Hydrobia stagnalis Brus.* in Rad jugoslav. akad. XXVIII, 102 (non Bast.).
1874. „ „ „ Foss. Binnenmoll. 135.

Diese Gattung ist in Okrugljak wenigstens durch drei Arten vertreten, welche wegen schlechter Erhaltung der spärlichen Stücke nicht zu bestimmen sind. Nur so viel ist sicher, dass zwei davon echte *Hydrobia* sind, welche der *Hydrobia* nunmehrigen *Prososthenia sepulcralis Partsch* ähnlich, aber nicht mit ihr identisch sind.

37. *Hydrobia sp.*

Eine von der vorhergehenden verschiedene schmälere Form.

38. *Hydrobia sp.*

Die dritte hier gemeinte Art zeigt den Habitus einer *Bythinella*, das einzige bis jetzt entdeckte Exemplar ist gut erhalten; dies ist aber zu wenig, um etwas Sicheres darüber sagen zu können.

Pyrgula De Cristoforis et Jan.

39. *Pyrgula incisa Fuchs.*

(Taf. XXX [IV], Fig. 11.)

1870. *Pyrgula incisa Fuchs* in Jahrb. geol. Reichsanst. XX. 351 (9), Taf. 11, Fig. 20—23.
1870.   „   „   „   l. c. 340 (10).
1874.   „   .... *Brus.* in Rad jugoslav. akad. XXVIII. 102.
1874.   „   *incisa*   „   Foss. Binnenmoll. 135.
1874.   „   „   *Sand.* Conch. d. Vorwelt. 690.
1875.   „   „   *Neum.* in Jahrb. geol. Reichsanst. XXV. 419 (19).
1877. *Hydrobia incisa Fuchs* in Führer Excurs. geol. Gesellsch. 74.
1881. *Pyrgula*   „   *Brus.* in Bull. Soc. Malac. Ital. VII. 253.

Beim Vergleiche der Abbildung von Fuchs mit unserer Tafel ergeben sich nicht unbedeutende Unterschiede, welche leicht irrigerweise als specifische Merkmale gedeutet werden könnten. Unsere Abbildung zeigt einen etwas abweichenden Gesammthabitus, ausserdem hat sie scharfe, nicht gürtelförmige Kiele; die Naht zeigt ebenfalls keine Spur eines Gürtels, wie man es am vorletzten Umgange der Abbildung von Fuchs zu sehen bekommt. Trotzdem halte ich die Agramer und die ungarische Form, von der ich Herrn Baron Schröckinger Exemplare verdanke, für identisch, nachdem ich mich durch directen Vergleich davon überzeugen konnte. Die Abbildung von Fuchs ist gewiss ganz genau, stellt aber ein etwas kleineres, schlankeres, möglicherweise auch etwas zernagtes Exemplar dar, weil gerade durch die theilweise Zerstörung der Oberfläche die sonst scharfen Kiele ein gürtelförmiges Aussehen bekommen. Die Spitze des von uns abgebildeten Exemplares ist abgebrochen und darum so gezeichnet, sonst ist diese Abbildung vortrefflich gelungen, und nicht nur die Agramer, sondern auch die oben erwähnten Banater Exemplare stimmen mit derselben ganz vorzüglich.

Micromelania Brusina.

Nach Allem, was ich über diese Gattung im Anhange zu den fossilen Binnenmollusken aus Dalmatien, Kroatien und Slavonien (S. 130—134) und in meiner Studie über die Pyrgulinen Ost-Europas (S. 266—271) gesagt habe, bleibt mir sowohl über die Gattung als über die Arten gar nichts Neues zu schreiben.

40. *Micromelania Fuchsiana Brusina.*

(Taf. XXIX [III], Fig. 5.)

1874. *Pleurocera* ..... *Brus.* in Rad jugoslav. akad. XXVIII. 102.
1874. *Micromelania Fuchsiana Brus.*, Foss. Binnenmoll. 134.

1875. *Micromelania Fuchsiana Neum.* in Jahrb. geol. Reichsanst. XXV. 420 (20).

1881.   „   „   *Brus.* in Bull. Soc. Malac. Ital. VII. 280.

Ich habe hier nur beizufügen, dass es uns im Zeitraume von 15 Jahren nicht gelingen wollte, mehr als ein Stück in Okrugljak zu finden.

41. *Micromelania monilifera Brusina.*

(Taf. XXIX [III], Fig. 6, Taf. XXX [IV] Fig. 7.)

1874. *Micromelania monilifera Brus.*, Foss. Binnenmoll. 134.

1875.   „   „   *Neum.* in Jahrb. geol. Reichsanst. XXVI. 420 (20).

1881.   „   „   *Brus.* in Bull. Soc. Malac. Ital. VII. 276.

Die zwei abgebildeten Original-Exemplare stellen uns zwei Abänderungen vor. Fig. 7 ist besser gelungen als Fig. 6; drei weitere Exemplare aus Okrugljak sind sehr schlecht erhalten.

42. *Micromelania cerithiopsis Brusina.*

(Taf. XXX [IV], Fig. 8, 9.)

1874. *Micromelania cerithiopsis Brus.*, Foss. Binnenmoll. 134.

1875.   „   „   *Neum.* in Jahrb. geol. Reichsanst. XXV. 420 (20).

1881.   „   „   *Brus.* in Bull. Soc. Malac. Ital. VII. 276.

Dies ist die einzige verhältnissmässig häufige Art, da nach so vielen Jahren über 50 Stücke gefunden wurden. Leider sind die Abbildungen nicht eben gelungen, denn es war mir nicht möglich, den Zeichner zu beaufsichtigen; alle Micromelanien sind zu wenig vergrössert, und eben darum sind auch auf Fig. 8 die ausgehöhlten oder cariösen Spitzen der Knoten nicht wiedergegeben.

43. *Micromelania coelata Brusina.*

(Taf. XXX [IV], Fig. 10.)

1874. *Micromelania coelata Brus.*, Foss. Binnenmoll. 135.

1875.   „   „   *Neum.* in Jahrb. geol. Reichsanst. XXV. 420 (20).

1881.   „   „   *Brus.* in Bull. Soc. Malac. Ital. VII. 274.

Die Abbildung dieser Art ist ebenfalls zu wenig vergrössert, darum sind die Spiralkiele, sowie die auf diesen befindlichen Knötchen nicht gezeichnet worden. *M. rissoina Brus.* aus den Congerien-schichten von Karlowitz ist dieser Art nahe verwandt. Bis heute haben wir kaum ein halbes Dutzend, aber darunter vollständig erhaltene Exemplare dieser Art aus Okrugljak zusammengebracht.

44. *Micromelania cf. auriculata Brusina.*

1870. *Pleurocera laeve Fuchs* in Jahrb. geol. Reichsanst. XX. 348 (6), Taf. 14, Fig. 50—53 (non Fig. 43—46).

1870.   „   „   „   l. c. 540 (10).

1881. *Micromelania auriculata Brus.* in Bull. Soc. Malac. Ital. VII. 281.

Die vier Exemplare, welche ich so bestimmt habe, sind sehr mangelhaft, doch bin ich ziemlich sicher, dass diese mit der Radmanester Form identificirt werden dürfen.

45. Micromelania cf. laevis Fuchs.

1870. *Pleurocera laeve Fuchs* in Jahrb. geol. Reichsanst. XX. 348 (6), Taf. 14, Fig. 43—46 (non Fig. 50—53).
1870.   „   „   „   l. c. 540 (10).
1874. *Pleuroceras lacre Sandb.*, Conch. d. Vorwelt 690.
1877. *Hydrobia laevis Fuchs* in Führer Excurs. geol. Gesellsch. 74.
1881. *Micromelania laevis Brus.* in Bull. Soc. Malac. Ital. VII. 281.

Nachdem ich schon einmal ein paar Stücke so bestimmt habe, so will ich keine Aenderung eintreten lassen, um so weniger, als nur gut erhaltene Exemplare über die Identität der Agramer und Radmanester Exemplare Aufschluss geben können. Bei Besprechung dieser Art in „Bullettino della Società Malacologica Italiana" hat sich ein störender Druckfehler eingeschlichen; es geht schon aus dem Sinne hervor, dass von schlecht erhaltenen Exemplaren die Rede ist, es muss also „*esemplari meno ben conservati*" und nicht „*esemplari ben conservati*" stehen.

46. Micromelania? sp.

1874. *Micromelania? Schwabenaui? Brus.*, Foss. Binnenmoll. 135.

Was ich im Jahre 1874 als *Micromelania? Schwabenaui?*, also zweifach zweifelhaft bestimmt habe, ist gewiss eine sehr eigenthümliche Art der Agramer Congerienschichten. Das betreffende Bruchstück ist aber zu mangelhaft, als dass man über die generische und specifische Stellung etwas Bestimmtes sagen könnte.

Bythinia Gray.

47. Bythinia Clessini Brusina.

(Taf. XXX [IV], Fig. 14.

1874. *Bythinia tentaculata Brus.* (non L.) in Rad jugoslav. akad. XXVIII. 102.
1874.   „   „   „   Foss. Binnenmoll. 135.

Ein paar Exemplare, welche Dr. Kramberger zuerst gesammelt hat, habe ich als *B. tentaculata* bestimmt; später haben wir etwa 20 Exemplare zusammengebracht und in Folge dessen bin ich zur Ueberzeugung gekommen, dass diese Art *B. tentaculata* wohl etwas ähnlich, aber keineswegs mit ihr identisch ist. Ein Vergleich unserer Abbildung mit irgend welcher genauen Abbildung der recenten Art wird leicht die Unterschiede ergeben. Ausserdem zeigt sich die Textur der Schale von *B. Clessini* nicht wie jene der recenten *B. tentaculata* oder der fossilen *B. Jurinaci Brus.*, *B. Vukotinovići Brus.* u. s. w. glatt, glänzend und oft wie gehämmert, sondern fast rauh, nicht glänzend und mit sehr schwachen, kaum deutlichen, fadenförmigen Spirallinien bedeckt; kurz, gerade jene Textur, welche wir bei den *Zagrabica*-Arten wiederfinden, so zwar dass in mir der Verdacht rege wurde, sie könnte vielleicht auch eine *Zagrabica* sein. Der äussere Mundrand ist eben bei keinem Individuum erhalten, und nur dieser kann uns belehren, ob wir es mit einer *Bythinia* oder mit einer *Zagrabica* zu thun haben.

Ich widme diese Art Herrn S. Clessin, welcher die besondere Gefälligkeit gehabt hat, mein Material an fossilen *Planorbis* und *Pisidium* zu untersuchen.

48. Bythinia pumila Brusina.

(Taf. XXX [IV], Fig. 13.)

Bis heute haben wir wohl kaum drei Stücke dieser winzigen Art gefunden, deren vollständige Erhaltung die Bestimmung erleichtert. Es ist eine eikegelförmige, glatte und glänzende Art mit 4 Umgängen, welche wenig gewölbt und durch eine einfache, nicht vertiefte Naht getrennt sind; der letzte Umgang ist etwas höher als das übrige Gewinde; der Mündungsrand ist zusammenhängend und stark verdickt; eine Nabelritze kaum bemerkbar.

Unsere Art ist der *Paludina immutata Frauenfeld* aus dem Wiener Becken[1]) etwas ähnlich, letztere hat aber 5 Umgänge, offenen Nabel, scharfen Mundrand u. s. w., wie ein Vergleich unserer Abbildung mit jener von M. Hörnes am besten zeigen kann. Aus Zala-Apáti in Ungarn besitzt unsere Sammlung einige Exemplare, welche als *P. immutata* bestimmt sind; diese können unmöglich mit der echten *P. immutata* aus dem Wiener Becken identificirt werden, denn sie sind kleiner, haben auch 4 Umgänge und das Peristom ist ganz zusammenhängend und stark verdickt. Die kroatische Art ist der ungarischen nahe verwandt, aber bestimmt verschieden. Die ungarische Art ist nämlich viel breiter, die Umgänge, bedeutend mehr gewölbt, der letzte mehr entwickelt und bauchiger, der Nabel, wenn auch nicht weit offen, so doch sehr deutlich und nicht vollständig geschlossen, wie bei *B. pumila*. In Folge dessen muss die ungarische Art als eine neue betrachtet und neu benannt werden; ich erlaube mir also diese nach L. von Roth, dem verdienstvollen Erforscher der ungarischen jungtertiären Ablagerungen, *Bythinia Rothi* zu nennen.

B. Rothi und *B. pumila* sind winzige, aber dennoch interessante Arten; man könnte sie *Bythinia* in Miniatur nennen. Eben ihre Kleinheit und das verhältnissmässig sehr stark verdickte Peristom sind ein Fingerzeig, dass diese Arten eine eigene generische Gruppe vorstellen, deren Stellung man erst nach Auffindung weiterer Arten wird bestimmen können. In Sandberger's grossem Werke finde ich *Nematura mediana Desh., N. pupa Nyst, N. gracilis Sandb.*, welche eine gewisse Aehnlichkeit mit *B. pumila* zeigen. Ich habe keine derselben gesehen; keinesfalls aber dürfte unsere Art zur Gattung *Nematura* gestellt werden.

Vivipara Lamarck.

49. Vivipara Sadleri Partsch.

(Taf. XXX [IV], Fig. 12.)

1874. *Vivipara bifarcinata Brus.* in Rad jugoslav. akad. XXVIII. 102 (non Bielz).
1874. „ „ „ Foss. Binnenmoll. 135.

Schon Neumayr äusserte: „In Westslavonien ist die echte *V. Sadleri* sehr selten.‘ *V. Sadleri* ist überhaupt eine Benennung, welche vor genauer Kenntniss der ungarischen, kroatischen, rumänischen und griechischen Süss- und Brackwasser-Ablagerungen für mehrere glatte *Vivipara*-Arten in Anwendung gebracht wurde. Was ich nach dem Vorgange Anderer früher als *V. Sadleri* bestimmt habe, kann man nicht als solche anerkennen. Nach Ansicht typischer ungarischer Exemplare der *V. Sadleri* z. B. aus dem Bakonyer Walde in der Sammlung der k. k. geologischen Reichsanstalt sind mir nicht nur alle Vorkommnisse aus den Paludinenschichten, sondern selbst jene aus den Congerienschichten

---

[1] Foss. Mol. I. 87, Taf. 47, Fig. 23.

Slavoniens sehr verdächtig. Unter den Viviparen, welche unsere Sammlung aus Gergeteg besitzt, finde ich auch keine echte *V. Sadleri.* Aus Okrugljak haben wir nach und nach gegen 30 *Vivipara* zusammengebracht; ich will nicht betheuern, dass alle als *V. Sadleri* anzusehen sind; aber das abgebildete, das einzige ziemlich gut erhaltene Stück stimmt genau mit einem Exemplare aus Kenese aus der Plattenseegegend in Ungarn, für welches ich der Gefälligkeit Professor Neumayr's zu danken habe, und somit kann ich für die richtige Identificirung gutstehen.

Melanopsis Férussac.

50. Melanopsis cf. defensa Fuchs.

1870. *Melanopsis defensa Fuchs* in Jahrb. geol. Reichsanst. XX. 353. (27), Taf. 14, Fig. 77, 78.
1874.   „   „   *Brus.*. Foss. Binnenmoll. 130.
1877.   „   „   *Fuchs* in Führer Excurs. geol. Gesellsch. 75.

Wie schon früher bemerkt, ist das einzige bis heute aufgefundene Exemplar weder so schlank wie die typische Form von Radmanest (Fig. 79), noch so breit wie die *var. trochiformis* (Fig. 77—78); stellt also beiläufig eine Zwischenform dar. Von der *var. trochiformis* unterscheidet sich unser Unicum noch durch geringere Zahl der Knoten, die zudem nicht so hoch und spitzig, sondern breit und stumpf sind. Ich glaube also, dass zwischen der Agramer Form und jener aus Radmanest wohl grosse Verwandtschaft besteht, von einer Identität aber kann kaum die Rede sein, wie der Vergleich einiger von Herrn Baron Sckröckinger erhaltener Exemplare von Radmanest ergab; leider ist das einzige Stück zu schlecht erhalten, als dass es möglich wäre, diese Frage endgiltig zu lösen.

M. defensa zeigt ziemlich der Habitus der *Pleurocera Lesleyi Lea* [1]) aus Nordamerika.

51. Melanopsis Faberi Brusina.

(Taf. XXIX [III], Fig. 1.)

Bis jetzt ist es mir nicht gelungen, mehr als ein einziges, aber ganz gut erhaltenes Exemplar dieser ausgezeichneten Art zu finden, welche mit keiner der recenten oder fossilen Arten Aehnlichkeit hat und darum als ein eigener Typus betrachtet werden muss.

Die Art ist konisch-kugelig, fast birnförmig, ganz glatt und glänzend, die Spitze ist leider abgebrochen, trotzdem sind 7 Umgänge zu zählen, so dass ein vollständiges Individuum sehr spitzig sein und wenigstens 9 Umgänge zählen müsste. Die Umgänge sind sehr undeutlich gewölbt, durch eine sehr zarte, fadenartige Naht getrennt und sehr langsam wachsend, so dass, wenn man von irgend welcher Seite die Schnecke betrachtet, die Nähte fast alle als horizontal parallele Linien vorkommen. Der letzte Umgang ist kugelrund und nimmt beinahe die halbe Länge der ganzen Schnecke ein; und wenn auch die Spitze nicht abgebrochen wäre, wäre der letzte Umgang nur etwas höher als das übrige Gewinde. Der Spindelrand ist sehr ausgebreitet, aber auch sehr dünn, wie man es auf Fig. 1 e sehen kann. Der Aussenrand ist scharf, sinuös, unten, also nahe am Canal, flügelartig vorgezogen. Die Spindel ist durch ein unscheinbares Knötchen angedeutet und wie abgestutzt; der Canal ist sehr wenig ausgeschnitten, darum undeutlich vertieft. Eben diese eigenthümliche Bildung der Spindel und des Canals bringen den abweichenden Typus dieser Art hervor; was jedoch an

---

[1]) G. W. Tryon. Land and Fresh-Water Shells of North America. Part IV. Strepomatidae. Washington 1873. S. 53, Fig. 104.

den drei Abbildungen nicht sichtbar ist, denn dazu hätte ich noch ein paar Detailabbildungen machen lassen müssen.

Ich erlaube mir, diese sehr interessante Art Herrn George L. F a b e r, englischen Consul in Fiume zu widmen, dem Autor des Prachtwerkes: „The Fisheries of the Adriatic and the Fish thereof. A Raport of the Austro-Hungarian Sea-Fisheries, with a detailed description of the Marine Fauna of the Adriatic Gulf. London 1883." Derselbe Herr hat sich grosse Verdienste um uns erworben, indem er sich der Mühe unterzogen hat, die kroatischen Volksnamen der Seethiere der Adria nicht nur in und um Fiume, sondern längs der ganzen Küste von Fiume bis Cattaro zu sammeln.

52. *Melanopsis decollata Stoliczka.*

(Taf. XXIX [III], Fig. 2—4.)

1862. *Melanopsis decollata* Stol. in Verhandl. zool.-bot. Gesellsch. XII. 536. Taf. 17, Fig. 8.
1874. „ *Esperi* Brus. in Rad jugoslav. akad. XXVIII, 102 (non Fér.).
1874. „ *decollata* Brus., Foss. Binnenmoll. 130.
1877. „ „ *Fuchs* in Führer Excurs. geol. Gesellsch. 75.

Diese Art wurde mehrfach unrichtig gedeutet. So viel mir bekannt ist, scheint sie nur den Congerienschichten anzugehören. Ich habe in Wien die Originalexemplare von S t o l i c z k a's Art aus Zala-Apáti in Ungarn in der Sammlung der k. k. geologischen Reichsanstalt vergleichen können; unsere Form ist damit sicher identisch. Im Vergleiche mit den Exemplaren, welche ich von Baron Schröckinger aus Radmanest erhalten habe, scheint diese Art in Agram etwas grösser und bauchiger zu sein, sonst aber ist an der Identität der ungarischen, Banater und kroatischen Exemplare nicht zu zweifeln. Dagegen haben alle anderen Vorkommnisse der Paludinenschichten, welche als *M. decollata* bestimmt wurden, wenig oder gar nichts damit zu thun, wie ich nächstens beweisen werde.

Unsere Fig. 2 stellt das besterhaltene, Fig. 3 ein junges und zugleich schlankes Exemplar vor, welch letzteres ich ebenfalls als zur *M. decollata* gehörend betrachte. Ebenso Fig. 4, welche ein zwar zerdrücktes, aber dennoch auffallend verkürztes Exemplar darstellt. Im Ganzen haben wir kaum 20, insgesammt schlecht erhaltene Exemplare dieser Art gesammelt.

Zuletzt glaube ich noch erwähnen zu müssen, dass in Zala-Apáti nicht nur die echte *M. decollata*, sondern auch andere ihr verwandte Formen vorzukommen scheinen.

Ebenso darf *M. costata Fuchs* aus Radmanest[1]) weder mit der recenten *M. costata Olivier*, noch mit der fossilen *M. costata Neumayr*[2]) non Olivier identificirt werden. Die Radmanester, welche ich von Baron Schröckinger erhalten habe, ist eine bestimmt verschiedene Art, welche mit der rumänischen *M. Soubeirani Porumbaru*[3]) von Podari noch am meisten verwandt ist. Ich kann also die Radmanester Art nicht besser, als nach dem Namen des verdienstvollen Erforschers der jungtertiären Ablagerungen *M. Fuchsi* nennen. Was dann *M. costata Neumayr* non Olivier aus Kroatien und Slavonien anbelangt, so hat schon R. H ö r n e s gründlich nachgewiesen[4]), dass sie mit der recenten *M. costata Olivier* und *Férussac* nicht übereinstimmt; darum habe ich für unsere fossile Art schon lange den Namen *M. croatica* in Anwendung gebracht.

---

[1]) Jahrb. d. k. k. geol. Reichsanst. XX. 1870. S. 353. (11) non Olivier, non Neumayr.
[2]) l. c. XIX. 1869. S. 372. (18). Taf. 13, Fig. 2, 3 non Olivier; die Congerien- und Paludinenschichten S. 41. Taf. 8, Fig. 10, 11.
[3]) Étude géologique des Environs de Croïova, parcours Bucovatzu-Cretzesci. Paris 1881. S. 28. Taf. 9, Fig. 1.
[4]) Sitzungsberichte der k. Akademie der Wissensch. II. Abtheil. LXXIV. Wien 1876. S. 13—15.

Valvata Müller.

53. Valvata balatonica Rolle.

1861. *Valvata balatonica Rolle* in Sitzungsber. Akad. d. Wissensch. in Wien. XLIII. 209. Taf. 1, Fig. 5.

1870.   „   „   *Fuchs* in Jahrb. geol. Reichsanst. XX. 537 (7). Taf. 21, Fig. 17, 18.

1874.   „   „   *Brus.*, Foss. Binnenmoll. 135.

1877.   „   „   *Fuchs* in Führer Excurs. geol. Gesellsch. 75.

Ich habe wohl keine Originalexemplare dieser Art aus Ungarn vergleichen können; unsere Art stimmt jedoch so genau mit der Abbildung und Beschreibung von Fuchs, dass ich über deren Identität gar keinen Zweifel hegen kann.

Nach langjährigem Sammeln haben wir nur ein schlechtes und ein gut erhaltenes Exemplar bekommen können.

54. Valvata gradata Fuchs.

1870. *Valvata gradata Fuchs* in Jahrb. geol. Reichsanst. XX. 536 (6). Taf. 21, Fig. 13—16.

1874.   „   „   *Brus.*, Foss. Binnenmoll. 135.

1877.   „   „   *Fuchs* in Führer Excurs. geol. Gesellsch. 76.

Das einzige bis jetzt gefundene Exemplar stimmt ganz genau mit der Beschreibung von Fuchs; es gehört zu jener Form, welche eine starke Kante oder einen Kiel am oberen Theile der Umgänge hat, ebenso an der Basis des letzten Umganges, welche den tiefen trichterförmigen Nabel umgrenzt; sonst ist sie ganz glatt.

55. Valvata tenuistriata Fuchs.

1870. *Valvata tenuistriata Fuchs* in Jahrb. geol. Reichsanst. XX. 537 (7). Taf. 21, Fig. 19, 20.

1877.   „   „   „   in Führer Excurs. geol. Gesellsch. 76.

Das einzige bis jetzt gefundene Exemplar stimmt ebenfalls genau mit der Abbildung und Beschreibung von Fuchs, so zwar dass über deren Identität kein Zweifel bleiben kann; nur ist unser Exemplar viel grösser.

56. Valvata sp.

Hier muss ich ein ganz gut erhaltenes Individuum erwähnen, welches der *V. piscinalis Müll.* ähnlich, aber bestimmt verschieden ist. Es ist eben ein zu indifferenter Typus, als dass ich auf Grund dieses Unicums eine neue Art aufstellen könnte, obwohl sie höchst wahrscheinlich als solche angesehen werden kann.

Planorbis Guettard.

57. Planorbis constans Brusina.

(Taf. XXX [IV], Fig. 27.)

1874. *Planorbis varians Brus.*, Foss. Binnenmoll. 136 (non Fuchs).

Auf Grund eines einzigen kleinen Exemplares hatte ich diese Art als *P. varians Fuchs*[1] bestimmt; nachdem ich aber nach und nach sieben Exemplare und dazu durch Baron Schröckinger

---

[1] Jahrb. d. k. k. geol. Reichsanst. XX. 1870, S. 343 (3). Taf. 14, Fig. 1—9.

Beiträge zur Paläontologie Oesterreich-Ungarns. III, 4.   23

ein ganzes Dutzend *P. varians* aus Radmanest erhalten habe, konnte ich mich überzeugen, dass die Agramer Art von der Radmanester bei aller Aehnlichkeit doch bestimmt verschieden und leicht zu unterscheiden ist.

Die Radmanester Art ist sehr veränderlich; unsere Stücke zeigen sich dagegen eines dem anderen vollkommen gleich. Was F u c h s für *P. varians* sagt, dass die Umgänge „durch einen oberen und unteren Kiel in einen oberen, unteren und einen Seitentheil geschieden" sind, gilt auch für unsere Art. Weiter sagt F u c h s, dass „der obere, innerhalb des oberen Kieles gelegene Theil gegen das Centrum des Gehäuses flach kegelförmig eingesenkt" ist; und ich füge bei, dass die Umgänge ganz platt sind. Bei der Agramer Art ist die Einsenkung auch bemerkbar, die Umgänge sind aber in dem eben beschriebenen Theile immer deutlich gewölbt. Der obere Kiel von *P. varians* ist oft scharf, fast lamellenartig, oft sind zwei, ja drei solche Kiele vorhanden, wie es Fig. 1 und 7, 2 und 3 von Fuchs zeigen; unsere Art hat immer nur einen scharfen Kiel. Der Seitentheil zwischen den zwei Kielen des letzten Umganges ist bei *P. varians* immer mehr oder weniger gewölbt und mit Spirallinien sehr verschiedenartig verziert; derselbe Theil von *P. constans* ist nie gewölbt und vollständig glatt, und selbst jene Exemplare von *P. varians*, welche kaum merkliche Spirallinien tragen, sind durch die eben erwähnte Wölbung dieses Theiles des Umganges immer leicht kenntlich. Wenn man diese Unterschiede kurz fassen will, so kann man sagen, *P. varians* ist spiralgestreift, *P. constans* immer spiegelglatt; der obere Theil von *P. varians* ist abgeplattet, von *P. constans* gewölbt; der Seitentheil von *P. varians* ist gewölbt, von *P. constans* abgeplattet. Die untere Fläche des Gehäuses ist bei beiden Arten flach trichterförmig eingesenkt; ob aber auch in diesem Theile die zwei Arten verschieden gestaltet sind, kann ich nicht angeben, denn alle unsere sonst sehr zarten Exemplare sind aus dem harten Mergel herauspräparirt, aber nicht so losgemacht, dass der untere Theil genügend sichtbar wäre.

58. *Planorbis cf. transsylvanicus Neumayr.*
(Taf. XXX [IV], Fig. 28.)

1874. *Planorbis sp.* Brus. in Rad jugoslav. akad. XXVIII. 102.
1874. „ „ „ Foss. Binnenmoll. 136.

Am eben erwähnten Orte habe ich Folgendes über diese Art geschrieben: „Diese Art ist flach, der Rand der Windungen ist kantig und lamellenförmig. Sie hat unzweifelhaft Aehnlichkeit mit *P. carinatus Müll.*, ist jedoch kleiner und nach meiner Ueberzeugung jedenfalls eine verschiedene Art." Nachdem wir kaum ein Paar, und zwar schlecht erhaltene Exemplare dieser Art gesammelt haben, so habe ich dieser kurzen Beschreibung nichts Wesentliches beizufügen. Ich glaube nur, dass unsere Art dem *P. transsylvanicus* am nächsten zu stehen kommt; ident halte ich unsere Art mit der letztgenannten nicht, jedoch bis zur Auffindung besseren Materiales muss man auf eine genaue Bestimmung dieser Art verzichten.

59. *Planorbis Radmanesti Fuchs.*
(Taf. XXX [IV], Fig. 30—32.)

1870. *Planorbis Radmanesti Fuchs* in Jahrb. geol. Reichsanst. XX. 346 (4). Taf. 14, Fig. 15—16.
1874. „ *sp.* Brus. in Rad jugoslav. akad. XXVIII. 102.
1874. „ *Radmanesti Brus.*, Foss. Binnenmoll. 136.
1877. „ „ *Fuchs* in Führer Excurs. geol. Gesellsch. 75.

Baron Schröckinger hat mir über 40 Stück von *P. Radmanesti* aus dem Originalfundorte zugesendet, und ich finde keinen Grund, unsere Art anders zu bestimmen. Fig. 31 stellt ein Exemplar mittlerer Grösse dar; wir haben bis jetzt zehn solche Stücke gesammelt, welche der Form und Grösse nach am besten den Radmanester Exemplaren entsprechen, ausser dass unsere Agramer Exemplare immer etwas flacher erscheinen, was man aber mechanischem Drucke zuschreiben könnte. Fig. 32 stellt ein winziges junges Exemplar dar, wie wir deren 9 Stück besitzen. Ausserdem kommen auch Exemplare vor, welche viel grösser und dicker sind als diejenigen von Radmanest. Das grösste Stück habe ich unter Nr. 30 abbilden lassen; bis jetzt habe ich nur drei Exemplare dieser Abänderung bekommen, welche sonst von den kleineren nicht zu unterscheiden sind.

60. Planorbis clathratus Brusina.

(Taf. XXX [IV]. Fig. 29.)

Es ist dies die ausgezeichnetste Art der Gattung, welche uns in einem kleinen und dem abgebildeten Exemplare vorliegt; Prof. Kiseljak hat aber auch einige Stücke gefunden.

Was Form und Grösse anbelangt, kommt sie dem *P. radmanesti* ziemlich gleich; die Sculptur ist aber so eigenthümlich, wie sie mir sonst weder bei recenten, noch bei fossilen Arten vorgekommen ist. Das ganze Gehäuse ist nämlich oben und unten mit regelmässigen, fadenförmigen Rippen bedeckt und mit sehr feinen Spirallinien verziert, somit erscheint die ganze Oberfläche schön gegittert. Die Spirallinien sind so zart, dass man sie erst mit der Lupe wahrnehmen kann, darum sind sie auf der Abbildung nicht eingezeichnet. Ich hoffe durch Auffindung besser erhaltener Exemplare in Stand gesetzt zu werden, eine neue und bessere Abbildung zu liefern.

Zagrabica Brusina.

Testa parva, turrito-ventricosa, rugosa, crassiuscula, umbilicata; spira brevis, apice acuto, laevigato; anfractus rotundati, ultimus magnus; apertura transversa, ovato-rotundata, peristomate continuo, labro columellari adnato, externo simplici, tenui, acuto.

Es wäre umsonst, aus der vorstehenden Diagnose irgend welches Hauptmerkmal zur Erkennung der Gattung herausfinden zu wollen. *Zagrabica* umfasst wie *Micromelania* Formen, die man überall unterbringen wollte und die doch nirgends richtig passen. Es ist als ob die Natur in dem Zwittermedium des Brackwassers auch morphologisch indifferente Mischtypen hätte erzeugen wollen.

Die ersten spärlichen und schlecht erhaltenen Exemplare dieser Gattung, welche ich um Agram endeckte, habe ich einmal als *Ampullaria*, einmal als *Cyclostomus* bestimmt. Bei meiner Anwesenheit in Wien im Jahre 1881 habe ich ein paar Exemplare dieser Gattung in der Sammlung des k. Hof-Mineralien-Cabinetes gesehen. Ein Exemplar aus Árpád, möglicherweise *Zagrabica naticina*, befindet sich dort von Professor Moriz Majer in Fünfkirchen zugesendet; auf dem dazu gehörenden Zettel Nr. 41 war früher *Natica* geschrieben, später wurde dieser Name gestrichen und statt dessen *Limnaeus* gesetzt. Ein zweites aus derselben Quelle stammendes Exemplar liegt wieder weit davon in der Schublade der *Paludina* oder *Vivipara* eingereiht und ist als *Paludina sp.* bestimmt. Damit will ich nur beweisen, dass ein so ausgezeichneter Kenner der tertiären Mollusken, wie es M. Hörnes war, sich über die Stellung dieser aberranten Formen nicht klar werden konnte.

Durch die Gunst der kroatischen Regierung war es mir im selben Jahre vergönnt, der Naturforscherversammlung in Salzburg beizuwohnen und meine Agramer Fossilien nicht nur den Herren

23*

Professor M. Neumayr aus Wien und Professor R. Hörnes aus Graz, sondern auch Herrn Professor Zittel aus München vorzuzeigen, wobei meine *Zagrabica*-Arten einstimmig als etwas Eigenthümliches erklärt wurden.

Diese Arten, welche in die Gattungen *Natica, Paludina, Ampullaria, Cyclostomus* und *Limnaea*, also in nicht weniger als fünf verschiedene Familien und in zwei verschiedene Ordnungen eingereiht worden, passen jedoch in keine der genannten Gattungen. *Natica, Paludina* und *Cyclostomus* müssen ohne Weiteres ausgeschlossen werden, und ich dachte zuerst, man könnte diese Vorkommnisse als verkümmerte Ampullarien betrachten. Allein nach Vergleichung mit zahlreichen recenten Ampullarien bin ich bald zu der Ueberzeugung gekommen, dass trotz der unverkennbaren Aehnlichkeit eine directe Verbindung unzulässig ist. Wie bekannt, sind die vielen von Lamarck, Deshayes und Anderen beschriebenen fossilen Ampullarien später in die Gattungen *Natica, Cernina* u. s. w. eingereiht worden, so dass D'Orbigny's Prodrome keine einzige *Ampullaria* anführt. Bei Chenu finde ich wohl fünf fossile *Ampullaria* verzeichnet und abgebildet[1]), es sind aber lauter aberrante Formen. Der beste Kenner der Land- und Süsswassermollusken der Vorwelt, Prof. Sandberger, sagt, dass die Gattung *Ampullaria* „nur durch eine neuerdings von Herrn Dr. Bleicher in dem Calcaire de Rognac von Vallemagne bei Montpellier entdeckte Art vertreten"[2]) ist. Darum hat der unlängst verstorbene Tournouer ganz richtig hervorgehoben, dass wir in der Fauna der jungtertiären Schichten Osteuropas umsonst eine *Ampullaria* oder einen *Lanistes*, eine *Etheria*, eine *Iridina* oder eine *Galathea* suchen würden[3]). Später habe ich bemerkt, dass die neuerdings von Crosse beschriebene *Tanganyicia* aus Central-Afrika[4]) auch eine gewisse Aehnlichkeit mit unseren Arten zeigt, doch erklärte mir der Gründer der Gattung, Crosse, welchen ich darum befragte, es wäre sehr unvorsichtig, dort überhaupt Verwandte zu suchen. Zudem erscheint in Folge der eigenthümlichen Bildung der Columellargegend von *Tanganyicia* jede Annäherung unbedingt unzulässig.

Durch die Freundlichkeit von Professor A. Stošić habe ich im vorigen Jahre eine mir früher unbekannte Gattung oder Untergattung *Ampullarina Sowerby* kennen gelernt, bei der ich unsere Arten unterbringen zu dürfen geglaubt habe. *Ampullarina*, nach Scudder[5]) vielleicht nur ein Druckfehler statt *Ampullacera*, wird von Adams[6]) und Chenu[7]) als Untergattung von *Amphibola Schum. (Ampullacera Quoy)* angenommen. Unsere *Zagrabica* zeigen wirklich auffallende Aehnlichkeit mit dieser brackwasserbewohnenden recenten Gattung Neuseelands, eine directe Vereinigung ist aber ebenso unzulässig, als mit anderen bisher erwähnten Gattungen.

Eine Gattung endlich, welche mit *Zagrabica* auch eine auffallende, ja vielleicht die grösste Aehnlichkeit zu zeigen scheint, ist die asiatische Gattung *Benedictia* von W. Dybowski[8]) aus dem Baikalsee und dem Amurlande. Eine Identificirung wäre aber gewiss verfehlt, denn wenn auch kleinere Unterschiede, welche man an der Columellargegend, an der Mündung, an der bedeutenderen Grösse, an der grossen Zartheit der Schale findet, nicht genügend wären, um die zwei Gattungen

[1]) Manuel de Conchyliologie et de Paléontologie. Conch. I. S. 312. Fig. 2234—2238.
[2]) Die Land- und Süsswasserconchylien der Vorwelt. S. 963.
[3]) Journal de Conchyliologie. XXIII. Paris 1875. S. 190.
[4]) L. c. XXIX. Paris 1881. S. 123.
[5]) Nomenclator Zoologicus. Washington 1882. S. 18.
[6]) The Genera of recent Mollusca u. s. w. II. S. 269
[7]) Manuel de Conchyliologie u. s. w. I. S. 484.
[8]) Die Gasteropodenfauna des Baikalsees. (Mémoires de l'Acad. Impér. de Sciences de St-Pétersbourg. XXII. Nr. 8. 1873. S. 4.)

abzusondern, so finden wir in der Organisation des Thieres von *Benedictia* ein gewaltiges Hinderniss gegen irgend welche Annäherung der sonst äusserlich ähnlichen Gattungen. *Benedictia* ist nämlich nach ihrem anatomischen Baue in der Nähe der Gattung *Hydrobia*, also in die Ordnung der Proso-branchier zu stellen. Das Thier von *Zagrabica*, falls nicht irgendwo eine recente Art dieser Gattung entdeckt werden sollte, wird uns wohl völlig unbekannt bleiben; trotzdem bildet *Zagrabica* eine Gattung der Familie der Limnaciden, und muss somit in der Ordnung der Pulmonaten unter-gebracht werden.

Zagrabica ist also eine neue Limnaciden-Gattung, mit dem Aussehen von *Ampullaria*, welche nicht nur von allen recenten Limneen, sondern selbst von den *Limnaea*-Arten unserer Paludinen- und Congerienschichten sehr stark abweichen; darum habe ich mich veranlasst gefunden, für diesen aberranten Typus eine eigene Gattung vorzuschlagen, welche ich nach unserer Stadt Agram (kroatisch Zagreb, lateinisch *Zagrabia*) *Zagrabica* benennen will.

Zagrabica ist eine dem Valenciennesien-Horizonte Osteuropas eigenthümliche Gattung, deren Arten bis jetzt um Agram in Kroatien, in Slavonien und Ungarn gefunden wurden. Noch nicht genau bestimmte Arten aus Ungarn habe ich oben erwähnt. L. Rossi, welcher auf Rechnung des zoologischen National-Museums Slavonien bereiste, hat uns von Gjubrik in Syrmien zwei neue Arten gebracht, welche ich Z. *Rossii* und Z. *rhytiphora* benannt habe und seinerzeit veröffentlicen werde.

61. Zagrabica naticina Brusina.
(Taf. XXX [IV], Fig. 20.)

Testa naticiformis, ventricosa, crassa, late umbilicata, transverse spiraliter dense striata; spira brevis, acuta, anfractus 6 rotundati, sutura incavata divisi, ultimo magno, spiram valde superante, inferne producto, circa umbilicum angulato; apertura transversa, subpiriformis, labro columellari omnino adnato, externo simplici acuto.

Exempl. delin. fere integ. alt. 15, diam. max. 14 mm.

Diese Art, die grösste der Gattung, erinnert durch ihre Form an manche von den kleinen *Natica*-Arten. Das Gehäuse ist stark, und der Nabel mehr als bei irgend einer anderen Art dieser Gattung offen. Die Oberfläche ist mit zahlreichen feinen, dichten, parallellaufenden Spiralstreifen verziert, darunter kann man mit der Lupe abwechselnd feinere und dickere Streifen wahrnehmen, darum ist auch diese Sculptur auf der Abbildung kaum angedeutet. Die Umgänge sind schwach gerundet, oben etwas abgeplattet, die obersten bilden ein spitzes Gewinde, sonst sind alle durch eine sehr tiefe Naht getrennt. Der letzte Umgang ist stark entwickelt, aufgeblasen, beinahe dreimal höher als das Gewinde, unten etwas verlängert, und rings um den Nabel wulstig gebogen, so dass der Nabel fast trichterförmig erscheint; leider ist dies auf der Abbildung 20 a nicht deutlich zu sehen. Wir besitzen ein halbes Dutzend Exemplare dieser Art; Prof. Kiseljak hat ebenso viele gesammelt.

62. Zagrabica ampullacea Brusina.
(Taf. XXX [IV], Fig. 21.)

1874. *Ampullaria* .... . *Brus.* in Rad jugoslav. akad. XXVIII. 102.
1874.   „   .... . „   Foss. Binnenmoll. 136 (pro parte).

Testa ampullariformis, ventricosa, solidula, semiumbilicata, transverse spiraliter indistincte striata, longitudinaliter tenuissime rugata; spira elevata, acuta; anfractus 6 rotundati, sutura incavata divisi, ultimo magno, spiram valde superante; apertura transversa, subpiriformis, labro columellari omnino adnato, externo parum sinuato, acuto.

Exem. delin. integ. alt. 13½, diam. max. 11 mm.

Sieht *Z. naticina* einer *Natica* ähnlich, so nimmt *Z. ampullacea* den Habitus einer kleinen *Ampullaria* an; so dass ich seinerzeit diese und die folgende Art auch wirklich als solche bestimmte. Sowohl die Form als das Aussehen unterscheidet diese Art von *Z. naticina*; letztere wird auch immer grösser. Das Gehäuse der *Z. ampullacea* ist bei weitem nicht so stark, die Spiralstreifen so schwach, dass sie bei manchen Exemplaren scheinbar fehlen, weshalb nur der Länge nach durch Zuwachsstreifen und kleine Runzeln eine schwache Faltung eintritt, die aber starker ist als bei *Z. naticina*. Die Umgänge sind gleichmässig gerundet, nirgends abgeplattet oder gekantet. Das Gewinde ist bedeutend erhöht, der letzte Umgang ist nur zweimal höher als die Spira und verlängert sich nicht nach unten. Der Nabel ist fast geschlossen, so dass manche Exemplare nicht mehr als eine Nabelritze zeigen.

Bis heute ist es mir gelungen, 24 Exemplare zusammenzubringen; Prof. Kiseljak hat eine grössere Anzahl von Individuen gesammelt.

63. Zagrabica Maceki Brusina.

(Taf. XXX [IV]. Fig. 22.)

1874. *Ampullaria* . . . . Brus., Foss. Binnenmoll. 136 (pro parte).

Testa ampullariformis, ventricosa, solidula, umbilicata, transverse spiraliter dense striata; spira elevata, acuta; anfractus 6 rotundati, superne vix angulati, sutura incavata divisi, ultimo magno, spiram superante; apertura transversa subovata. labro columellari omnino adnato, externo simplici acuto.

Exem. delin. integ. alt. 11, diam. max. 8 mm.

Diese Art steht der *Z. ampullacea* nahe, und jene Merkmale, welche sie von dieser trennen, hat sie wieder mit *Z. naticina* gemein; sie vereinigt die Charaktere beider Arten, nur in der Grösse bleibt sie immer hinter beiden weit zurück; sie ist die kleinste Agramer Art der Gattung. Der Form nach ist *Z. Maceki* der *Z. ampullacea* sehr ähnlich; die Umgänge sind aber wie bei *Z. naticina* oben schwach abgeplattet, die Sculptur der Oberfläche genau dieselbe, leider ist aber diese auf den wenig oder gar nicht vergrösserten Abbildungen der *Zagrabica* nicht zu sehen. Der Nabel ist offen, aber weder so stark, wie bei *Z. naticina*, noch so wenig, wie bei *Z. ampullacea*.

In meiner vorläufigen Anzeige als Anhang meiner fossilen Binnenmollusken ist eine *Ampullaria sp.* erwähnt, von welcher es „spiralgestreifte, sowie fast ganz glatte Exemplare gibt". Damals habe ich also zwei bestimmt verschiedene Arten zusammengefasst, nachdem mir leider sehr wenige und schlecht erhaltene Exemplare vorlagen. Die spiralgestreiften sind *Z. Maceki*, die glatten *Z. ampullacea*.

Mein Freund Prof. A. Stošić in Triest hat die Güte gehabt, mir zwei Stück der *Ampularina Quoyana Desh.* aus Tasmanien abzutreten, welche weit genabelt ist, keine Spiralstreifen hat und bei der das Gewinde stumpf endet, sonst zeigt sie auffallende Aehnlichkeit mit *Z. ampullacea* und *Z. Maceki*.

Z. Maceki scheint die häufigste Art der Gattung zu sein; wir besitzen gegen 30 Stück derselben.

64. Zagrabica cyclostomopsis Brusina.

(Taf. XXX [IV], Fig. 23.)

1874. *Cyclostomus* . . . . . *Brus.* in Rad jugoslav. akad. XXVIII. 102.
1874.   „   . . . . . . „ Foss. Binnenmoll. 136.

Testa cyclostomiformis, ovato-conoidea, solidula, umbilicata, transverse spiraliter, regulariter, valide striata, longitudinaliter tenuissime rugato-lineolata, inde clathrata; spira valde elevata, acuta; anfractus 7 omnino rotundati, ultimo spiram superante; apertura subtransversa, subrotundata, labro columellari parum adnato, externo simplici acuto.

Exem. delin. integ. alt. 15, diam. max. 11 mm.

Obwohl diese Art mit der eben beschriebenen generisch zusammengehört, zeigt sie doch in Form und Sculptur so grosse Aehnlichkeit mit gewissen Cyclostomaceen, dass ich sie wirklich als *Cyclostomus sp.* angeführt habe; es ist das aber unrichtig und ich bin jetzt überzeugt, dass diese Art aller Wahrscheinlichkeit nach zu den Limnaeiden gehört. Auch heute kann ich die Art nicht besser und kürzer charakterisiren, als dadurch dass sie „der recenten *Cyclostomus reflexus L.* (= *C. elegans Müll.)* ähnlich" ist. Ich muss offen gestehen, dass, wenn die später entdeckten Arten, sowie noch mehr der Umstand, dass die Agramer Congerienschichten keine Spur von Landmollusken geliefert haben, mich nicht auf die richtige Spur geleitet hätten, ich noch heute diese Art als *Cyclostomus* auffassen würde.

Z. cyclostomopsis unterscheidet sich sonst von *Z. amputlacea* und *Z. Maceki* durch vollständig gerundete Umgänge, der letzte Umgang ist nicht nur viel mehr entwickelt als die anderen Umgänge, sondern nimmt nur verhältnissmässig zu. Die Spiralstreifen sind zu stark, um nur fadenförmig genannt zu werden, und regelmässiger als bei allen drei bisher beschriebenen Arten; die Oberfläche ist der Länge nach sehr schwach, nicht immer gleichmässig runzelig, und dazu so fein gestreift, dass man die feinen Längslinien nur durch die Lupe sieht, darum erscheint das ganze Gehäuse zart gegittert, was an der nicht vergrösserten Abbildung nicht zu sehen ist. Die Mündung kann man gegen jene der zwei vorhergehenden Arten eine gerundete nennen, auch ist sie nicht so schief.

Bis heute haben wir gegen 20 Stück dieser Art, ebenso viele oder noch mehr hat Professor Kiseljak gesammelt.

65. Zagrabica Folnegovići Brusina.

(Taf. XXX [IV], Fig. 24.)

Diese Art ist uns bis jetzt nur durch ein nicht sehr gut erhaltenes Unicum bekannt geworden, dessen Charaktere über die Artberechtigung nicht den geringsten Zweifel übrig lassen; die meiste Aehnlichkeit hat diese ganz eigenthümliche Art noch mit *Z. naticina.* Die Unterschiede sind aber so auffallend, dass ich unsere Art als eine von dem Typus der Gattung etwas abweichende Form betrachten muss. Das ganze Gehäuse ist mehr schief und hat nur 4 sehr rasch zunehmende Windungen; die Spira ist kurz und stumpf, die letzte Windung sehr stark entwickelt und bauchig aufgeblasen. Die Oberfläche ist durch unzählige, feine, schiefe, fast regelmässige Längsfalten, wie es die Abbildung 24 d zeigt, verziert. Die Mündung ist stark schief; sonstige Merkmale der Mündung, Peristom und Nabel kann ich, wegen der Unvollständigkeit des Exemplares, nicht angeben.

Diese ausgezeichnete Art widme ich meinem Freunde, Landtagsabgeordneten und Gemeinderath Franz Folnegović, welchem wir für seine Verdienste um die Reorganisirung des National-Museums zu grösstem Danke verpflichtet sind.

Boskovićia Brusina.

66. Boskovićia Josephi Brusina.

(Taf. XXX [IV], Fig. 25.)

1874. *Vivipara? Josephi Brus.* in Rad jugoslav. akad. XXVIII. 102.
1884. „ „ „ Foss. Binnenmoll. 135.

Testa umbilicata, oblongo-conoidea, turrita, tenuiscula, laevi, nitida, eleganter sculpta, apice obtusiusculo; anfractus $4\frac{1}{2}$—5 transversi, rotundati, celeriter crescentes, sutura distincta divisi, ultimo spiram superante, ventricoso, basi incavato; apertura subrotundata, auriculata, ampla, peristomate soluto, acuto?, inferne valde expanso, dilatato reflexo.

Nach jahrelangem, eifrigem Suchen ist es uns kaum gelungen, ausser dem schon im Jahre 1874 beschriebenen und nun endlich gut abgebildeten Exemplare zwei weitere Fragmente aufzufinden. Das grösste Fragment zeigt, dass diese Art 5 Windungen gehabt hat und eine Höhe von gegen 15 mm bei einer Breite von 10 mm erreicht hat. Professor Kiseljak hat kürzlich drei gut erhaltene Stücke gefunden, und so habe ich mir endlich ein richtiges Bild dieses höchst interessanten Typus machen können. — Dass es keine *Vivipara* ist, brauche ich nicht ausführlich zu beweisen; ich habe sie seinerzeit nur fraglich zu *Vivipara* gestellt und dies nur darum, weil sie irgend welchen Platz einnehmen musste. Später habe ich geglaubt, sie könnte bei *Zagrabica* untergebracht werden; doch wäre auch diese Deutung ganz unnatürlich. Mit *Benedictia* zeigt sie vielleicht noch mehr Aehnlichkeit als *Zagrabica*, *Boskovićia* ist aber ebenfalls ein Limneide und kein Paludinide. Eine echte *Limnaea* ist sie unbedingt nicht, denn ich kenne weder eine fossile, noch eine recente Art, welche irgend welche Annäherung zeigen würde. Auch mit keiner der mir nur aus der Literatur bekannten Arten kann ich sie vergleichen. Weder die Monographie der Gattung *Limnaeus, Amphipeplea, Chilina, Isidora* und *Physopsis* von Küster, noch die fossilen Arten in Sandberger's grossem Werke enthalten etwas Aehnliches. Sie ist nach meiner festen Ueberzeugung eine ganz neue Form, die Merkmale von *Succinea* mit solchen von *Limnaea* und *Zagrabica* vereinigt, welche aus wenigen sehr schnell zunehmenden quer laufenden Windungen besteht. Gerade dies und die eigenthümliche Bildung der Spitze erinnert gewissermassen an *Succinea* mehr als an *Limnaea*. Die Form und der offene Nabel zeigt sich etwa so wie bei *Zagrabica*. Die recht schöne, wirklich wie eingravirte Sculptur, welche unsere Fig. 25 *d* leider nicht genau wiedergibt — schon darum, weil die Querfurchen, welche die Oberfläche gegittert erscheinen lassen, fehlen — ebenso die stark trichterförmige Einsenkung der Basis des letzten Umganges, als auch die merkwürdige Bildung des Mundsaumes sind dieser Gattung eigenthümlich und zeichnen sie vor allen anderen aus. Die Mündung ist bei keinem Exemplare ganz geblieben, bei den meisten ist aber ein Theil des Randes an der Basis erhalten, und dieser genügt, um uns deutlich zu beweisen, dass der Mundsaum, wenigstens unten, stark ohrförmig ausgebreitet und etwa wie bei *Emmericia* schwach umgeschlagen war.

Die Beschreibung der Art muss vorläufig auch als Gattungs-Diagnose gelten; ich glaube schon heute auf Spuren einer zweiten Art hinweisen zu können. Ein schlecht erhaltenes Stück zeigt nicht nur eine abweichende Sculptur, sondern auch die Mitte und die Basis des letzten Umganges erscheinen deutlich gekielt, doch muss besseres Material zur Feststellung der Art abgewartet werden.

Diese ausgezeichnete Gattung will ich mit dem Namen unseres berühmten Physikers und Astronomen Roger Boskovié des vorigen Jahrhunderts aus Ragusa zieren; die Art habe ich dem Andenken meines unvergesslichen Bruders Joseph genannt, der uns im besten Mannesalter entrissen wurde, und der im wunderschönen Okrugijak-Thale zur ewigen Ruhe bestattet liegt.

Lytostoma Brusina.

Testa imperforata, nec rimata, ovata, solidula, eleganter sculpta, spira brevissima, mamillana; anfractus valde celeriter crescentes, ultimo permagno, omnino disjuncto; apertura ovata, ampla, auriculata, intus margaritacea, peristomate continuo, acuto, sinuoso, prorsus soluto.

Unsere Gattung ist durch zusammenhängendes Peristom ausgezeichnet, das wie der ganze letzte Umgang ganz von der Spira losgetrennt ist. In Folge dessen läuft das sehr schnell anwachsende Gewinde nicht gerade, sondern schief gegen die Axe des Embryonalgewindes. Diese Merkmale sind von allen mir bis jetzt bekannten Arten der Familie der Limneiden so stark abweichend, dass ich unbedingt für diesen Typus eine neue Gattung *Lytostoma* vorschlagen zu dürfen glaube. Diese Gattung ist noch darum sehr interessant, weil wir lebende Verwandte wieder nur in Asien finden, nämlich die Gattung *Camptoceras Benson*, welche in den grossen Sümpfen von Ramgunga bei Morabad in Indien durch die einzige Art *C. terebra Bens.* vertreten ist [1]. Unsere fossile Art ist aber sonst so weit verschieden von der recenten Indiens, dass ich eine Vereinigung der zwei Arten in eine Gattung für unstatthaft halte. Man könnte höchstens sagen, dass *Lytostoma* zu *Camptoceras* in demselben Verhältnisse stehe, wie *Gulnaria* zu *Limnaea* im engeren Sinne; darum wäre auch die Auffassung vielleicht zulässig, *Lytostoma* als Untergattung von *Camptoceras* zu betrachten. Ich kenne aber *C. terebra* nicht aus eigener Ansicht und ziehe es daher, wie ich öfter erklärt habe, vor, lieber das augenscheinlich Verschiedene auseinander zu halten, als eine wenig zulässige Identificirung vorzunehmen, welche oft nachher nur Verwirrung hervorbringt.

Diese Lostrennung des Gewindes ist, wie bekannt, als Missbildung, z. B. von *Helix aspersa Müll.* u. s. w., selten beobachtet worden. Als normal kommt dies bei sehr seltenen Arten der Gasteropoden vor. Ausser *Camptoceras* kann ich noch *Liobaikalia Martens* (= *Leucosia Dybowski* non *Fabricius*) des Baikalsees, eine Gattung aus der Verwandtschaft der Hydrobiden und *Lyogyrus Gill* aus der Familie der Valvatiden Nordamerikas nennen.

67. *Lytostoma grammica Brusina.*
(Taf. XXX [IV]. Fig. 17, 18.)

1872. *Limnaea grammica Brus.* in Rad jugoslav. akad. XXIII. 17.
1874.   „   „   „ l. c. XXVIII. 102.
1874.   „   „   „ Foss. Binnenmoll. 136.

Um die merkwürdige Lostrennung des letzten Umganges ganz deutlich zu machen, müsste ausser der Abbildung Fig. 17 a noch eine Ansicht von oben gegeben werden, überhaupt sind die Abbildungen dieser Art nicht gelungen.

---

[1] The Genera of recent Mollusca u. s. w. II. S. 258. III. T. 84. F. 1. Manuel de Conchyliologie u. s. w. I. S. 481. F. 3554.
[2] Jahrbücher der Deutschen Malakozool. Gesellsch. III. 1876. S. 183. Journal de Conchyliol. XXVII. 1879. S. 152, 155.
[3] Binney. Land and Fresh-Water Shells of North-America. III. Ampullariidae, Valvatidae, Viviparidae etc. Washington 1865. S. 14.

Beiträge zur Paläontologie Oesterreich-Ungarns. III. 4.   24

Das verlängert eiförmige, bauchig aufgetriebene, gegen unsere *Gulnaria* solid zu nennende Gehäuse besteht aus 3—3½ sehr schnell zunehmenden Umgängen. Das Gewinde, oder besser gesagt die Embryonalwindungen sind ganz klein, zitzenförmig, schmal und hervorragend; der letzte Umgang sehr gross, gegen fünfmal höher als das Gewinde. Nachdem der letzte Umgang vollständig losgelöst ist, so kann auch vom Nabel keine Rede sein, sondern zwischen dem Peristom und dem Gewinde befindet sich ein offener Canal, dessen Breite bis 1 mm weit ist. Die Mündung ist eiförmig, oben winkelig; der Aussenrand des Mundsaumes ist sinuös, unten durch eine weite, tiefe Einbuchtung wie ausgeschnitten, was in der Abbildung nicht zu sehen ist. Auf der Oberfläche sind zahlreiche zarte Anwachsstreifen sichtbar, ausserdem ist sie mit sehr zahlreichen feinen Spiralstreifen bedeckt. Es gibt Exemplare, bei welchen die Spiralstreifen so zart sind, dass man sie mit freiem Auge nicht sehen kann; andere sind dagegen so stark gestreift, dass die Oberfläche bei einer Vergrösserung ganz gefurcht erscheint. Die Schnecke ist inwendig spiegelglatt und glänzend, perlmutterartig weisslich.

Dies ist die häufigste Art der Localität, nachdem wir im Zeitraume von 16 Jahren gegen 100 Stück gesammelt haben.

Mit *L. grammica* habe ich zwei kleinere Exemplare gefunden, welche eine mehr erweiterte Mündung haben; der Spindelrand ist nicht sehr gut erhalten, und ich kann daher nicht entscheiden, ob es ein Jugendstadium der *L. grammica*, eine neue *Lytostoma*-Form, oder endlich eine der *Limnaea paucispira Fuchs* aus Radmanest nahe verwandte Art ist. Ein solches Stück ist auf Taf. XXX [IV], Fig. 19 abgebildet.

Limnaea Lamarck.

68. *Limnaea Kobelti Brusina.*

(Taf. XXX [IV], Fig. 15, 16.)

1874. *Limnaea* sp. Brus. in Rad jugoslav. akad. XXVIII. 102.
1874. „   „   „ Foss. Binnenmoll. 134.

Da mir anfangs nur ein paar ganz unvollständige Stücke dieser Art vorlagen, habe ich sie für eine der *L. auricularia Drap.* ähnliche Art gehalten, was ebenso gut erklärlich ist, wie seinerzeit auch Deshayes und Sandberger die Aehnlichkeit zwischen *L. (Velutinopsis) velutina Desh.* und *L. auricularia* betont haben. Im Ganzen haben wir bis jetzt 10 Exemplare gefunden, die zwei besterhaltenen sind zur Abbildung benützt; viel bessere Stücke befinden sich in der Sammlung des Professors Kiseljak. Erst diese haben mir klar gemacht, dass unsere Form wohl ein Aehnlichkeit, aber keine enge Verwandtschaft mit *L. auricularia* zeigt und dass sie eine neue, die Untergattungen *Gulnaria* und *Velutinopsis* vermittelnde Art darstellt.

Von *L. velutina* ist sie sehr leicht zu unterscheiden, wie schon ein Vergleich unserer Abbildungen mit jenen von Deshayes und Sandberger[1] zur Genüge erkennen lässt. *L. Kobelti* scheint nicht so gross wie *L. velutina* gewesen zu sein, sondern hatte ungefähr die Statur der *L. auricularia*. Der Hauptunterschied zwischen *L. Kobelti* und *L. velutina* besteht darin, dass die Mündung der ersteren sehr gross und ausgebreitet ist und das Gehäuse an Höhe nach oben und unten weit übertrifft. Die Mündung nimmt also fast die ausgebreitete Form der *var. ampla Hartmann* von *L. auricularia Drap.* an, welche der *Limnaea Kobelti* in der Form der Mündung weit näher steht, als *L. velutina*. Das Gewinde nimmt bei *L. Kobelti* viel rascher als bei *L. velutina* an Umfang zu, der letzte Umgang ist daher von der Mündungsseite betrachtet bedeutend niedriger als bei *L. velutina*;

---

[1] Die Land- und Süsswasser-Conchylien der Vorwelt. S. 700. Taf. 32, Fig. 10.

in Folge dessen nimmt auch der Spindelrand von *L. Kobelti* eine ganz andere, und zwar stärkere Krümmung an; so zwar dass, was die eben erwähnten Merkmale anbelangt, unsere Art eine viel grössere Aehnlichkeit mit *L. nobilis Reuss* aus Siebenbürgen zeigt[1]. Die letzterwähnte Art unterscheidet sich wieder von *L. Kobelti* durch den minder ausgebreiteten Aussenrand und durch ihre starken, breiten Rippenfalten. Endlich ist die Spira von *L. Kobelti* ziemlich hoch und spitzig, jene der *L. velutina* kurz, stumpf und wie eingefallen.

Nach Lenz soll *L. velutina* bei uns in Beočin auch vorkommen; unsere Sammlung besitzt noch kein Exemplar aus Slavonien. In Folge der Entdeckung von *L. Kobelti* wird aber eine neuerliche Untersuchung nothwendig sein, ob die slavonische Art wirklich mit der russischen, oder wie es wahrscheinlicher ist, mit der kroatischen übereinstimmt.

Diese wichtige Art will ich dem verdienstvollen Fortsetzer von Rossmässler's Ikonographie, dem Verfasser der ausgezeichneten Ikonographie der schalentragenden Meeresmollusken Europas, Dr. W. Kobelt widmen.

Valenciennesia Rousseau.

69. Valenciennesia Reussi Neum.

(Taf. XXVII [1], Fig. 70, 72.)

1868. *Valenciennesia annulata Reuss* (non Rouss.) in Sitzungsh. d. k. Akad d. Wiss. LVII 14 (pro parte), T. 3, F. 1—3.
1874. „ „ *Brus.* in Rad jugoslav. akad. XXVIII, 102 (synon. pro parte).
1874. „ „ „ Foss. Binnenmoll. 102, 136 (synon. pro parte).
1874. „ „ *Sandb.* Conch. d. Vorw. 701 (pro parte), Taf. 32, Fig. 9.
1874. „ „ *R. Hörn.* in Jahrb. geol. Reichsanst. XXIV. 77 (15) Taf. 3, Fig. 1, 2.
1875. „ *Reussi Neum.* Palud.- und Congeriensch. 81. Taf. 9, Fig. 22.
1877. „ *annulata Fuchs* in Führer Excurs. geol. Gesellsch. 75.

Bei meiner ersten Arbeit hatte ich die Beschreibung und Abbildung des russischen *Valenciennius annulatus Rouss.* in Demidoff's grossem Werke und Bourguignat's Copie derselben nicht gesehen, sondern diese Autoren nur nach Fischer und Reuss citirt. Ich beschränkte mich daher auch darauf zu sagen, dass ich nur desshalb, weil unsere „Form mit der von Dr. Reuss beschriebenen übereinstimmt", dieselbe für *V. annulata* halte. Bei meiner Anwesenheit in Wien überzeugte mich nun ein Vergleich der von Bourguignat copirten Abbildungen von Rousseau, dass die russische Art mit der unseren nicht übereinstimmt. Obwohl ein Blick auf die Abbildungen von Rousseau und Bourguignat einerseits, und auf jene von Reuss, R. Hörnes, Neumayr und die meinigen andererseits hinreicht, um davon zu überzeugen, so will ich doch die Sache näher besprechen. Die echte russische *V. annulata* ist bedeutend höher und stark verlängert, unsere ist um Vieles niedriger; die Rippen der russischen *V. annulata* sind sehr breit und dick, und von den feinen Radiallinien, welche an dieser zu sehen sind, ist bei der unserigen gar keine Spur vorhanden. Der Wirbel von *V. annulata* ist sehr stark hervorspringend, fast hakenförmig, bei der unserigen dagegen ist dieselbe klein, und wie Neumayr ganz treffend bemerkt hat, „weniger vorspringend und vollständig spiral eingerollt". Die Siphonalrinne ist ebenfalls anders gestaltet, wie man es am besten aus den eben erwähnten Abbildungen sehen kann. Ich bin also heute fest überzeugt, dass die russische und die kroatische Art unterschieden werden müssen; eine neue Benennung glaube ich aber nicht vorschlagen zu müssen. Ich habe nämlich vier kleinere Exemplare von *Valenciennesia* aus Okrugljak mit dem

---

[1] Sitzungsb. d. k Akadem. d. Wiss. LVII. 1868 S. (7). Taf. 2, Fig. 1, 2.

24*

Originalfragmente der *V. Reussi* aus Kindrovo unweit Brod in Slavonien in der Sammlung der geologischen Reichsanstalt verglichen und mich von ihrer Identität überzeugen können. Die kleineren Agramer Exemplare (siehe Fig. 72) sind aber von den grösseren (siehe Fig. 70) specifisch nicht zu unterscheiden. Dies habe ich auch nicht nur auf unseren kleinen Agramer Stücken, sondern auch bei zwei grösseren Exemplaren constatirt, welche L. Rossi im Gjubrik-Bache bei Karlovitz gefunden hat. In Folge dessen finde ich mich veranlasst, *V. Reussi* und die angebliche *V. annulata* aus Kroatien und Slavonien zu vereinigen,

Fig. 71 zeigt eine von *V. Reussi* kaum abweichende Abänderung, welche ich nicht mit *V. Pauli R. Hörnes*[1]) zu identificiren wage.

Bis jetzt haben wir ein Dutzend *V. Reussi* aus Okrugljak gesammelt; das besterhaltene Exemplar befindet sich in der Sammlung Dr. Kiseljak's.

70. *Valenciennesia pelta Brusina.*

(Taf. XXX [IV], Fig. 26.)

1878. *Valenciennesia pelta Brus.* in Journ. de Conch. XXVI. 355 (9).

Eine Diagnose dieser Art habe ich schon gegeben, und die Beschreibung kann nur einfach sein. Wie die Abbildung zeigt, ist sie besonders als die erste rippenlose Form der Gattung von Interesse; man erkennt nämlich nur Anwachsstreifen und hie und da eine undeutliche Runzelung an der Oberfläche, von Rippen ist keine Spur vorhanden.

Das erste Exemplar habe ich im Jahre 1872 entdeckt, aber beim Herausschlagen aus dem ziemlich compacten Mergel zerfiel die sehr zarte Schale in Trümmer, so dass mir nur ein Stück des Abdruckes in den Händen übrig blieb. Das abgebildete Exemplar habe ich von Macek gekauft; ein drittes, ganz kleines Stück unserer Sammlung beweist, dass die Art im Jugendstadium dasselbe Aussehen wie die ausgewachsenen Individuen hatte.

Gerade der eben erwähnte Abdruck ist das erste Stück, durch welches zuerst das Vorkommen von *Valenciennesia* in Kroatien nachgewiesen wurde. Dieses Stück liegt in der Sammlung des National-Museums und ich glaube, dass, wenn ich es selbst Herrn Farkaš-Vukotinović zeigen werde, er sich auch genauer an diesen Fund erinnern wird. Mein hochverehrter Freund Professor R. Hörnes schreibt die Auffindung der ersten *Valenciennesia* aus der Umgebung von Agram Farkaš-Vukotinović zu[2]), offenbar in Folge einer Notiz dieses letzteren[3]); dass sich die Sache anders verhält, konnte Hörnes aus der Literatur nicht entnehmen. Die eben erwähnte in deutscher Sprache veröffentlichte Notiz von Farkaš-Vukotinović ist sowohl ihm, als der ganzen wissenschaftlichen Welt zugänglich; was aber derselbe pro domo in kroatischer Sprache geschrieben hat[4]), bleibt und ist pro domo geschrieben. Ich habe also selbst die erste *Valenciennesia* aus dem Mergel herausgehauen und leider zerschlagen; ich habe den übrig gebliebenen Abdruck mit eigenen Händen aufgehoben, und ob Farkaš-Vukotinović dabei anwesend war oder nicht, ändert nichts an der Sache; ich muss unbedingt daran festhalten, dass ich die erste *Valenciennesia* um Agram entdeckt und nach der später erfolgten Bestimmung Farkaš-Vukotinović von der Wichtigkeit des Fundes in Kenntniss

[1]) Jahrb. d. k. k. geol. Reichsanst. XXIV. 1874. S. 77 (45) loco citato XXV. 1875. S. 65. (3), 72 (10) Taf. 3, Fig. 1.
[2]) Jahrb. d. k. k. geol. Reichsanst. XX. 1875. S. 65 (10).
[3]) Verhandl. d. k. k. geol. Reichsanst. 1874. S. 121, 122.
[4]) Rad jugoslav. akad. XXVII. 1874. S. 215.

gesetzt habe [1]). Warum hat sich nun Farkaš-Vukotinović nicht im Jahre 1872 oder 1873, sondern gerade knapp vor der Veröffentlichung meiner Abhandlung im Jahre 1874 mit seiner Notiz über *Valenciennesia* gemeldet? Farkaš-Vukotinović Erklärung [2]) gegen die eben von mir kurz erzählte Geschichte der Entdeckung der Agramer *Valenciennesia* entspricht also den Thatsachen nicht. Diese ganze Angelegenheit ist sonst wohl an und für sich zu unbedeutend, als dass ich weiter darauf eingehen sollte, als zur Kennzeichnung des Vorgehens von Farkaš-Vukotinović nothwendig.

Die Richtigkeit meiner Darstellung wird dadurch bewiesen, dass besagtes Exemplar nur ein Bruchstück eines Abdruckes der ganz ringellosen *V. pella* ist, das ich erst nach Auffindung des abgebildeten Exemplares specifisch bestimmen konnte, generisch habe ich aber die Gattung *Valenciennesia* schon vor meiner Ankunft in Agram, vor nicht weniger als 17 Jahren durch die Abhandlung meines unvergesslichen Lehrers Reuss kennen gelernt, in welcher dieser die erste *Valenciennesia* aus Oesterreich und zwar aus Beočin beschrieben und abgebildet hat.

IV. Černomerec.

Dreissena Van Beneden.

1. *Dreissena rhomboidea M. Hörnes.*

Diese bei Okrugljak häufige Art ist hier sehr selten, so dass wir bis jetzt eine einzige linke Klappe erhalten haben. Es ist die einzige Art, welche nicht aus der Congerienbank von Fraterščica, sondern nur im Černomerec-Bache gefunden worden ist.

2. *Dreissena Partschi Čzjžek.*

Auch diese Art kommt bei Fraterščica häufiger als bei Okrugljak vor, nachdem wir 8, darunter leider keine einzige ganze Klappe bekommen haben. Alle unsere Exemplare gehören der kleineren Form an, Fig. 2 von M. Hörnes, die grössere Form haben wir noch nicht begegnet.

3. *Dreissena Markovići Brusina.*
(Taf. XXVII [1], Fig. 61.)

Das abgebildete Exemplar, das ich Gvezda's Liberalität verdanke, ist alles, was ich von dieser Art erhalten konnte. Es ist diese eine kleine, aber sonst gewiss von allen mir bekannten sehr stark abweichende, ausgezeichnete Art.

Diese widme ich meinem Freunde und Collegen Dr. Franz Marković, Professor der Philosophie, einem hervorragenden kroatischen Schriftsteller.

4. *Dreissena croatica Brusina.*
(Taf. XXVII [1], Fig. 53, 54.)

1867. *Congeria triangularis M. Hörn.* Foss. Moll. II. 363 (pro parte) Taf. 48, Fig. 1 (non Fig. 2, 3).
? 1869.   „   „   *Neum.* in Jahrb. geol. Reichsanst. XXV. 411 (11).
1874. *Dreissena Croatica Brus.* in Rad jugoslav. akad. XXVIII. 101.
1874.   „ ·   „   „   Foss. Binnenmoll. 129.

---

[1]) Rad jugoslav. akad. LII. 1880. S. 270 (83).
[2]) loco citato I.III. 1880. S. 228.

Wie seinerzeit fast jede glatte Vivipara als V. Sadleri angesehen wurde, so werden bis heute mehrere Dreissena, welche mit D. triangularis mehr oder weniger verwandt erscheinen, ohne weiteres als D. triangularis bestimmt. Es kommen darunter Formen vor, welche meiner Ansicht nach auch solche Naturforscher, welche den Artbegriff weit auffassen, unterschieden hätten, wenn sie gut erhaltene Individuen der verschiedenen Formen in genügender Anzahl zur Verfügung gehabt hätten. Wie bekannt, gehören aber ganze Exemplare von Arten der Formenreihe der D. triangularis zu den grössten Seltenheiten. Ich will mit einer kritischen Sichtung beginnen, beschränke mich aber dabei auf das mir vorliegende Material des Agramer National-Museums, wenn auch die Sammlungen in Wien, in Pest und an anderen Orten noch manche fälschlich als D. triangularis bestimmte Form enthalten mögen.

Die echte D. triangularis bildet der von Partsch selbst kurz aber sehr treffend charakterisirte Typus: „Diese ausgezeichnete Art hat die Form eines beinahe gleichseitigen Dreiecks. Der scharfen, „kielförmigen Kante an der Aussenseite, der eine zweite wulstförmige Erhöhung parallel geht, entspricht „von innen eine rinnenförmige Vertiefung." Auf diese Form passt auch die Benennung D. triangularis sehr gut. Fig 5 bis 8 wird als „C. triangularis nob." von Tihány bezeichnet, wogegen Fig. 1 bis 4 derselben Tafel die eigentlichen „Ziegelklauen" vom Plattensee vorstellen, wie es die Erklärung der Abbildungen gibt. Durch die Untersuchung von Baron Schröckinger erhaltener Exemplare dieser ausgezeichneten Art von Radmanest bin ich in der Lage beizufügen, dass sie viel kleiner und bedeutend dicker als alle verwandten Arten ist; die zwei Kiele, die stark hervortretenden Anwachs-streifen, welche die Oberfläche stark superfötirt erscheinen lassen, die abweichende Bildung des Schlosses sind so stark ausgedrückte Merkmale, dass jede Vereinigung dieser mit den noch zu besprechenden Formen widersinnig wäre. Ich kenne diese Art nur aus Tihány und Radmanest, bei uns ist sie bis jetzt nirgends gefunden worden. Ihre Synonymie ist die folgende:

1835. *Congeria triangularis* Partsch Ann. Wien. Mus. I. 99 (pro parte). Taf. 12, Fig. 5—8 (non Fig. 1—4).
1867. „ „ M. Hörn. Foss. Moll. II. 363 (pro parte). Taf. 48, Fig. 2 (non Fig. 1, 3).
1870. „ „ Fuchs in Jahrb. geol. Reichsanst. XX. 363 (21). Taf. 16, Fig. 1—3.
1870. „ „ „ l. c. 541 (11).
1874. *Dreissena* „ Sandb. Conch. d. Vorwelt 681 (pro parte). Taf. 34, Fig. 2.

Die zweite Art, welche ich schon im Jahre 1874 beschrieben und D. croatica benannt habe, ist dieselbe, welche M. Hörnes nach sehr schönen, von den unseren kaum abweichenden Exemplaren abgebildet hat. Diese Art ist absolut nicht mit D. triangularis zu verwechseln; alle jene Hauptmerkmale, welche Partsch und ich angegeben haben, sind bei dieser Art nicht mehr zu finden. — D. croatica ist eine sehr weit verbreitete Art, denn es gibt kaum eine fossilienführende Localität der Congerien-schichten im Bereiche des Agramer Gebirges, wo dieselbe nicht zu finden wäre. Sie ist auch sonst in Kroatien und Slavonien, ebenso wie in Ungarn, Niederösterreich, Mähren u. s. w. weit verbreitet. Neuerdings hat unsere Sammlung durch Professor Kiseljak's Liberalität eine riesige, ganze rechte Klappe bekommen, welche 94 mm hoch oder breit, 63 mm lang und 31 mm dick ist; die Dicke der ganzen Muschel muss man somit mit 62 mm berechnen. Die Synonymie der D. croatica habe ich schon oben gegeben.

Die dritte Form, die echte „Ziegenklaue" aus dem Plattensee ist jene, welche schon ältere Forscher, wie Goldfuss und Munster, Geinitz, Orbigny, Dunker und andere als selbstständige Art von D. triangularis unterschieden haben; dieselbe, welche neuerlich Fuchs und R. Hörnes schon ausführlich besprochen haben, und für welche der Letztgenannte sich ausgesprochen hat, dass sie „als eigene Art zu betrachten" sei und „den Namen *Congeria ungula caprae* Münst. zu tragen hätte". Die Synonymie der *Dreissena ungula caprae* habe ich wie folgt zusammengestellt:

1835. *Congeria triangularis* Partsch Ann. Wien. Mus. I. 99 (pro parte). Taf. 12, Fig. 1—4 (non Fig. 5—8).
1838. *Mytilus ungula caprae* Gold. und Münst. Petref. Germ. II. 172. Taf. 130, Fig. 1.
1852. *Dreissena* „ „ Orbigny Prodr. Palßont. stratig. III. 125.
1855. *Dreissenia* „ „ Dunker De Sept. et Dreiss. 16.
1862. *Mytilus* „ „ Gold. und Münst. Petref. Germ. II. Aufl. II. 163. Taf. 130, Fig. 1.
1867. *Congeria triangularis* M. Hörn. Foss. Moll. II. 363 (pro parte) Taf. 48, Fig. 3 (non Fig. 1, 2).
1870. „ *balatonica var. crassitesta Fuchs* in Jahrb. geol. Reichsanst. XX, 541 (11).
1875. „ „ „ „ R. Hörn. l. c. XXV. 66 (4). Taf. 2, Fig. 1, 2.
1877. „ „ „ „ *Fuchs* in Führer Excurs. geol. Gesellsch. 76.

5. *Dreissena Gnezdai Brusina.*
(Taf. XXVII [1], Fig. 55—58.)

Diese ist eine der *D. croatica* nahe verwandte, aber trotzdem verschiedene und leicht zu unterscheidende Form *D. Gnezdai* scheint nie die Grösse der *D. croatica* erreicht zu haben — das grösste Exemplar ist unter Nr. 55 abgebildet — die Form ist zugespitzt eiförmig, etwa spatelförmig, rückwärts ist sie nie so stark flügelförmig ausgebreitet wie *D. croatica*; die Wirbel sind stark hakenförmig gebogen, der Kiel läuft nach einer ganz anderen Richtung und verfolgt nicht eine fast gerade Linie wie bei *D. croatica*, sondern krümmt sich gerade so wie bei *D. triangularis*; der Kiel selbst ist am Wirbel sehr stark kantig, erhöht, wird aber gegen den Rand zu immer schwächer, wogegen bei *D. croatica* der Kiel ziemlich gleich stark bleibt, was alles am besten auf den betreffenden Abbildungen zu sehen ist. Diese Form zeigt sich ebenso veränderlich wie die meisten *Dreissena*-Arten : die Normalform ist durch die Abbildungen Nr. 55 und 56 vorgestellt, eine mehr dreieckige Abänderung ist unter Nr. 57, eine schmale unter 58 abgebildet.

Im Ganzen besitzen wir nicht mehr als 10 Stück aus Fraterščica, die wir dem Fleisse Gnezda's zu verdanken haben ; ich habe daher diese Form nach ihm benannt.

6. *Dreissena zagrabiensis Brusina.*

Diese Art ist in Fraterščica auch nicht häufig, da wir bis jetzt nur drei Stücke gesammelt haben.

7. *Dreissena superfoetata Brusina.*
(Taf. XXVII [1], Fig. 59, 60.)

Diese Art scheint klein geblieben zu sein, denn die Abbildung Nr. 60 stellt das grösste bis jetzt aufgefundene Fragment vor, welches, wenn vollständig, beinahe 28 mm Höhe oder Breite und 18 mm Länge gehabt haben müsste. Im Jugendstadium hat *D. superfoetata* einen mehr rhombischen Umriss, im Alter ist sie mehr zugespitzt eiförmig, fast spatelförmig und eben darum der *D. spathulata* Partsch etwas ähnlich. Die ganze Muschel ist weniger gewölbt und weit weniger kantig als *D. spathulata*; ein Kiel ist zwar auch vorhanden, läuft aber um die Mitte der Schale und nicht ganz am Vordertheile wie bei *D. spathulata* und ist überdies viel mehr abgestumpft. Vor Allem ist aber unsere Art dadurch ausgezeichnet, dass man bei ihr nicht von Anwachsstreifen, sondern von einer vollständigen Superfötation der Schale sprechen muss, und dies in einem so starken Grade, dass man ihr abnormes Aussehen als eine Monstrosität betrachten müsste, wenn dies nicht gerade ein sehr ausgezeichnetes, constantes Merkmal wäre. Solch eine Superfötation habe ich selten bei anomalen Individuen von Meeresmuscheln getroffen, ich kenne aber keine Art, bei der dieses auffallende Merkmal beständig aufträte.

Bis jetzt haben wir erst 10 Klappen und Fragmente bekommen, darunter eine ganz junge linke Klappe von 4 mm Breite und 2 mm Länge; die meisten haben wir Gnezda zu verdanken. Professor Kiseljak besitzt auch ein Dutzend Stücke aus Okrugljak.

Adacna Eichwald

8. *Adacna zagrabiensis Brusina.*
(Taf. XXIX [III], Fig. 63.)

Bis jetzt sind drei Stücke dieser Art gefunden worden; das abgebildete ist insoferne interessant, weil die Oberfläche nicht zernagt ist.

9. *Adacna Majeri M. Hörnes.*

Diese in Okrugljak häufige Art ist bis jetzt in Fraterščica nur durch eine Klappe vertreten.

10. *Adacna otiophora Brusina.*

Wir besitzen wohl nur drei Klappen, doch hätte systematisches Suchen deren wohl mehr ergeben.

11. *Adacna diprosopa Brusina.*

Auch von dieser Art haben wir bis jetzt nur eine Klappe bekommen.

12. *Adacna Budmani Brusina.*
(Taf. XXIX [III], Fig. 62.)

Ausser dem abgebildeten Exemplare, das ein Geschenk Gnezda's ist, besitzen wir nicht mehr als zwei sehr schlecht erhaltene Stücke; und erst ganz zuletzt ist es Prof. Kiseljak gelungen, ein Fragment dieser Art auch in Okrugljak zu finden.

A. Budmani ist eine von allen anderen ganz abweichende Art, welche dem Anscheine nach nur mit russischen Formen nahe Verwandtschaft zeigt, so mit *A. Gourieffi Desh.*[1]), *A. tamanensis R. Hör.*[2]), *A. panticapea Bayern*[3]) und *A. subpaucicostata R. Hör.*[4]). Doch kann man, wie ein Vergleich der Abbildungen ergibt, unsere Form zu keiner der eben erwähnten Arten stellen. Auf eine ausführliche Beschreibung muss ich vorläufig verzichten, bis man neues Material zu Tage fördern wird, welches uns auch die innere Bildung der Schale, speciell des sehr wahrscheinlich zahnlosen Schlosses bekannt machen wird.

Diese interessante Vertreterin einer eigenen Formenreihe nenne ich nach dem ausgezeichneten und im Sinne moderner Naturforschung arbeitenden Philologen Prof. Pero Budmani.

---

[1]) R. Hörnes, Tertiar-Studien. Jahrb. d. k. k. geol. Reichsanst. XXIV. 1874. S. 65 (33). Taf. 4, Fig. 9.
[2]) loco citato S. 66 (34). Taf. 4, Fig. 11.
[3]) loco citato S. 66 (34). Taf. 5, Fig. 3.
[4]) loco citato S. 67 (35). Taf. 5, Fig. 2.

13. *Adacna edentula Deshayes.*

(Taf. XXIX [III], Fig. 64.)

Die kleine rechte Klappe aus Fraterščica ist darum interessant, weil sie dieselbe Form zeigt, welche die Art auch im Alter hat. Diese Klappe und ein Fragment gehören unzweifelhaft der *A. edentula* an, sechs Stücke sind sichere *A. pterophora*, weitere drei Fragmente, welche riesigen Individuen angehört haben, die ebenso gross wie die russische *A. edentula* oder noch grösser gewesen sein konnten, sind zu unvollständig, um bestimmen zu können, ob dieselben zu *A. edentula* oder *A. pterophora* gehört haben.

14. *Adacna pterophora Brusina.*

(Taf. XXIX [III], Fig. 65, 66.)

1874. *Cardium cf. edentulum Brus.* Foss. Binnenmoll. 129.

Es ist bis jetzt nicht gelungen, vollständige Individuen dieser Art zu erhalten; das, was uns vorliegt, genügt aber, um die Art genügend zu erkennen. Es ist eine der vorhergehenden nahe verwandte Art, welche aber dennoch von ihr stark abweicht. Ich habe darum ein junges Individuum und ein Fragment der *A. edentula*, und ebenso eine linke und eine rechte Klappe von *A. pterophora* zeichnen lassen. Letztere zeigt eine ziemlich abweichende Form, die Berippung unterscheidet sich auch; endlich ist die Art durch die sehr grosse flügelartige Erweiterung des Hintertheiles, welche vollständig rippenlos und glatt ist, ganz besonders ausgezeichnet.

15. *Adacna complanata Fuchs.*

Diese Art ist bei Fraterščica selten, nachdem wir nur zwei Klappen erhalten haben.

Pisidium C. Pfeiffer.

16. *Pisidium Krambergeri Brusina.*

Diese Art ist bei Fraterščica gewiss ebenso häufig wie in Okrugljak; nur haben wir, mit dem Aufsuchen anderer Arten beschäftigt, uns nicht die Mühe gegeben, mehr als fünf Klappen zu sammeln.

Micromelania Brusina.

17. *Micromelania monilifera Brusina.*

Ein einziges Exemplar, welches, obwohl schlecht erhalten, doch sehr gut, nicht nur den charakteristischen Spiralkiel, sondern auch die Spirallinien deutlich sehen lässt.

18. *Micromelania cf. auriculata Brusina.*

Zwei im Gesteine eingeschlossene Stücke glaube ich als *M. cf. auriculata* verzeichnen zu müssen.

195

Planorbis Guettard.

19. Planorbis clathratus Brusina.

Zwei ebenfalls im Gesteine eingeschlossene Exemplare sind gewiss als *P. clathratus* anzusehen.

Zagrabica Brusina.

20. Zagrabica sp.

Zwei schlecht erhaltene Fragmente dieser Gattung erlauben keine specifische Bestimmung.

Limnaea Lamarck.

21. Limnaea Kobelti Brusina.

Zwei Bruchstücke gehören unzweifelhaft hieher.

Valenciennesia Rousseau.

22. Valenciennesia Reussi Neumayr.

Ein kleines Fragment kann nicht anders bestimmt werden.

V. Kustošak.

Dreissena Van Beneden.

1. Dreissena croatica Brusina.

Diese Art ist in Kustošakthale ebenfalls häufig, denn es liegen uns viele Bruchstücke von dort vor.

2. Dreissena zagrabiensis Brusina.

Macek hat uns von dieser Localität drei Fragmente übergeben.

3. Dreissena superfoetata Brusina.
(Taf. XXVII [1], Fig. 68.)

Das einzige Exemplar aus dieser Localität ist eine jüngere, daher noch rhombische linke Klappe, welche für uns von grosser Wichtigkeit ist, als die einzige, welche uns einen Blick in die inneren Verhältnisse dieser Art erlaubt. Das Septum unter den Wirbeln ist breiter als lang und erfüllt ganz den Raum zwischen den beiden Rändern an der Spitze, die dreieckige Muskelgrube ist ebenfalls breiter und weniger vertieft, als es z. B. bei *D. spathulata* der Fall ist; die löffelförmige Erweiterung des Septums bei einer gleich grossen Klappe von *D. spathulata* ist schon ganz ausgebildet und deutlich sichtbar, bei der abgebildeten Klappe dieser Art kann ich dagegen keine Spur einer löffelförmigen Erweiterung wahrnehmen; sehr wahrscheinlich ist also diese bei *D. superfoetata* erst später zum Vorschein gekommen.

4. *Adacna pterophora Brusina.*

Es liegt in der Sammlung nur ein fragmentarischer Abdruck einer rechten Klappe, welcher ganz bestimmt hieher gehört.

Valenciennesia Rousseau.

5. *Valenciennesia Reussi Neumayr.*

Wir besitzen ein kleineres Exemplar, welches Farkaš-Vukotinović noch im Jahre 1872, wie das gesammte von ihm gesammelte Material, unbestimmt der Museal-Sammlung übergeben hat.

———

Berichtigungen.

In meiner Abhandlung „Orygoceras eine neue Gasteropodengattung der Melanopsidenmergel Dalmatiens" im II. Bande dieser „Beiträge zur Paläontologie Oesterreich-Ungarns und des Orients" sind folgende sinnstörende Druckfehler, welche ich hier berichtige:

Auf Seite 34 [2] ganz unten nach Frank Calvert und M. Neumayr's Abhandlung ist das ganze folgende Citat ausgeblieben:

R. C. Porumbaru, Étude géologique des environs de Craiova, parcours Bucovatzu-Gretzesci, Première Partie. Paris 1881.

Auf Seite 35 [3], Zeile 21 von oben, statt: „meine *N. platystoma*, welch' letztere" lies: „meine *N. platystoma* hinzugerechnet sind, welch' letztere".

Auf Seite 43 [11], Zeile 15 von oben, statt: „die ersten Namen" lies: „die ersten den Namen".

Auf der Tafelerklärung statt:

Fig. 11.	„Rückenseite",	soll stehen:	„: Rückenseite";
„ 12.	„Vorderseite",	„ „	„: Vorderseite";
„ 13.	„Seitenansicht",	„ „	„: Seitenansicht".

TAFEL I (IX).

Velenovsky, Flora der böhmischen Kreideformation.

TAFEL 1 (IX).

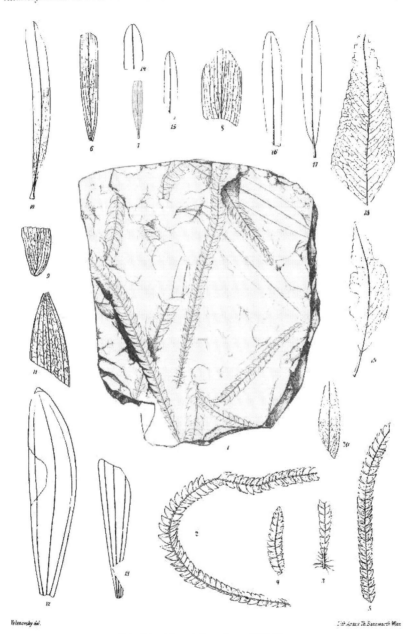

Velenovsky del.　　　　　　　　　　　　　　　　　　　　　　　　Lith Anst.v.Th.Bannwarth Wien

Beiträge zur Palaeontologie von Oesterreich-Ungarn,
herausgegeben von Edm.v. Mojsisovics u.M.Neumayr, Band III.

Verlag v. Alfred Hölder, k.k.Hof-u.Universitäts-Buchhändler in Wien

TAFEL II (X).

Velenovsky, Flora der böhmischen Kreideformation.

TAFEL II (X).

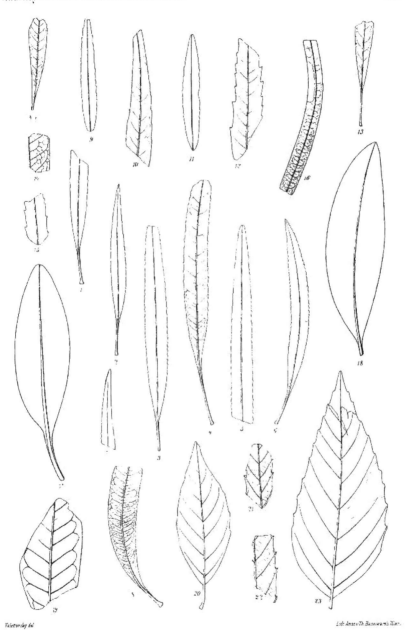

Velenovský del   Lith: Anst.v.Th.Bannwarth Wien.

Beiträge zur Palaeontologie von Oesterreich Ungarn,
herausgegeben von Edm.v.Mojsisovics u.M.Neumayr, Band III

Verlag v. Alfred Hölder, k.k.Hof-u.Universitäts-Buchhandler in Wien

TAFEL III (XI).

Velenovsky, Flora der böhmischen Kreideformation.

TAFEL III (XI).

Fig 1—9. *Myrica Zeukeri* Ett. sp. Fig. 1, ein Fragment von einem grossen Blatte (von Jinonic); Fig. 3, 4, Blattbruchstücke von daselbst, mit näher ausgeführter Nervation; Fig. 6, 7, die gewöhnlichste Form dieser Art bei Vyšerovic; Fig. 5, ein ganz erhaltenes Exemplar von Kaunic; Fig. 8, 9, etwas in der Form und Grösse abweichende Blätter von Vyšerovic; Fig. 2 von Kaunic. pag. 13 (38).

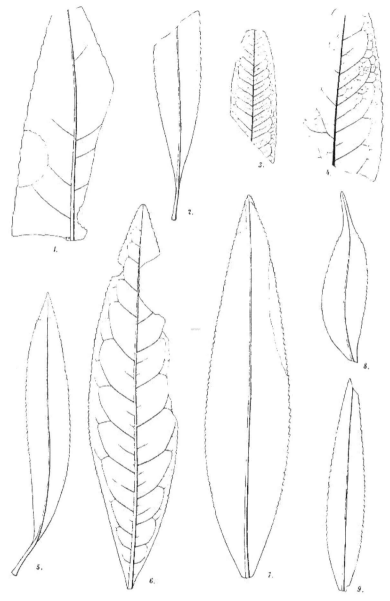

Beiträge zur Palaeontologie von Oesterreich-Ungarn, herausgegeben von Edm.v. Mojsisovics u.M.Neumayr, Band III.

Verlag v. Alfred Holder, k.k. Hof- u. Universitäts-Buchhändler in Wien.

TAFEL IV (XII).

Velenovsky, Flora der böhmischen Kreideformation.

TAFEL IV (XII).

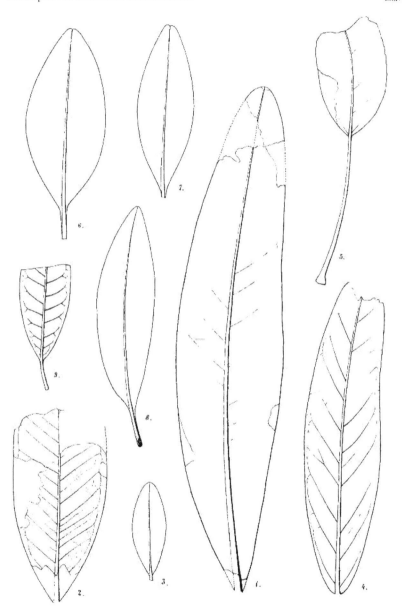

Velenovsky xii.

Lith Anst v.Th.Bannwarth Wien.

Beiträge zur Palaeontologie von Oesterreich-Ungarn,
herausgegeben von Edm.v. Mojsisovics u.M.Neumayr, Band III.

Verlag v. Alfred Holder, k k Hof-u Universitäts-Buchhändler in Wien

TAFEL V (XIII).

Velenovsky, Flora der böhmischen Kreideformation.

TAFEL V (XIII).

Fig. 2—5. *Sterculia limbata* Vel. aus den Perucer Thonen von Schlan. Die Blätter sind auf Grundlage des Negativs und der Zahl und Stärke der Basalnerven ergänzt. pag. 21 (46).

" 1. *Sterculia Krejčii* Vel. Ein theilweise ergänztes Blatt aus den Planerschichten von Raudnic. pag. 22 (47).

" 6—8. Fruchtzäpfchen von irgend einer *Myrica*; in Fig. 8 sind beide erhalten (in natürlicher Grösse), in Fig. 6, 7 ist ein Zäpfchen abgebrochen. pag. 11 (36).

" 9—12. Fruchtzweigchen von einer *Myrica*. pag. 11 (36).

216

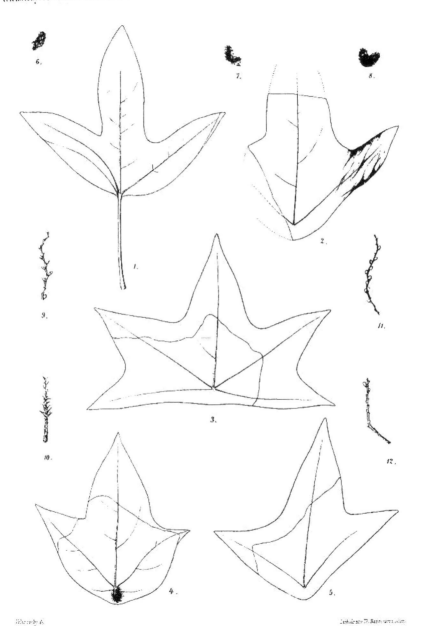

Beiträge zur Palaeontologie von Oesterreich-Ungarn,
herausgegeben von Edm.v.Mojsisovics u.M.Neumayr, Band III.

Verlag v. Alfred Hölder, k. k. Hof-u. Universitäts-Buchhändler in Wien

TAFEL VI (XIV).

Velenovsky, Flora der böhmischen Kreideformation.

TAFEL VI (XIV).

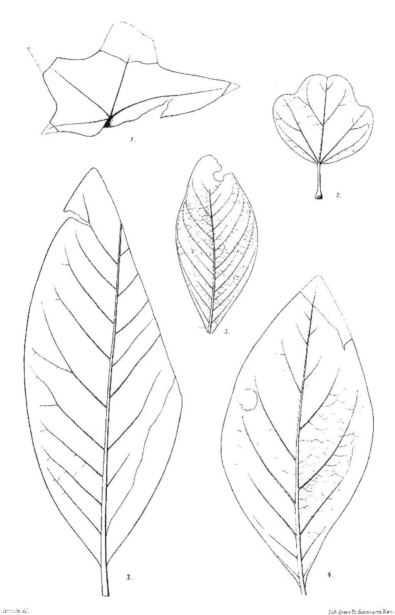

Beiträge zur Palaeontologie von Oesterreich-Ungarn,
herausgegeben von Edm.v.Mojsisovics u. M.Neumayr, Band III.

Verlag v. Alfred Hölder, k. k. Hof-u. Universitäts-Buchhändler in Wien

TAFEL VII (XV).

Velenovsky, Flora der böhmischen Kreideformation.

TAFEL VII (XV).

Fig. 6. *Magnolia alternans Heer.* von Kuchelbad. pag. 19 (44).

„ 7, 10, 11. *Magnolia amplifolia Heer.* von Vyšerovic; Fig. 11, die Nervation durchgeführt; Fig. 10, ein kleines Exemplar; Fig. 7, normale Form dieser Art. pag. 18 (43).

„ 8, 9. *Magnolia Capellinii Heer.* von Kuchelbad; Fig. 8, das Blatt ist auf Grundlage des Negativabdruckes ergänzt; Fig. 9, der vordere Theil des Blattes. pag. 20 (45).

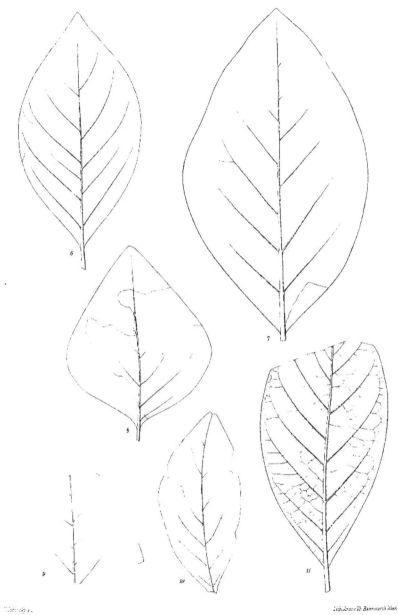

Beiträge zur Palaeontologie von Oesterreich-Ungarn,
herausgegeben von Edm.v. Mojsisovics u. M. Neumayr, Band III.

Verlag v. Alfred Hölder, k.k. Hof-u. Universitäts-Buchhandler in Wien.

TAFEL VIII (I).

Novák, zur Kenntniss böhmischer Trilobiten.

TAFEL VIII (I).

Fig. 1. *Ptychocheilus discretus Barr. sp.* Hypostom (*Trilobites contumax Barr.*) mit unvollständigem Hinterrande. Aus den Quarzconcretionen von Vosek. Etage D—d 1 (Novák'sche Sammlung) pag. 31 (9).

" 2. " " Querprofil desselben Exemplares nach der Linie x—y.

" 3. " " Idem. Seitenansicht der Glabelle (*Asaphus alienus Barr.*) und des Hypostomes.

" 4. " " Grosses, vollständiges Hypostom. Ebendaher.

" 5. " " Längsprofil desselben (Sammlung des böhm. Museum zu Prag).

" 6. " " Eingerolltes, unvollständiges Exemplar von mittlerer Grösse (*Ogygia discreta Barr.*). Ebendaher. (Novák'sche Sammlung.)

" 7. " Idem. Seitenansicht.

" 8. " Restaurirtes Bruchstück eines grossen Pygidium (*Ogygia discreta Barr.*, Ebendaher. (Sammlung des böhmischen Museum.)

" 9. *Homalonotus Drabociensis Nov.* Pygidium aus den Quarziten der Etage D—d 2 von Drabov bei Beraun. a) von vorn, b) von der Seite, c) von hinten. (Sammlung des Herrn Dusl in Beraun.) pag. 27 (5).

" 10. *Agnostus fortis Nov.* Kopf aus den Schiefern der Etage D—d 1 von Svatá Dobrotivá (St. Benigna); a) in natürl. Grösse, b) 2mal vergrössert. (Novák'sche Sammlung.) pag. 57 (35).

" 11. " " Anderes Exemplar. Ebendaher. a) natürl. Grösse, b) 2mal vergrössert. (Novák'sche Sammlung.)

" 12. " *Dusli Nov.* Pygidium? Aus den Quarzconcretionen der Etage D—d 1 von Vosek. a) natürl. Grösse, b) 2mal vergrössert, c) Seitenansicht, d) Querprofil. (Novák'sche Sammlung.) pag. 58 (36).

" 13. *Cromus transiens Barr.* Kopf ohne bewegliche Wangen. Aus Etage E—e 2 von Listice bei Beraun. (Novák'sche Sammlung.) pag. 45 (23).

" 14. " " Idem. Querprofil.

" 15. " " Idem. Seitenansicht.

" 16. " " Hypostom.

" 17. *Dionide formosa Barr.* Eingerolltes Exemplar aus den Schiefern der Etage D—d 5 von Lejskov. a) von oben b) von der Seite. (Novák'sche Sammlung.) pag. 30 (8).

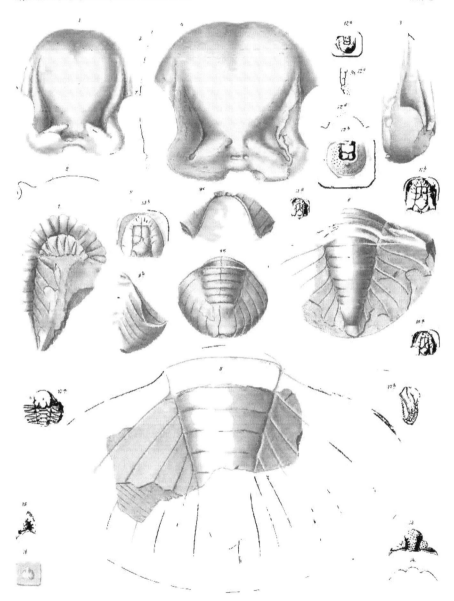

O. Novák ad nat delin 1881.   Lith. Anst. Th. Bannwarth Wien.

Beiträge zur Palaeontologie von Oesterreich-Ungarn,
herausgegeben von Edm.v. Mojsisovics u. M. Neumayr, Bd. III.

Verlag v. Alfred Holder, k. k. Hof- u. Universitäts- Buchhandler in Wien.

TAFEL IX (II).

Novák, zur Kenntniss böhmischer Trilobiten.

TAFEL IX (II).

Fig. 1. *Illaenus? puer Barr.* Unvollständiger Kopf mit dem Abdruck des Hypostoms in natürlicher Lage. Aus den Schiefern der Etage D—d1 von Svatá Dobrotivá (St. Benigna). (Novák'sche Sammlung.) *a)* Hypostom in natürlicher Grösse, *b)* stark vergrösserte Partie der Oberfläche des Mittelstückes desselben. pag. 36 (14).

" 2. " " Unvollständiges Exemplar. Die Anzahl des Thoraxsegmente (8) ist complet. *a)* Pygidium 2mal vergrössert. Ebendaher. (Novák'sche Sammlung.)

" 3. " " Entwicklungsstadium, das Pygidium mit dem letzten Thoraxsegmente verwachsen zeigend. Ebendaher. (Dieselbe Sammlung.) *a)* Dasselbe Pygidium, 3mal vergrössert. Bei *a* Abdruck der Duplicatur, bei *b* ein Stück der Schale erhalten; *b)* 4mal vergrösserte Pleura mit gut erhaltener Schalenstructur. Ebendaher. (Dieselbe Sammlung.)

" 4. *Barrandia crassa Barr.* Restaurirter Thorax eines grossen Exemplares mit theilweise erhaltener Schale aus den Schiefern der Etage E—d1 von Svatá Dobrotivá. (Sammlung des böhm. Museum zu Prag.) pag. 36 (14).

" 5. *Asaphus alienus Barr.* Mittelgrosses, fast vollständiges Exemplar aus den Quarzconcretionen der Etage D—d1 von Vosek. (Sammlung des Herrn Hüttendirectors Karl Feistmantel zu Prag.) pag. 30 (8).

" 6. " " Kopf (*Asaphus quidam Barr.*), ohne bewegliche Wangen. Ebendaher. (Novák'sche Sammlung.)

" 7. *Agnostus Tullbergi Nov.* *a)* Grosses Exemplar mit unvollständigem Thorax, lange Form, aus den Quarzconcretionen der Etage D—d1 von Vosek, *b)* Kopf 2mal vergrössert. *c)* Kopf von der Seite, *d)* dessen Querschnitt. *e)* Pygidium 2mal vergrössert, *f)* Seitenansicht desselben. (Novák'sche Sammlung.) pag. 59 (37).

" 8. " " Isolirter Kopf, 3mal vergrössert. Ebendaher. (Dieselbe Sammlung.)

" 9. " " Isolirtes Pygidium, breite Form, 3mal vergrössert. Ebendaher. (Sammlung des Herrn Hüttendirectors K. Feistmantel zu Prag.) *a)* Seitenansicht.

" 10. " " Isolirtes Pygidium 3mal vergrössert. Ebendaher. (Novák'sche Sammlung.)

" 11. *Bronteus Richteri Barr.* *a)* Glabella mit Schale. Aus dem Kalkstein der Etage G—g1 von Svagerka bei Prag; *b)* Idem, feste Form, 3mal vergrössert. *c)* Idem, stark vergrösserte Partie der Schalenoberfläche der Glabella. (Novák'sche Sammlung.) pag. 49 (27).

" 12. " *umbellifer Beyr.* Unvollständiger Kopf, aus der Etage F—f1 von Slivenec, 2mal vergrössert. (Novák'sche Sammlung.) pag. 52 (30).

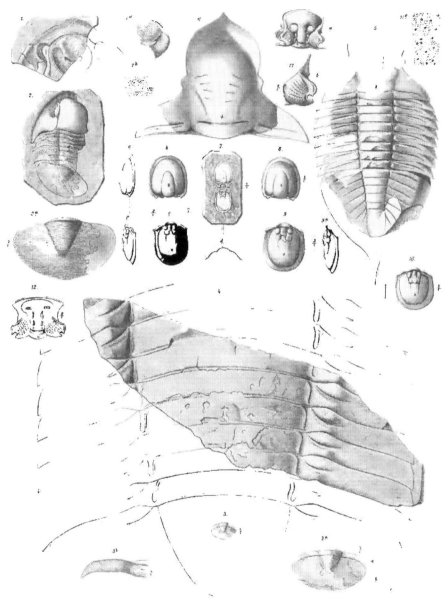

v.Nováik ad nat.delin 1881.

Lith.Anst.v.Th.Bannwarth., Wien

Beiträge zur Palaeontologie von Oesterreich Ungarn,
herausgegeben von Edm.v. Mojsisovics u. M. Neumayr, Bd.III

Verlag v. Alfred Hölder, k.k Hof-u. Universitats-Buchhandler in Wien

TAFEL X (III).

Novák, zur Kenntniss böhmischer Trilobiten.

TAFEL X (III).

Fig. 1. *Cheirurus pater Barr.* Zerdrücktes, jedoch ziemlich vollständiges Exemplar aus den Schiefern der Etage D—d1 von Svatá Dobrotivá. (Sammlung des böhm. Museum zu Prag) pag. 44 (22).

" 2. " " Anderes unvollständiges Exemplar. Ebendaher. (Novák'sche Sammlung.)

" 3. " " Isolirtes Pygidium. Ebendaher. (Dieselbe Sammlung.)

" 4. *Homalonotus medius Barr.* Kopf ohne bewegliche Wangen und ohne Schale aus den Schiefern der Etage D—d5 von Michle bei Prag (Novák'sche Sammlung.) pag. 28 (6).

" 5. " " Unvollständiger Kopf. Aus den Schiefern der südöstlichen Grenze der „Colonie d'Archiac" im Dorfe Řepora bei Prag. Etage D—d5. (Sammlung des böhm. Museum.)

" 6. *Aridaspis optata Nov.* Isolirtes Pygidium aus den Kalken der Etage F—f2 von Koněprus. (Novák'sche Sammlung.) pag. 39 (17).

" 7. " *rara Barr.* Unvollständiges Exemplar mit restaurirtem Hinterende aus den Kalkschiefern der Etage E—e2 von Loděnic. (Novák'sche Sammlung) pag. 42 (20).

" 8. " " Vollständiges Exemplar mit 10 Thoraxsegmenten. Ebendaher. Durch ein Versehen des Lithographen zeigt die Figur in der Axe und links 11, rechts 12 Thoraxsegmente, während in Wirklichkeit und auf der Originalzeichnung des Verfassers deren 10 vorhanden sind. (Dieselbe Sammlung.)

" 9. " " Isolirtes Pygidium, 2mal vergrössert. Ebendaher. (Dieselbe Sammlung.)

" 10. " " Grösseres Pygidium, in nat. Grösse. Ebendaher. (Dieselbe Sammlung.)

" 11. " " Ein Thoraxsegment eines nicht gezeichneten Exemplares in natürlicher Grösse. Ebendaher. (Dieselbe Sammlung.)

" 12. " *Prevosti Barr.* Unsymmetrisch ausgebildetes Pygidium mit 3 ausseren Nebenspitzen rechts und blos einer links. Aus den Kalkschiefern der Etage E e2 von Loděnic. (Novák'sche Sammlung) pag. 19 (41)

" 13. " " Isolirtes, symmetrisch ausgebildetes Pygidium mit 4 inneren und 6 ausseren Nebenspitzen. Aus den Kalken der Etage E—e2 von St. Ivan bei Beraun. (Novák'sche Sammlung.)

" 14. " " Isolirtes, unsymmetrisch ausgebildetes Pygidium mit 2 ausseren Nebenspitzen rechts, 3 ausseren Nebenspitzen links und zwei inneren Nebenspitzen zwischen den beiden Hauptdornen. Aus Etage E—e2 von Loděnic. (Novák'sche Sammlung.)

" 15. " *Krejčii Nov.* Unvollständiges Exemplar mit 9 erhaltenen Segmenten und ohne Pygidium. Schale erhalten. Aus den Kalken der Etage G—g1 von Lochkov. (Novák'sche Sammlung.) a) Idem, linkes Auge, 5mal vergrössert; b) Idem, drei Pleuren, 2mal vergrössert; c) Idem, Querprofil einer Pleura, pag. 38 (16).

" 16. " " Isolirte Glabella ohne bewegliche Wangen. Ebendaher. (Novák'sche Sammlung.)

" 17. " " Isolirter, unvollständiger Kopf. Ebendaher. (Dieselbe Sammlung.)

" 18. " *pigra Barr.* Isolirtes Pygidium. mit vollständig erhaltener Schale aus dem Kalke der Etage F—f2 von Koněprus (Novák'sche Sammlung.) pag. 18 (40).

" 19. " *fuscina Nov.* Vollständiges Exemplar mit 10 Segmenten im Thorax. a) Pygidium und letztes Thoraxsegment. 3mal vergrössert. Aus dem Kalkstein der Etage F—f2 von Koněprus. (Novák'sche Sammlung.) pag. 37 (13).

" 20. *Agnostus cadurcus Barr.* Unvollständiger Kopf. a) In natürlicher Grösse, b) 3mal vergrössert. Aus den Schiefern der Etage D—d1 von S. Dobrotivá. (Novák'sche Sammlung.) pag. 56 (34).

" 21. " " Isolirter Kopf, unvollständig. a) Natürl. Grosse, b) 3mal vergrössert. Ebendaher. (Dieselbe Sammlung.)

" 22. " " Vollständiges, isolirtes Pygidium. a) Natürl. Grosse, b) 3mal vergrössert. Ebendaher. (Dieselbe Sammlung.)

" 23. " " Vollständiges Pygidium. a) Natürl. Grösse, b) 3mal vergrössert. Ebendaher. (Dieselbe Sammlung.)

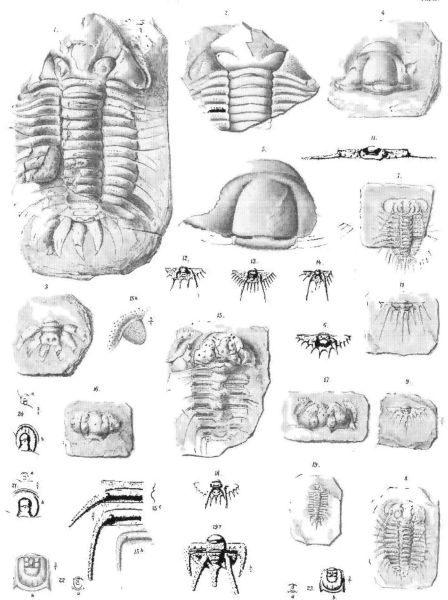

C.Novák ad nat.delin 1881.   Lith Anst.v.Th Bannwarth Wien.

Beiträge zur Palaeontologie von Oesterreich-Ungarn,
herausgegeben von Edm.v.Mojsisovics u.M.Neumayr, Bd.III.

Verlag v. Alfred Hölder, k.k.Hof-u.Universitäts-Buchhändler in Wien

TAFEL XI (IV).

Novák, zur Kenntniss böhmischer Trilobiten.

TAFEL XI (IV)

Fig. 1. *Bronteus parabolinus Barr.* Unvollständiges Pygidium. 2mal vergrössert. *a,* Partie der Schale, bei *b,* Abdruck der glatten inneren Schalenfläche, bei *c,* Partie der inneren Fläche der Schalenduplicatur, bei *d,* Abdruck der äusseren Fläche der Duplicatur (vergl. Fig. 8). pag. 26 (48).

„ 2. „ „ Idem. Langsprofil.

„ 3. „ „ Idem. Querprofil durch das erste Drittel des Pygidium.

„ 4. „ „ Idem. Querprofil durch das zweite Drittel desselben, um die nach aufwärts gebogenen Seitenränder zu zeigen.

„ 5. „ „ Pygidium mit abgebrochenem Thoraxrande. Lange Form. Die Buchstaben *a—d,* wie in Fig. 1.

„ 6. „ „ Partie der Schalenduplicatur aus der Mitte eines anderen Pygidiums. 10mal vergrössert. Die Buchstaben *c—d,* wie in Fig. 1.

„ 7. „ „ Partie der Schalenoberfläche vom zugespitzten Hinterende eines anderen Pygidium. 10mal vergrössert. Die feinen Querrunzeln am Hinterende gehen daselbst über die Zwischenfurchen hinweg.

„ 8. „ „ Linke Vorderecke des in Fig. 1 dargestellten Exemplares stark vergrössert. *a—b,* wie in Fig. 1. Die Querrunzeln bleiben daselbst blos auf die Rippen beschränkt.

„ 9. „ „ Abdruck der äusseren Fläche der Duplicatur vom Seitenrande eines nicht abgebildeten Exemplares. 10mal vergrössert.

„ 10. „ „ Vollständiges Pygidium mit Schale, 2mal vergrössert; breite Form.

„ 11. „ „ Idem. Langsprofil.

„ 12. „ „ Isolirtes Pygidium eines jungen Exemplares. 2mal vergrössert. *a)* Langsprofil desselben, *b)* Querprofil durch die hintere Schalenhälfte.

„ 13. „ „ Anderes unvollständiges Pygidium. 2mal vergrössert. Bei *a,* Abdruck der äusseren Schalenoberfläche; bei *b,* Partie des mit Gestein angefüllten Raumes der Duplicatur; bei *c,* äussere Fläche der Duplicatur der Schale.

„ 14. „ „ Querprofil durch die Duplicatur in der Richtung *b—c.*

Die sämmtlichen Exemplare stammen aus dem Kalke der Etage F—f2 zwischen Klein-Chuchle und Slivenec bei Prag. (Novák'sche Sammlung.)

„ 15. „ *viator Barr.* (Vergleiche Taf. V, Fig. 3—9.) Unvollständiges, restaurirtes Pygidium mit gut erhaltener Schale. pag. 31 (53).

„ 16. „ „ Grosseres, ziemlich vollständiges Pygidium. Die Runzeln an der Oberfläche der Rippen sind etwas spärlicher vertheilt als an dem vorigen Exemplare. Links Abdruck der äusseren Fläche der Schalenduplicatur.

„ 17. „ „ Idem. Querprofil durch die Mitte der Schale.

„ 18. „ „ Idem. Langsschnitt.

„ 19. „ „ Pygidium eines jungen Exemplares, die Ausdehnung der Schalenduplicatur zeigend.

„ 20. „ „ Idem. Querschnitt.

„ 21. „ „ Idem. Langsschnitt.

„ 22. „ „ Glabelle mit Schale.

„ 23. „ „ Kleinere Glabelle mit erhaltener Schale. *a)* Langsschnitt derselben.

„ 24. „ „ Zungenförmiger Fortsatz der rechten fixen Wange eines grossen Kopfes mit erhaltener Schale.

„ 25. „ „ Unvollständige bewegliche Wange mit abgebrochenem Wangendorne. *a)* äussere Fläche der Schale, *b)* Abdruck der äusseren Fläche der Kopfduplicatur.

„ 26. „ „ Unvollständiger Wangendorn mit Schale, von unten gesehen.

„ 27. „ „ Subfrontalduplicatur restaurirt und mit Schale. *a)* Langsprofil.

„ 28. „ „ Hypostom mit Schale. *a)* Von aussen, *b)* von der Seite, *c)* von innen, *d)* vom Buccalrand aus gesehen.

Die sämmtlichen Exemplare aus dem Kalke der Etage F—f2 von Mönau. (Novák'sche Sammlung.)

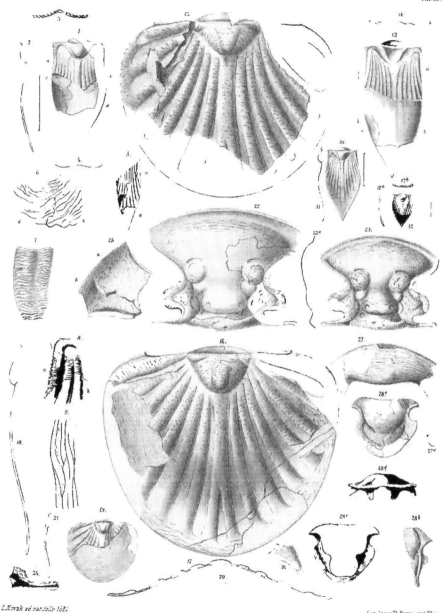

C.Novak ad nat delin 1881   Lith Anst v Th Bannwarth Wien.

Beiträge zur Palaeontologie von Oesterreich Ungarn,
herausgegeben von Edm.v. Mojsisovics u. M. Neumayr, Bd.III

Verlag v. Alfred Holder, k.k.Hof-u Universitäts-Buchhändler in Wien.

TAFEL XII (V).

Novák, zur Kenntniss böhmischer Trilobiten.

TAFEL XII (V).

Fig. 1. *Bronteus Schöbli Nov.* Kopf mit erhaltener Schale aus dem weissen Kalke der Etage F—f2 von K o n ě p r u s, Novák'sche Sammlung.) a) Idem von der Seite, b) Idem Auge, 4mal vergrössert, pag. 50 (28).

,, 2. ,, Isolirtes Pygidium mit Schale, restaurirt, a) Querschnitt, b) Längsschnitt, c) Partie der Schalenoberfläche vergrössert. Ebendaher, (Dieselbe Sammlung.)

,, 3. ,, *ciator Barr.* (Vergleiche Taf. XI (IV), Fig. 15—28.) Glabella mit theilweise erhaltener Schale, a) Längs-profil. pag. 46 (24).

,, 4. ,, ,, Unterseite einer unvollständigen beweglichen Wange, die äussere Fläche der Schalenduplicatur zeigend.

,, 5. ,, ,, Oberseite einer unvollständigen beweglichen Wange, mit Auge.

,, 6. ,, ,, Partie der Schale von der Oberseite einer nicht abgebildeten, rechten, beweglichen Wange stark vergrössert.

,, 7. ,, ,, Hypostom mit theilweise erhaltener Schale.

,, 8. ,, ,, Subfrontalduplicatur. a) Dieselbe in horizontaler Lage, um die zur Fixirung des Hypostomes bestimmten Fortsätze zu zeigen.

Die sämmtlichen Exemplare aus dem Kalke der Etage F—f2 zwischen K l e i n - C h u c h l e und S l i v e n e c bei Prag. (Novák'sche Sammlung.)

,, 9. ,, ,, Fast vollständiges Pygidium (lange Form), mit dicht gerunzelter Axe und Rippen. Die Inter-costalfurchen erscheinen im letzten Drittel ebenso gerunzelt, wie bei dem als *Bronteus Kutorgai Barr.* beschriebenen Pygidium. Links Abdruck der äusseren Fläche der Duplicatur. Aus der Etage F—f2 von M ě n a n. (Novák'sche Sammlung.)

,, 10. ,, *palifer Beyr.* Das besterhaltene, bis jetzt bekannte Exemplar mit restaurirtem Kopfe, die Ausdehnung der Duplicatur an den Thoraxsegmenten und am Pygidium zeigend. Aus Etage F—f2 von K o n ě-p r u s. (Sammlung des böhmischen Museum zu Prag.) [pag. 48 (26).

,, 11. ,, *linguatus Nov.* Isolirtes Pygidium mit vollständig erhaltener Schale. a) Längsschnitt, b) Querschnitt durch die vordere und c) Querschnitt durch die hintere Hälfte desselben, d. Partie der Rippen-oberfläche vergrössert. Aus Etage F—f2 von K o n ě p r u s. (Novák'sche Sammlung.) pag. 46 (24).

,, 12. *Aeglina armata Barr.* Eingerolltes Exemplar aus D—d5 von L e j s k o v. a) Von der Unterseite. (Novák'sche Samm-lung.) pag. 35 (13).

,, 13. ,, *mitrata Nov.* Isolirte Glabelle. a) von der Seite, b) von oben, c) Stirnansicht, d) von unten. Aus den Quarzconcretionen der Etage D—d1 von V o s e k. (Novák'sche Sammlung.) pag. 35 (13).

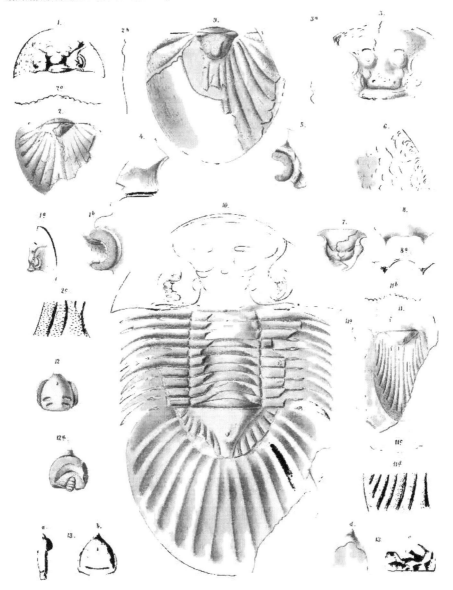

O.Novák ad nat delin 1881. Lith.Anst v Th. Bannwarth, Wien

Beiträge zur Palaeontologie von Oesterreich-Ungarn,
herausgegeben von Edm.v. Mojsisovics u. M.Neumayr, Bd.III

Verlag v. Alfred Hölder, k.k Hof-u. Universitäts-Buchhändler in Wien

TAFEL XIII (I).

Dr. Kramberger, die jungtertiäre Fischfauna Croatiens

TAFEL XIII (I).

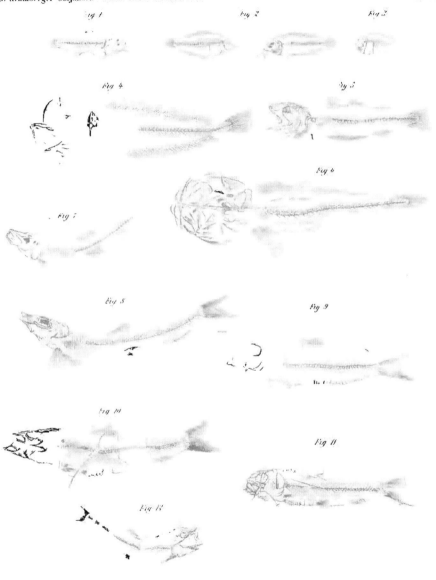

D.ᵣ Kramberger det

Beiträge zur Palaeontologie von Oesterreich Ungarn,
herausgegeben von Edm.v. Mojsisovics u. M. Neumayr, Bd.III 1883.
Verlag v. Alfred Hölder, k.k Hof- u. Universitäts Buchhandler in Wien

Lith Anst v Th Bannwarth Wien

TAFEL XIV (II).

Dr. Kramberger, die jungtertiäre Fischfauna Croatiens.

TAFEL XIV (II).

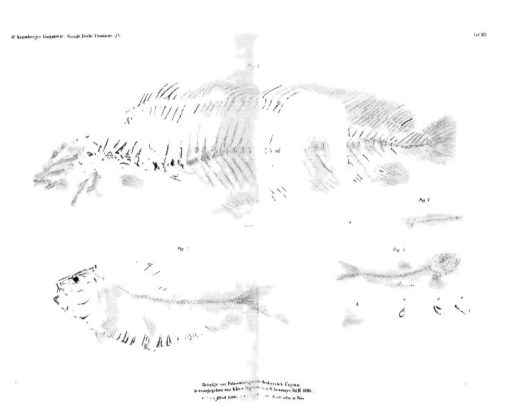

Beiträge zur Palaeontologie des Oesterreich-Ungarn.
herausgegeben von Edm.v. Mojsisovics u. M. Neumayr. Bd.III. 1883.

TAFEL XV (I).

Penecke, slavonische Paludinenschichten.

TAFEL XVI (II).

Penecke, slavonische Paludinenschichten.

TAFEL XVI (II).

Fig. 1. *Unio Mojsvari, Penecke.* Rechte Klappe von innen (*a*), aussen *b* und vorne (c). Aus dem Horizont der *Vivipara Sturi* von Malino. pag. 90 (4).

„ 2. „ *Novskaensis* „ Linke Klappe von innen. Aus dem Horizont der *Vivipara Hörnesi* von Novska. pag. 90 (4).

„ 3. „ „ „ Rechte Klappe von innen (*a*), aussen *b* und vorne (c). Ebendaher. pag. 90 (4).

„ 4. „ *altecarinatus* „ Rechte Klappe von aussen (*a*) und innen (*b*). Aus dem Horizont der *Vivipara Sturi* von Malino. pag. 91 (5).

„ 5. „ *Ottiliae* „ Rechte Klappe von innen (*a*) und aussen (*b*). Aus dem Horizont der *Vivipara Hörnesi* von Repusnica. pag. 91 (5).

„ 6. „ „ „ Linke Klappe. Ebendaher. pag. 91 (5).

„ 7. „ *Hörnesi* „ Linke Klappe von innen. Aus den unteren Paludinenschichten des Capla-Grabens. pag. 92 (6).

„ 8. „ „ „ Rechte Klappe von innen. Ebendaher. pag. 92 (6).

„ 9. „ „ „ Desgleichen von innen (*a* und aussen *b*). Ebendaher. pag. 92 (6).

„ 10. „ „ „ Doppelschale von vorne. Ebendaher. pag. 92 (6).

„ 11. „ *Bittneri* „ Linke Klappe von innen (*a*) und aussen (*b*). Aus dem Horizont der *Vivipara bifarcinata* von Sibin. pag. 93 (7).

„ 12. „ „ „ Rechte Klappe von innen (*a* und vorne (*b*). Ebendaher. pag. 93 (7).

Beiträge zur Palaeontologie von Oesterreich-Ungarn,
herausgegeben von Edm.v. Mojsisovics u. M.Neumayr, Bd.III 1883.
Verlag v. Alfred Hölder, k.k. Hof u. Universitäts-Buchhandler in Wien.

TAFEL XVII (III).

Penecke, *slavonische Paludinenschichten.*

TAFEL XVII (III).

Fig. 1. *Unio Brusinai, Penecke.* Linke Klappe von aussen (a) und innen (b). Aus dem Horizont der *Vivipara Sturi* von Sibin, pag. 94 (8).

" 2. " " " Rechte Klappe von innen. Ebendaher, pag. 94 (8).

" 3. " *Zitteli* " Linke Klappe von innen. Aus dem Horizont der *Vivipara Sturi* von Sibin, pag. 94 (8).

" 4. " " " Rechte Klappe von innen. Ebendaher, pag. 94 (8).

" 5. " " " Linke Klappe von aussen. Ebendaher, pag. 95 (8).

" 6. " *Partschi* " Linke Klappe von aussen (a) und innen (b). Aus den unteren Paludinenschichten von Malino.

" 7. " " " Rechte Klappe von innen. Ebendaher, pag. 95 (9).

" 8. " " " Linke Klappe von oben. Ebendaher, pag. 95 (9).

" 9. " *subthalassinus* " Linke Klappe von aussen. Aus dem Horizont der *Vivipara bifarcinata* von Malino, pag. 95 (9).

" 10. " " " Linke Klappe von innen (a) und oben (b). Aus dem Horizont der *Vivipara stricturata* von Sibin, pag. 95 (9).

" 11. " " " Rechte Klappe von innen. Ebendaher, pag. 95 (9).

" 12. " *Hilberi* " Linke Klappe von innen (a) und aussen (b). Aus dem Horizont der *Vivipara stricturata* von Sibin, pag. 95 (9).

" 13. " *Porumbarui* " Uebergangsform von *U. Hilberi* zu Porumbarni. Linke Klappe von innen (a) und aussen (b). Aus dem untersten Theil des Horizontes der *Vivipara Sturi* von Malino, pag. 96 (10).

" 14. " " " Linke Klappe von innen (a. und aussen (b). Aus dem obersten Theil des Horizontes der *Vivipara Sturi* von Malino, pag. 96 (10).

" 15. " " " Rechte Klappe von innen (a) und aussen (b). Ebendaher, pag. 96 (10).

Beiträge zur Palaeontologie von Oesterreich-Ungarn,
herausgegeben von Edm.v.Mojsisovics u.M.Neumayr, Bd.III 1883.

Verlag v. Alfred Hölder, k. k. Hof- u. Universitäts-Buchhandler in Wien.

TAFEL XVIII (IV).

Penecke, *slavonische Paludinenschichten.*

TAFEL XVIII (IV).

Fig. 1. *Unio maximus Fuchs.* Fragment der rechten Klappe von innen (mit dem Schloss). Aus den unteren Paludinenschichten von Malino. pag. 98 (12).

„ 2. „ „ Fragment der linken Klappe von innen. (Wirbel mit Hauptzahnen.) Ebendaher. pag. 98 (12).

„ 3. „ „ Wirbel von aussen. Ebendaher. pag. 98 (12).

„ 4. „ *aff. maximus.* Fragment des Schlossrandes einer linken Klappe mit dem Lateralzahn. Aus dem Horizont der *Vivipara Sturi* von Malino. 98 (12).

„ 5. „ *Fuchsi, Penecke.* Rechte Klappe von aussen. Aus dem Horizont der *Vivipara Zelebori* von Repusnica. pag. 99 (13).

„ 6. „ „ „ Fragment einer rechten Klappe. Aus dem Horizont der *Vivipara Zelebori* aus dem Capla-Graben. pag. 99 (13).

„ 7. „ „ „ Perle. Ebendaher. pag. 99 (13).

„ 8. „ *recurrens* „ Rechte Klappe von innen (*a*) und aussen (*b*). Aus dem Horizont der *Vivipara Vucotinovici* von Novska. pag. 100 (14).

„ 9. „ *Wilhelmi* „ Linke Klappe von innen (*a*) und aussen (*b*). Aus dem Horizont der *Vivipara Vucotinovici* von Novska. pag. 100 (14).

270

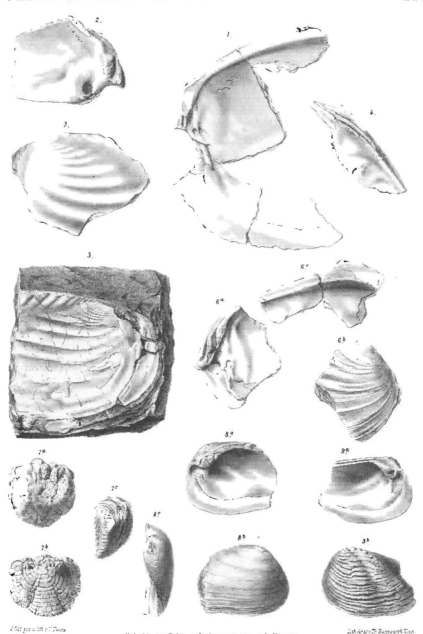

Beiträge zur Palaeontologie von Oesterreich-Ungarn
herausgegeben von Edm.v. Mojsisovics u. M. Neumayr. Bd.III 1883.

Verlag v. Alfred Hölder, k. k. Hof-u. Universitäts-Buchhändler in Wien.

TAFEL XIX (V).

Peneeke, slavonische *Paludinenschichten.*

TAFEL XIX (V).

Fig. 1. *Unio clivosus Brusina*. Rechte Klappe von innen (a) und aussen (b). Aus dem Horizont der *Vivipara Sturi* von Sibin. pag. 98 (12).

„ 2. „ „ „ „ Linke Klappe von innen. Ebendaher. pag. 98 (12).

„ 3. „ „ „ „ Rechte Klappe von innen (a) und aussen (b). Aus dem gleichen Horizont von Malino. pag. 98 (12).

„ 4. „ *Sturi M. Hörnes*. Rechte Klappe von innen. Aus dem Horizont der *Vivipara Vucotinovici* von Novska. pag. 98 (12).

„ 5. „ „ „ Desgleichen, von innen (a) und aussen (b). Ebendaher. pag. 98 (12).

„ 6. „ „ „ Schloss einer linken Klappe. Ebendaher. pag. 98 (12).

„ 7. „ *Haeckeli Penecke*. Doppelschale, aus dem Horizont der *Vivipara nota* von Sibin. a rechte, b linke Klappe von innen; c Schale von aussen, d von oben. pag. 99 (13).

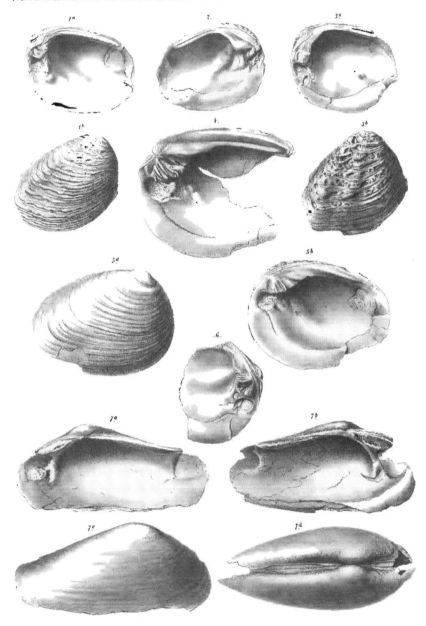

Beiträge zur Palaeontologie von Oesterreich-Ungarn,
herausgegeben von Edm.v.Mojsisovics u.M.Neumayr, Bd.III 1883.
Verlag v. Alfred Hölder, k.k. Hof- u. Universitäts-Buchhandler in Wien.

275

TAFEL XX.

Neumayr, Mundung von Lytoceras immane

TAFEL XX.

Auf dieser Tafel stellt die grosse Zeichnung ein theilweise beschaltes und mit ganzer Wuhnkammer erhaltenes Exemplar von *Lytoceras immane Oppel* vor, unter Weglassung des untersten beschädigten Theiles. Die Reste von Trompeten-mündungen sind erhalten; bei *x* sind die zerquetschten und zerknitterten Reste eines vordersten, unvollständig verkalkten Mündungsabschnittes sichtbar. Mit *y* sind Kammerscheidewände bezeichnet, die an ihrem internen Ende an Reste von Trompeten-mündungen stossen.

Die beiden kleinen Figuren zeigen restaurirte Abbildungen desselben Exemplars in reducirtem Maassstabe. Bezüglich der Flankenansicht ist zu bemerken, dass die inneren Windungen in der Natur vermuthlich nicht glatt sind, aber so gezeichnet wurden, weil über die Stellung der Mündungswülste auf denselben nichts bekannt ist. Vgl. pag. 101.

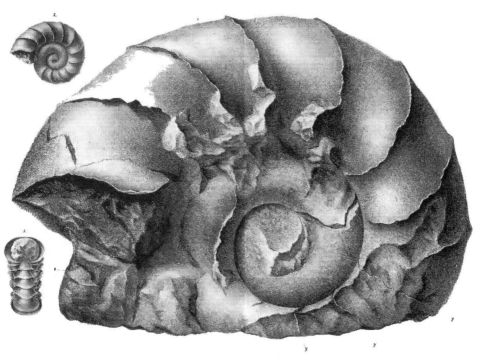

Beiträge zur Paläontologie von Oesterreich-Ungarn.
herausgegeben von Edm. v. Mojsisovics u. M. Neumayr. Bd. III 1883.

Verlag v. Alfred Hölder, k. k. Hof- u. Universitäts-Buchhändler in Wien

TAFEL XXI (IX).

Wähner, Unterer Lias

TAFEL XXI (IX).

Fig. 1 *a—c.* *Aegoceras Rahana* n. f. Gelbgrauer Kalk mit *Aeg. megastoma* vom Schreinbach. 1 *a.* Die beiden innersten Windungen sind gar nicht, die ihnen vorhergehende unrichtig gezeichnet. 1 *c.* Die Nahtloben hängen am Original so tief herab als der entsprechende erste Lateral. pag. 103 (14).

» 2 *a—b.* » » » Gelbgrauer Kalk mit *Aeg. megastoma* vom Schreinbach. pag. 103 (14).
» 3 *a—b.* » » » Rother Kalk mit Brauneisen-Concretionen vom Lämmerbach. pag. 103 (14).
» 4 *a—c.* » » » Gelbgrauer Kalk mit *Aeg. megastoma* vom Schreinbach. pag. 103 (14).
» 5 *a—b.* » n. f. cf. *Rahana.* Gelbgrauer Kalk mit *Aeg. megastoma* vom Schreinbach. pag. 106 (15).
» 6 *a—e.* » *Paltur* n. f. Gelbgrauer Kalk mit *Aeg. megastoma* vom Schreinbach. pag. 121 (30).

M = Mitte der Externseite, S = Sipho, N = Naht.

Originale in der paläontologischen Staatssammlung zu München.

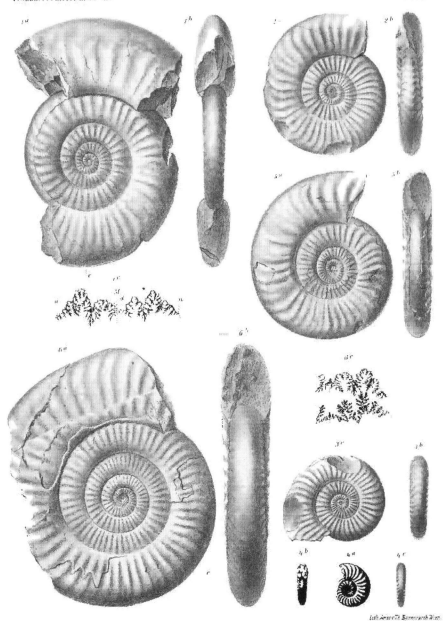

Lith.Anst.v.Th.Bannwarth Wien.

Beiträge zur Palaeontologie von Oesterreich-Ungarn,
herausgegeben von Edm.v.Mojsisovics u.M.Neumayr. Bd.III. 1883.
Verlag v. Alfred Hölder, k.k Hof-u Universitäts-Buchhandlung in Wien

285

TAFEL XXII (X).

Wähner, Unterer Lias.

TAFEL XXII (X).

Fig. 1 a—c. *Aegoceras polystreptum* n. f. Gelbgrauer Kalk mit *Aeg. megastoma* vom Schreinbach. pag. 108 (17).

„ 2 a—c. „ *loxoptychum* n. f. Gelbgrauer Kalk mit *Aeg. megastoma* vom Schreinbach pag. 109 (18).

M = Mitte der Externseite. S = Sipho, N = Naht.

Originale in der palaontologischen Staatssammlung zu München.

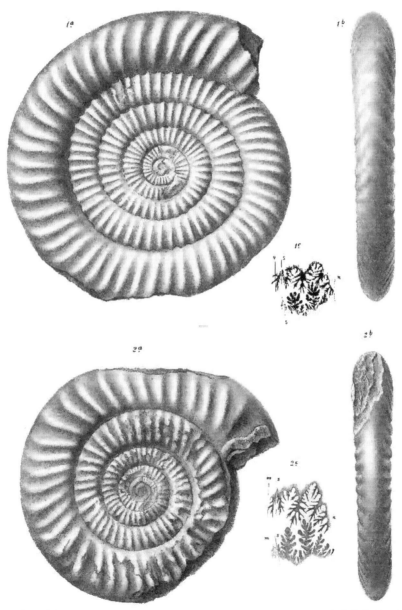

V. Uwira del.& lith.

Lith. Anst.v.Th. Bannwarth Wien

Beiträge zur Palaeontologie von Oesterreich-Ungarn.
herausgegeben von Edm.v. Mojsisovics u.M.Neumayr, Bd.III 1883
Verlag v. Alfred Hölder, k.k Hof-u. Universitäts-Buchhändler in Wien

TAFEL XXIII (XI).

Wähner, *Unterer Lias.*

Fig. 1 *a—d.* **Aegoceras Frigga** *n. f.* Gelbgrauer Kalk mit *Aeg. megastoma* vom Schreinbach. Die Rippen sind am Original an der Externseite kräftiger markirt. pag. 106 (15).

„ 2 *a—c.* „ „ „ Gelbgrauer Kalk mit *Aeg. megastoma* vom Schreinbach. 2 c. Die Nahtloben reichen am Original ein wenig tiefer herab. pag. 107 (16).

„ 3 *a—b.* „ „ „ Rother Kalk mit Brauneisenconcretionen vom Schreinbach. pag. 107 (16).

„ 4 *a—d.* „ *n. f. cf.* **Frigga.** Gelbgrauer Kalk mit *Aeg. megastoma* vom Schreinbach. 4 d. Der Lateralsattel ist am Original höher und der Nahtlobus viel seichter. pag. 107 (16).

„ 5 *a—d.* „ *n. f. ind.* Gelbgrauer Kalk mit *Aeg. megastoma* vom Schreinbach. 5 a. Das Ende der ausseren Windung ist zu niedrig, der Nabel zu weit gezeichnet. pag. 108 (17).

„ 6 *a—c.* „ *Berchta n. f.* Gelbgrauer Kalk mit *Aeg. megastoma* vom Schreinbach. pag. 120 (29).

„ 7 *a—c.* „ *n. f. cf.* **Berchta.** Gelbgrauer Kalk mit *Aeg. megastoma* vom Schreinbach. 7 a. Die beiden Einschnürungen gegen Schluss der ausseren Windung existiren nicht am Original. 7 c. Die Striche zu beiden Seiten der Medianlinie sollen nicht die Begrenzung des Sipho, sondern Zacken des Siphonallobus darstellen. Erster Lateral und Nahtlobus am Original viel tiefer. pag. 120 (29).

„ 8 *a—c.* „ *aphanoptychum n. f.* Gelbgrauer Kalk mit *Aeg. megastoma* vom Schreinbach. 8 a. Die aussere Windung ist zu niedrig gezeichnet, die Involubilität ist am Original geringer. 8 c. Der Nahtlobus ist am Original noch tiefer. pag. 123 (32).

„ 9 *a—c.* „ *n. f. ind.* Gelbgrauer Kalk mit *Aeg. megastoma* vom Schreinbach. 9 c. Die einzelnen Zacken des zweiten Laterals sind am Original viel schlanker und spitziger. pag. 122 (31).

„ 10 *a—c.* „ *n. f. ind.* Rother Kalk mit Brauneisenconcretionen vom Schreinbach. 10 b. Die Mündung ist zu niedrig gezeichnet. pag. 122 (31).

M = Mitte der Externseite, S = Sipho, K = Nabelkante, N = Naht.

Originale in der palaeontologischen Staatssammlung zu München.

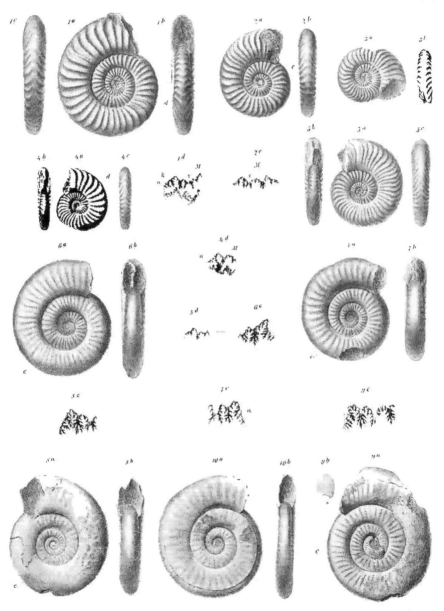

Beiträge zur Palaeontologie von Oesterreich Ungarn.
herausgegeben von Edm.v. Mojsisovics u. M. Neumayr, Bd.III 1883.
Verlag v. Alfred Holder, k.k Hof-u Universitäts-Buchhandlung in Wien

TAFEL XXIV (XII).

Wähner, Unterer Lias.

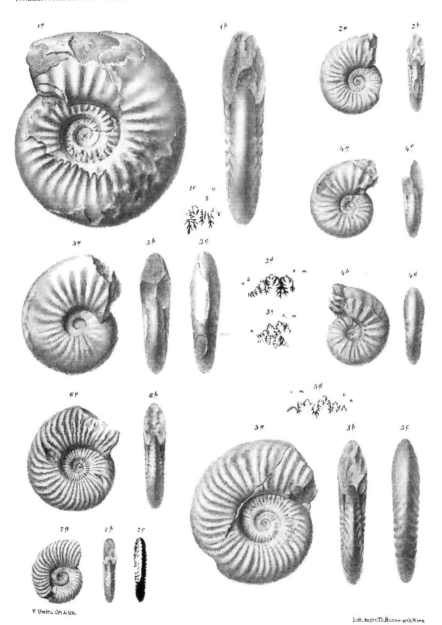

V. Uwira Del.u.lith.

Lith.Anst.v.Th.Bannwarth,Wien

Beiträge zur Palaeontologie von Oesterreich Ungarn,
herausgegeben von Edm.v. Mojsisovics u.M.Neumayr, Bd.III 1883
Verlag v. Alfred Hölder, k.k.Hof-u Universitäts-Buchhandler in Wien.

TAFEL XXV (XIII).

Wähner, Unterer Lias.

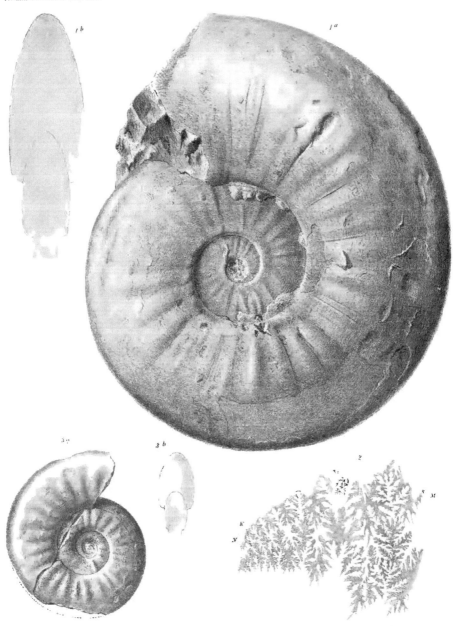

Beiträge zur Palaeontologie von Oesterreich-Ungarn,
herausgegeben von Edm.v. Mojsisovics u M.Neumayr. Bd.III 1883.
Verlag v Alfred Hölder k k Hof-u Universitäts-Buchhandlung in Wien

TAFEL XXVI (XIV).

Wähner, Unterer Lias.

TAFEL XXVI (XIV).

Fig 1 *a—c. Aegoceras Atanatense* n. *f.* Rother Kalk mit Brauneisenconcretionen (unterster Lias) von Adnet. Sammlung des Herrn Baron Löwenstern (Robert'sche Sammlung) in Oberalm. 1 *b.* Querschnitt schlecht dargestellt; Windungshöhen am Original viel bedeutender. 1 *c.* Die mittlere Spitze des ersten Laterals der tiefer stehenden Suturlinie am Original viel langer (wie bei der höher stehenden Linie). pag. 118 (27).

„ 2 *a—b.* „ n. *f. ind.* Rother Kalk mit Brauneisenconcretionen (unterster Lias) von Adnet. Geologische Sammlung der Wiener Universität. 2 *b.* Externseite am Original zugeschärft. pag. 118 (27).

„ 3 *a—c.* „ *mesogenos* n. *f.* Gelbgrauer Kalk mit *Aeg. megastoma* vom Schreinbach. Palaontologische Staatssammlung in München. 3 *a.* Der äussere Rand gegen Ende der äusseren Windung ist Bruchrand, die Windungshöhe daher in Wirklichkeit beträchtlicher. pag. 119 (28).

„ 4 *a—d.* „ *pleurolissum* n. *f.* Rother Kalk mit Brauneisenconcretionen (unterster Lias) vom Lämmerbach. Palaontologische Sammlung der Berliner Universität. 4 *c.* Externansicht vom Beginn der äusseren Windung mit dem darauf zurückgebliebenen Internlobus des abgebrochenen Umganges, schwach vergrössert. pag. 123 (32).

M = Mitte der Externseite, S = Sipho, K = Nabelkante, N = Naht.

Beiträge zur Palaeontologie von Oesterreich-Ungarn,
herausgegeben von Edm.v. Mojsisovics u. M. Neumayr, Bd.III 1883.
Verlag v. Alfred Hölder, k.k. Hof-u Universitats-Buchhandlung in Wien

TAFEL XXVII (I).

Brusina, *Die Fauna der Congerienschichten von Agram in Kroatien.*

TAFEL XXVII (I).

Beiträge zur Palaeontologie von Oesterreich-Ungarn,
herausgegeben von Edm.v. Mojsisovics u. M. Neumayr, Bd. III 1883.
Verlag v. Alfred Holder, k.k.Hof-u.Universitäts-Buchhandler in Wien.

TAFEL XXVIII (II).

Brusina, *Die Fauna der Congerienschichten von Agram in Kroatien.*

TAFEL XXVIII (II).

Fig. 33. *Adacna croatica Brusina.* Bruchstuck einer Doppelschale von aussen in natürlicher Grösse. Aus Okrugljak. pag. 147 (23).

„ 34.   „   *zagrabiensis Brus.* Rechte Klappe von aussen in natürlicher Grösse. Aus Okrugljak. pag. 148 (24).

„ 35.   „   „   „   Bruchstück einer rechten Klappe von aussen in natürlicher Grösse. Aus Okrugljak.

„ 36.   „   *Meisi* „   Rechte Klappe von aussen (*a*) und von der Seite (*b*) in natürlicher Grösse. Aus Okrugljak. pag. 146 (22).

„ 37.   „   *Pelzelni* „   Doppelschale von der linken Seite (*a*) und von der Wirbelseite (*b*) in natürlicher Grösse. Aus Okrugljak. pag. 152 (28).

„ 38.   „   *Steindachneri* „   Linke Klappe von aussen in natürl. Grösse. Aus Gergeteg in Slavonien. p. 154 (30).

„ 39.   „   *diprosopa* „   Linke Klappe von innen (*a*) und von aussen (*b*) in natürlicher Grösse. Aus Okrugljak. pag. 159 (35).

„ 40.   „   „   Rechte Klappe von aussen in natürlicher Grösse, dieselbe von aussen (*a*) und von innen (*b*) 3mal vergrössert. Aus Okrugljak.

„ 41.   „   *prionophora* „   Rechte Klappe von aussen in natürlicher Grösse, dieselbe von innen (*a*) und von aussen (*b*) 3mal vergrössert. Aus Okrugljak. pag. 157 (33).

„ 42.   „   *Baroëi* „   Linke Klappe von aussen (*a*) und von innen (*b*) in natürl. Grösse. Aus Okrugljak. pag. 156 (32).

„ 43.   „   *Schedeliana Partsch.* Rechte Klappe von innen (*b*) und von aussen (*a*) in natürlicher Grösse. Aus Okrugljak. pag. 151 (27).

Die Original-Exemplare befinden sich in der Sammlung des National-Museums in Agram.

Beiträge zur Palaeontologie von Oesterreich Ungarn,
herausgegeben von Edm.v. Mojsisovics u. M. Neumayr, Bd. III 1883.
Verlag v. Alfred Holder, k.k Hof-u Universitäts-Buchhandlung in Wien.

Lith Anst v.Th. Bannwarth Wien.

TAFEL XXIX (III).

Brusina, Die Fauna der Congerienschichten von Agram in Kroatien.

TAFEL XXIX (III).

Fig. 1. *Melanopsis Faberi Brusina*. Vorderseite (*a*), Rückseite (*b*) und Seitenansicht (*c*) in natürlicher Grösse. Aus Okrugljak. pag. 167 (43).

" 2. " *decollata Stoliczka*. Rückseite in natürlicher Grösse. Aus Okrugljak. pag. 168 (44).

" 3. " " Rückseite 2mal vergrössert (*a*) und in natürlicher Grösse (*b*). Aus Okrugljak.

" 4. " " Vorderseite (*a*) und Rückseite (*b*) in natürlicher Grösse. Aus Okrugljak.

" 5. *Micromelania Fuchsiana Brus.* Rückseite in natürlicher Grösse, Vorderseite (*a*) und Rückseite (*b*) 3mal vergrössert. Aus Okrugljak. pag. 163 (39).

" 6. " *monilifera* " Rückseite in natürlicher Grösse und 3mal vergrössert. Aus Okrugljak. pag. 164 (40).

" 44. *Adacna simplex Fuchs*. Rechte Klappe in natürlicher Grösse; dieselbe von innen (*a*) und von aussen (*b*) 3mal vergrössert. Aus Okrugljak. pag. 160 (36).

" 45. " *otiophora Brus.* Rechte Klappe in natürlicher Grösse; dieselbe von innen (*a*) und von aussen (*b*) 3mal vergrössert. Aus Okrugljak. pag. 158 (34).

" 46. " " " Rechte Klappe in natürlicher Grösse; dieselbe von innen (*a*) und von aussen (*b*) 3mal vergrössert. Aus Okrugljak.

" 47. " *ochetophora* " Linke Klappe in natürlicher Grösse; dieselbe von innen (*a*) und von aussen (*b*) 3mal vergrössert. Aus Okrugljak. pag. 157 (33).

" 48. " *chartacea* " Rechte Klappe in natürlicher Grösse und 3mal vergrössert. Aus Okrugljak. pag. 153 (29).

" 49. " *complanata Fuchs.* Rechte Klappe in natürlicher Grösse und 3mal vergrössert. Aus Okrugljak. pag. 161 (37).

" 50. " *buriatica* " Rechte Klappe in natürlicher Grösse; dieselbe von innen (*a*) und von aussen (*b*) 2mal vergrössert. Aus Okrugljak. pag. 152 (28).

" 62. " *Budmani Brus.* Rechte Klappe von aussen in natürlicher Grösse. Aus Černomerec. pag. 184 (60).

" 63. " *zagrabiensis* " Rechte Klappe von aussen in natürlicher Grösse. Aus Černomerec. pag. 184 (60).

" 64. " *edentula Deshayes*. Rechte Klappe in natürl. Grösse (*a*) und 3mal vergrössert (*b*). Aus Černomerec. p. 185 (61).

" 65. " *pterophora Brus.* Bruchstück einer rechten Klappe in natürlicher Grösse. Aus Černomerec. pag. 185 (61).

" 66. " " Bruchstück einer linken Klappe in natürlicher Grösse. Aus Černomerec. pag. 185 (61).

" 67. " *edentula Deshayes*. Bruchstück einer linken Klappe in natürlicher Grösse. Aus Okrugljak. pag. 160 (36).

" 69. " *Pelzelni Brus.* Stacheln in natürlicher Grosse und 2mal vergrössert (*a*, *b*). Aus Okrugljak. pag. 152 (28).

Die Original-Exemplare befinden sich in der Sammlung des National-Museums in Agram.

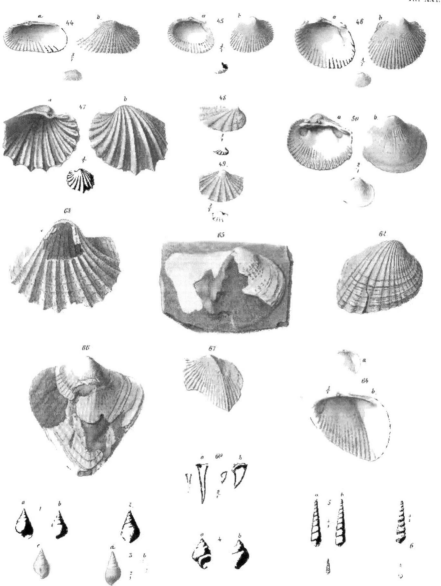

Beiträge zur Palaeontologie von Oesterreich Ungarn,
herausgegeben von Edm.v.Mojsisovics u.M.Neumayr, Bd.III 1883.
Verlag v. Alfred Hölder, k k Hof-u. Universitäts-Buchhandler in Wien.

TAFEL XXX (IV).

Brusina, Die Fauna der Congerienschichten von Agram in Kroatien.

TAFEL XXX (IV).

Fig. 7. *Micromelania monilifera Brus.* Rückseite in natürlicher Grösse; Rückseite (*a*) und Vorderseite (*b*) 3mal vergrössert. Aus Okrugljak. pag. 164 (40).

„ 8. „ *cerithiopsis* „ Seitenansicht in natürlicher Grösse und 4mal vergrössert. Aus Okrugljak. pag. 164 (40).

„ 9. „ „ „ „ Rückseite in natürlicher Grösse; Vorderseite (*a*) und Rückseite (*b*) 4mal vergrössert. Aus Okrugljak.

„ 10. „ *coelata* „ Rückseite in natürlicher Grösse; Seitenansicht (*a*) und Rückseite (*b*) 3mal vergrössert. Aus Okrugljak. pag. 164 (40).

„ 11. *Pyrgula incisa Fuchs.* Rückseite in natürlicher Grösse und 3mal vergrössert. Aus Okrugljak. pag. 163 (39).

„ 12. *Vivipara Sulleri Partsch.* Vorderseite (*a*) und Rückseite (*b*) in natürlicher Grösse. Aus Okrugljak. (pag. 166 (42).

„ 13. *Bythinia pumila Brus.* Rückseite in natürlicher Grösse; Vorderseite (*a*) und Rückseite (b) 8mal vergrössert. Aus Okrugljak. pag. 166 (42).

„ 14. „ *Clessini* „ Rückseite in natürlicher Grösse; Vorderseite (*a*) und Rückseite (*b*) 2mal vergrössert. Aus Okrugljak. pag. 165 (41)

„ 15. *Limnaea Kobelti* „ Vorderseite in natürlicher Grösse. Aus Okrugljak. pag. 178 (54).

„ 16. „ „ „ Rückseite in natürlicher Grösse. Aus Okrugljak.

„ 17. *Lytostoma grammica Brus.* Vorderseite (*a*) und Rückseite (b) in natürlicher Grösse. Aus Okrugljak. pag. 177 (53).

„ 18. „ „ Vorderseite (*a*) und Rückseite (*b*) in natürlicher Grösse. Aus Okrugljak. pag. 177 (53).

„ 19. „ *sp* Rückseite in natürlicher Grösse; Rückseite (*a*) und Vorderseite (*b*) 2mal vergrössert. Aus Okrugljak. pag. 178 (54).

„ 20. *Zagrabica naticina Brus.* Vorderseite (*a*) und Rückseite (*b*) in natürlicher Grösse. Aus Okrugljak. pag. 173 (49).

„ 21. „ *ampullacea Brus.* Vorderseite (*a*) und Rückseite (*b*) in natürlicher Grösse. Aus Okrugljak. pag. 173 (49).

„ 22. „ *Maecki* „ Rückseite in natürlicher Grösse; Vorderseite (*a*) und Rückseite (*b*) 2mal vergrössert. Aus Okrugljak. pag. 174 (50).

„ 23. „ *cyclostomopsis* „ Rückseite (*a*) und Vorderseite (*b*) in natürlicher Grösse. Aus Okrugljak. pag. 175 (51).

„ 24. „ *Folnegovići* „ Vorderseite (*a*), Rückseite (*b*), Seitenansicht (*c*) und ein Stück Oberfläche vergrössert (*d*). Aus Okrugljak. pag. 175 (51).

„ 25. *Boskovicia Josephi* „ Vorderseite (*a*), Rückseite (*b*), Seitenansicht (*c*) und ein Stück Oberfläche 10mal vergrössert. Aus Okrugljak. pag. 176 (52).

„ 26. *Valenciennesia pelta* „ Von oben in natürlicher Grösse. Aus Okrugljak. pag. 180 (56).

„ 27. *Planorbis constans* „ Von oben in natürlicher Grösse und 2mal vergrössert. Aus Okrugljak. pag. 169 (45).

„ 28. „ *cf. transsylvanicus Neum.* Von oben in natürlicher Grösse und 2mal vergrössert. Aus Okrugijak. p. 170 (46).

„ 29. „ *clathratus Brus.* Von oben in natürlicher Grösse; von oben (*a*) und von unten (*b*) 2mal vergrössert. Bruchstück aus Okrugljak. pag. 171 (47).

„ 30. „ *radmanesti Fuchs.* Von oben in natürlicher Grösse; von oben (*a*) und Seitenansicht (*b*) 2mal vergrössert. Aus Okrugljak. pag. 170 (46).

„ 31. „ „ Von oben in natürlicher Grösse; von oben (*a*) und von unten (*b*) 2mal vergrössert. Aus Okrugljak.

„ 32. „ „ Von oben in natürlicher Grösse; von oben (*a*) und von unten (*b*) 4mal vergrössert. Aus Okrugljak.

Die Original-Exemplare befinden sich in der Sammlung des National-Museums in Agram.

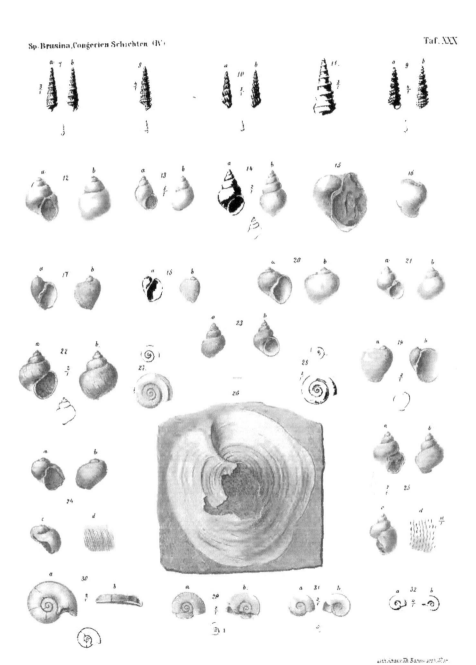

Beiträge zur Palaeontologie von Oesterreich-Ungarn,
herausgegeben von Edm.v. Mojsisovics u. M. Neumayr, Bd. III 1883.
Verlag v. Alfred Hölder, k.k Hof-u. Universitäts- Buchhandler in Wien.

BEITRÄGE

ZUR

PALÄONTOLOGIE ÖSTERREICH-UNGARNS

UND DES ORIENTS

HERAUSGEGEBEN VON

E. v. MOJSISOVICS und M. NEUMAYR.

BAND III. HEFT I u. II. MIT TAFEL I—XIV.

AUSGEGEBEN AM 1. JANUAR 1883.

INHALT:

WIEN, 1883.

ALFRED HÖLDER

K. K. HOF- UND UNIVERSITÄTS-BUCHHANDLER.

ROTHENTHURMSTRASSE 15.

Verlag von Alfred Hölder, k. k. Hof- und Universitäts-Buchhändler in Wien,
Rothenthurmstrasse 15.

DIE CEPHALOPODEN
der
MEDITERRANEN TRIASPROVINZ.
Von

Dr. Edm. Mojsisovics von Mojsvár.

Mit 94 lithographirten Tafeln. — Preis fl. 70 = Mark 140.

LEHRBUCH DER MINERALOGIE
von
Dr. GUSTAV TSCHERMAK,

k. k. Hofrath, o. ö. Professor der Mineralogie und Petrographie an der Wiener Universität.

I. Lieferung. Mit 277 Abbildungen und 2 Farbentafeln. Preis fl. 3.20   6 M.
2. Lieferung. Mit 92 Abbildungen. Preis fl. 2.80 = M. 3.40 Pf

Vollständig in drei Lieferungen in ungefähr gleichem Umfange.

GEOLOGISCHE ÜBERSICHTSKARTE
der
KÜSTENLÄNDER VON ÖSTERREICH-UNGARN
und der
ANGRENZENDEN GEBIETE VON KRAIN, STEIERMARK UND KROATIEN.

Nach den Aufnahmen der k. k. geologischen Reichsanstalt, sowie neueren eigenen Beobachtungen entworfen
von
Dr. GUIDO STACHE

k. k. Oberbergrath und Chefgeolog der Geologischen Reichsanstalt in Wien.

Preis fl. 2.60 = M. 5.20 Pf.

GRUNDLINIEN DER GEOLOGIE
von
BOSNIEN-HERCEGOVINA.
Von

Dr. Edm. v. Mojsisovics, Dr. E. Tietze und Dr. A. Bittner.

Mit 3 lithogr. Tafeln und der geologischen Uebersichtskarte von Bosnien-Hercegovina.
(Kunstdruck in 20 Farben. Massstab 1 : 576.000.)

(Diese Karte bildet ein Ergänzungsblatt zur „Geologischen Uebersichtskarte der österreichisch-ungarischen Monarchie", nach den
Aufnahmen der k. k. geologischen Reichsanstalt, von Franz Ritter von Hauer.)

Preis fl. 12 = 24 M.

Verlag von Alfred Hölder, k. k. Hof- und Universitäts-Buchhändler in Wien,
Rothenthurmstrasse 15.

BEITRÄGE

PALÄONTOLOGIE ÖSTERREICH-UNGARNS

UND DES ORIENTS

E. v. MOJSISOVICS und M. NEUMAYR.

BAND III. HEFT III. MIT TAFEL XV—XX.

AUSGEGEBEN AM 1. MAI 1883.

INHALT:

(DIE AUTOREN SIND ALLEIN FÜR FORM UND INHALT DER AUFSÄTZE VERANTWORTLICH.)

WIEN, 1883.

ALFRED HÖLDER

K. K. HOF- UND UNIVERSITÄTS-BUCHHANDLER.

ROTHENTHURMSTRASSE 15.

Verlag von Alfred Hölder, k. k. Hof- und Universitäts-Buchhändler in Wien,

Rothenthurmstrasse 15.

DIE CEPHALOPODEN

der

MEDITERRANEN TRIASPROVINZ.

Von

Dr. Edm. Mojsisovics von Mojsvár.

Mit 94 lithographirten Tafeln. — Preis fl. 70 = Mark 140.

LEHRBUCH DER MINERALOGIE

von

Dr. GUSTAV TSCHERMAK,

k. k. Hofrath, o. ö. Professor der Mineralogie und Petrographie an der Wiener Universität.

1. Lieferung. Mit 277 Abbildungen und 2 Farbentafeln. Preis fl. 3.20   6 M.
2. Lieferung. Mit 92 Abbildungen. Preis fl. 2.80 = M. 5.40 Pf

Vollständig in drei Lieferungen in ungefähr gleichem Umfange.

GEOLOGISCHE ÜBERSICHTSKARTE

der

KÜSTENLÄNDER VON ÖSTERREICH-UNGARN

und der

ANGRENZENDEN GEBIETE VON KRAIN, STEIERMARK UND KROATIEN.

Nach den Aufnahmen der k. k. geologischen Reichsanstalt sowie neueren eigenen Beobachtungen entworfen

von

Dr. GUIDO STACHE

k. k. Obergeograph und Co-Director der Geologischen Reichsanstalt in Wien.

Preis fl. 2.60 = M. 5.20 Pf.

GRUNDLINIEN DER GEOLOGIE

von

BOSNIEN-HERCEGOVINA.

Von

Dr. Edm. v. Mojsisovics, Dr. E. Tietze und Dr. A. Bittner.

Mit 5 lithogr. Tafeln und der geologischen Uebersichtskarte von Bosnien-Hercegovina.
(Kunstdruck in 20 Farben. Massstab 1 : 576.000.)

(Diese Karte bildet ein Ergänzungsblatt zur „Geologischen Uebersichtskarte der österreichisch-ungarischen Monarchie", nach den Aufnahmen der k. k. geologischen Reichsanstalt, von Franz Ritter von Hauer.)

Preis fl. 12 = 24 M.

Verlag von Alfred Hölder, k. k. Hof- und Universitäts-Buchhändler in Wien,

Rothenthurmstrasse 15.

~744
June 3. 1884,

BEITRÄGE

PALÄONTOLOGIE ÖSTERREICH-UNGARNS

UND DES ORIENTS

HERAUSGEGEBEN VON

E. v. MOJSISOVICS und M. NEUMAYR.

BAND III. HEFT IV. MIT TAFEL XXI—XXX.
AUSGEGEBEN AM 31. MÄRZ 1884.

INHALT:

WIEN, 1884.

ALFRED HÖLDER
K. K. HOF- UND UNIVERSITÄTS-BUCHHÄNDLER.
ROTHENTHURMSTRASSE 15.

Verlag von Alfred Hölder, k. k. Hof- und Universitäts-Buchhändler in Wien,
Rothenthurmstrasse 15.

DIE CEPHALOPODEN
der
MEDITERRANEN TRIASPROVINZ.
Von
Dr. Edm. Mojsisovics von Mojsvár.

Mit 94 lithographirten Tafeln. — Preis fl. 70 = Mark 140.

Die geognostischen Verhältnisse
der
GEGEND von LEMBERG.
Von
Dr. EMIL TIETZE.

Mit einer geologischen Karte der Umgebung von Lemberg. Preis fl. 2.80 kr. = M. 5.60 Pf.
Hieraus die Karte apart fl. 2 = M. 4.

Geologische Forschungen in den kaukasischen Ländern
von
HERMANN ABICH
I. Theil:
Eine Bergkalkfauna aus der Araxesenge bei Djoulfa in Armenien.
Mit 11 lithographirten Tafeln und 31 in den Text gedruckten Holzschnitten. Preis fl. 10 = M. 20.

II. Theil:
Geologie des Armenischen Hochlandes.
I. Westhälfte.
Mit Atlas nebst 19 Tafeln, 5 Karten zum Text und 49 eingedruckten Holzschnitten. Preis fl. 36 = M. 72.

GRUNDLINIEN DER GEOLOGIE
von
BOSNIEN-HERCEGOVINA.
Von
Dr. Edm. v. Mojsisovics, Dr. E. Tietze und Dr. A. Bittner.

Mit 3 lithogr. Tafeln und der geologischen Uebersichts-Karte von Bosnien-Hercegovina.
(Kunstdruck in 20 Farben, Massstab 1:576.000.)

(Diese Karte bildet ein Ergänzungsblatt zur „Geologischen Uebersichtskarte der österreichisch-ungarischen Monarchie", nach den
Aufnahmen der k. k. geologischen Reichsanstalt von Franz Ritter von Hauer.)

Preis fl. 12 = 24 M.

LEHRBUCH DER MINERALOGIE
von
Dr. GUSTAV TSCHERMAK,
k. k. Hofrath, o. ö. Professor der Mineralogie und Petrographie an der Wiener Universität.

Mit 277 Abbildungen und 2 Farbendrucktafeln. Preis fl. 9.60 = M. 18 — Pf

Verlag von Alfred Hölder, k. k. Hof- und Universitäts-Buchhändler in Wien,
Rothenthurmstrasse 15.

Hierzu eine Beilage von Ferdinand Enke in Stuttgart.